YN GYMYSG
OLL I GYD

Cyfres y Cymoedd

Yn gymysg oll i gyd

Golygydd
Hywel Teifi Edwards

Argraffiad cyntaf—2003

ISBN 1 84323 286 3

Dymuna'r cyhoeddwyr gydnabod cymorth Adrannau Cyngor Llyfrau Cymru.

Argraffwyd gan
Wasg Gomer, Llandysul, Ceredigion

Cynnwys

Cyflwyniad

Yn y ddegfed gyfrol hon y mae rhai o epil diweddar y cymoedd, pob un ohonynt yn dal cyswllt ag un o'r cymoedd a gafodd sylw yn y cyfrolau blaenorol, yn trafod eu perthynas â man eu geni a'u prifiant. Fe gawsant dragwyddol heol i ddweud a fynnent fel y mynnent, heb i'r golygydd wneud mwy nag ystwytho a chymhennu hwnt ac yma. Rwy'n dra diolchgar iddynt am eu cyfraniadau, am gyflwyno tystiolaeth, rhannu profiadau a chynnig argraffiadau mewn modd sy'n llonni a sobri dyn bob yn ail.

Y mae pob un ohonynt, yn ei ffordd ei hun, wedi bod yn driw i'w brofiad ei hun gan greu drych o gyfrol lle y dangosir wyneb y Gymru gyfoes gan ambell gariad iddi yn ogystal â serchogion eraill sy'n mynnu ei chusanu â'u llygaid ar agor. Ni allaf ond gobeithio y caiff bywyd Cymraeg cymoedd y de ymhlith cyfranwyr y gyfrol hon rai a fydd yn barod i'w wneud yn faes ymchwil iddynt, gan ddadlennu mwy a mwy o'r cyfoeth a fu ynddo, ac sy'n dal ynddo o hyd yn gweiddi am sylw.

Y mae'r gyfres hon, waeth beth nad yw wedi'i gyflawni oherwydd diffygion y golygydd, o leiaf wedi dangos nad yw adrodd stori Cymreictod y de ond prin wedi dechrau. Mawr iawn yw fy niolch i'r holl gyfranwyr am eu cefnogaeth barod a gwerthfawr.

Cwbwl briodol oedd gofyn i'r Athro M.Wynn Thomas ymateb i'r gyfres ar ei hyd yn y gyfrol hon, nid dim ond am ei fod yn un o blant Ferndale ond am iddo weld gwerth y fenter o'r dechrau a'i chyplysu â'r gwaith nodedig y mae'n ei wneud ers blynyddoedd i roi bri ar ddwy lenyddiaeth Cymru. Y mae'n fraint cael cydnabod fy nyled iddo.

A phleser arbennig i mi yw cael diolch i staff Adran y Gymraeg ym Mhrifysgol Cymru, Abertawe, am eu cefnogaeth gyson dros y blynyddoedd ac yn enwedig i'r ysgrifenyddes, Mrs Gaynor Miles, am ei champ yn paratoi'r defnyddiau ar gyfer y wasg yn ddi-ffael o gyfrol i gyfrol. Bu'n gymorth mewn sawl cyfyngder.

Ac yn olaf, Gwasg Gomer, na fyddai'r fenter wedi bod yn ddim ond syniad heb barodrwydd y Lewisiaid i fentro fel arfer. Yn Dyfed

Elis-Gruffydd, a Bethan Mair a'i dilynodd, fe gafodd 'Cyfres y Cymoedd' ddau arolygwr na allwn ddymuno'u gwell ac y mae gennyf le mawr i ddiolch iddynt hwy, a chrefftwyr ardderchog y wasg, am sicrhau ymddangosiad rheolaidd ac atyniadol pob un gyfrol. Os cânt eu haeddiant fe 'werthir y gyfres mâs' cyn hir.

Cyflwynir 'Cyfres y Cymoedd'
i
Rona, fy ngwraig, a Mam sy'n 95 oed
– dwy o ferched y Sowth.

Hywel Teifi Edwards
Mai 2003.

Rhagymadrodd

'The Valleys'

'The valleys' medden nhw yn dalog o ewn – y 'nhw', y Cymry di-Gymraeg a phawb y tu draw i Glawdd Offa – yn union fel petaen nhw piau'r lle. Ac fe ŵyr pawb beth i'w ddisgwyl unwaith y cyfeirir at 'the Valleys'; y glowyr, wrth gwrs, a'r corau meibion, a'r Undebau Llafur, a'r gymdeithas glòs dwymgalon, ac yn y blaen. Bob tro y bydd cyfeiriad ar raglenni teledu o Lundain at 'the Valleys', rwy'n dechrau anesmwytho, oherwydd bod yr ymadrodd yn ddrewdod o anwylo nawddoglyd. Yn y cyswllt hwn, mae'r ymadrodd 'the Valleys' yn crynhoi agwedd oddefgar-ddirmygus cenhedloedd eraill tuag atom, ac felly'n ddrych o ddirymdra'n cyflwr seicolegol, diwylliannol a gwleidyddol ni.

Ond nid iddyn 'nhw' mae 'the Valleys' yn perthyn. Maen nhw'n perthyn i finne. Fe ges i fy ngeni a'm magu yn Ferndale (Glynrhedyn), Rhondda Fach. Oedd, yr roedd fy hen dad-cu yn golier; ac oedd, yr oedd fy nhad yn aelod o gôr meibion nid anenwog Pendyrus, pan oedd y côr hwnnw yn ei anterth dan arweiniad Arthur Duggan; a do, fe ges fy ngeni a'm magu mewn tŷ teras, a thu hwnt i wal yr ysgol a fynychais ar waelod y dyffryn yr oedd un o byllau glo enwog y Rhondda. Ac mae'n wir mai mab i löwr oedd fy ffrind bach mynwesol bore oes, Gareth Jones. Ond roedd Gareth yn Gymro bach Cymraeg, 'run fath â fi. Ac wrth i fi dyfu'n ddyn, fe ddes i deimlo nad oedd nifer o haneswyr mwyaf dylanwadol 'the Valleys' am gydnabod bodolaeth Gareth a fi. Roeddem ni, a'n rhieni, a'r capel, a'r gymdeithas o bobl gyffredin y perthynem ni iddi, megis wedi diflannu o olwg eu 'hanes' hwy yn gyfan gwbl. Roeddem wedi'n gwthio o'r neilltu a'n trin fel pobl yr ymylon; yr ysgymun rai. A'r un modd anwybyddwyd Cymreictod y cymoedd gan y diwylliant Cymraeg yn ei dro gan nad oedd yn llwyr gydnaws â gwerthoedd diledryw y cymunedau traddodiadol.

Serch hynny, mae 'the Valleys' o hyd yn eiddo i fi, brodor o Gwm Rhondda sy'n Gymro Cymraeg, ac fe fynnaf inne hawlio fy lle a'm

Ferndale. *(Patricia Aithie)*

hetifeddiaeth. Eithr nid ar draul neb arall. Oherwydd er mai 'cwm culach na cham ceiliog' yw'r Rhondda Fach, fe wasgwyd pobloedd y byd i agen ddofn 'cwm tarth/ Cwm twrf' ar un adeg. 'Tabernacl' oedd enw capel Annibynnol fy nheulu yn Ferndale, a rhyw fan cyfarfod rhyfedd iawn oedd y cwm ei hun hefyd. Soniwyd llawer ers y dau ddegau am y Rhondda fel 'American Wales', gan nodi, wrth gwrs, mai pair tawdd Cymru oedd y cymoedd glofaol. Ond o gadw at y gyffelybiaeth ag America, mae'n werth inni sylwi ymhellach fod y Taleithiau wedi bwrw heibio'r cysyniad o grochan tawdd erbyn hyn, ac wedi mabwysiadu'r ddelwedd o fosäig y cenhedloedd. Mae'n hen bryd i'n haneswyr a'n cymdeithasegwyr diwydiannol ninne yng Nghymru fabwysiadu delwedd debyg er mwyn ein galluogi ni i werthfawrogi'r modd y cynullwyd cymdeithas unigryw y cymoedd. Roedd fy nhad yn arfer synied am y cwm lle y ganed ac y maged ef fel cyffindir y Gorllewin Gwyllt. Erbyn hyn, mae haneswyr cyffindir y Taleithiau yn gwneud yn fawr o'r ffaith mai cyfnewidfa ddiwylliannol oedd y parthau gorllewinol hynny. Gellir synied am y Rhondda a'i chymdogion yn yr un modd, ond ni thalwyd fawr o sylw hyd yn hyn i'r gweddau hanfodol bwysig yma ar y moddau cyfoethog o gymhleth y bu i ddiwylliant Saesneg a diwylliant Cymraeg gydgyfarfod, a gwrthdaro, a chyd-fyw, a chroesffrwythloni yn y parthau hynod hynny. A bydd angen amynedd Job, ynghyd â sylwgarwch eithriadol, ar bwy bynnag a aiff ati o ddifrif i geisio 'mapio' hanes y cymoedd yn y dull hwn. Fel y dangosodd Dafydd Johnston, yn ei argraffiad safonol o farddoniaeth Idris Davies, roedd y patrwm ieithyddol a diwylliannol yn amrywio bron o stryd i stryd, heb sôn am o ardal i ardal, neu o gwm i gwm; ac, wrth gwrs, roedd yn amrywio'n ddirfawr o gyfnod i gyfnod. Roedd olion cyfarfod dau ddiwylliant i'w canfod ym mhobman wrth i fi brifio, gan fod darnau o'r Gymraeg ar lawr ar hyd y cwm o'm cwmpas ym mhob man. Yn Rhondda Terrace y ces i fy ngeni. Ond roedd 'Darren Terrace' gerllaw, a threuliais oriau hapus iawn yn 'Darren Park' yn gwylio Ferndale yn chwarae – nid rygbi eithr pêl-droed, gan mai cae chwarae o ludw coch yn unig oedd ar gael yn y dreflan. A dyna chwalu ystrydeb arall.

Do, fe ges i fy ngeni a'm magu yng Nghwm Rhondda. Ond un o ardal Pengelli, a Phenyrheol, Gorseinon, oedd fy mam, ac roedd ganddi ffrindiau'n drwch yng Nghwm Tawe, a Chwm Aman, a Chwm Nedd a Chwm Gwendraeth. Fe symudodd fy rhieni a finne yn ein hôl i fyw ym Mhenyrheol pan oeddwn yn ddeng mlwydd oed, ac wrth dyfu'n ddyn sylweddolais, unwaith yn rhagor, nad oedd y rheini a soniai'n ewn am 'the Valleys' am gydnabod bodolaeth cymdeithas ddiwydiannol Gymraeg cymoedd y gorllewin. Eithr nid y cymoedd hynny yn unig a gafodd eu hanwybyddu. Beth am Gwm Rhymni, Cwm Ebwy, Cwm Cynon, Cwm Dulais, Cwm Sirhywi, Cwm Llynfi, Cwm Afan, Cwm Garw, Cwm Ogwr a Chwm Dulais, y cymoedd 'di-nod' y mae lle mewn 'hanes' fel petai wedi ei warafun iddynt? Wrth arfer y term cyffredinol 'the Valleys', anwybyddir y gwahaniaethau hanfodol bwysig a oedd yn bod rhwng y naill gwm a'r llall yn ardaloedd y glo ager a'r glo carreg.

Pan gychwynnwyd cyfres arloesol y cymoedd, felly, fe groesawais y gwahoddiad i gyfrannu iddi, a hynny ar dir profiad personol ond hefyd ar dir 'proffesiynol'. Ar y naill law, dyma fy nghyfle i afael yn y llinyn bogail sy'n fy nghydio'n dynn o hyd wrth y gweddau ar brofiad y cymoedd na chawsai'r sylw haeddiannol tan i'r gyfres hon ymddangos. *The Empire Writes Back* yw teitl un o'r cyfrolau ysgolheigaidd diweddar mwyaf arwyddocaol ym maes astudio llenyddiaeth Saesneg. Sôn y mae am y cyfrolau llenyddol Saesneg eu hiaith sydd bellach yn lleisio profiadau brodorion y trefedigaethau ledled byd a feddiannid gynt gan Ymerodraeth Prydain Fawr – profiadau a arferai fod yn waharddedig, a lleisiau a aethai'n fud tan y cyfnod diweddar. Ac ar un ystyr, fe fyddaf inne'n synied yr un modd am yr ysgrifau a luniais i ac eraill ar gyfer Cyfres y Cymoedd: lleisiau'r di-lais ydynt; cri'r amddifad rai.

Ond mae gwedd arall ar yr ysgrifau yn ogystal. Treuliais y blynyddoedd diwethaf yn astudio llên Saesneg Cymru, a gwir, ar y cyfan, yw'r sylw cyfarwydd mai ardaloedd diwydiannol de-ddwyrain Cymru oedd prif fagwrfa'r llenyddiaeth honno. Wrth fynd i'r afael â'r maes, buan y teimlais nad oedd modd trin y llenyddiaeth fel drych cyflawn o'r gymdeithas ddiwydiannol, gan fod agweddau pwysig ar brofiadau'r cymoedd nad oedd modd cael hyd iddynt heb droi at ysgrifeniadau Cymraeg. Rhaid oedd bod yn ymwybodol o waith Kitchener Davies, Pennar Davies, Robat Powel, Manon Rhys, Rhydwen Williams, Dyfnallt Morgan, J. Gwyn Griffiths, Mihangel Morgan ac ysgrifenwyr eraill o gymoedd cydnabyddedig y de, a hynny cyn cychwyn sôn am Gwenallt, T. E. Nicholas, Islwyn, Dafydd Rowlands, Meirion Evans, Crwys, Abiah Roderick, Watcyn Wyn, Bryan Martin Davies, Derec Llwyd Morgan, Tudur Hallam, a gweddill awduron Cymraeg y cymoedd gorllewinol 'anhysbys'. Ar ben hynny, doedd dim modd deall llên Saesneg y de diwydiannol yn llawn heb ymwybyddiaeth fyw o bresenoldeb y Gymraeg yn y gymdeithas yr oedd y llenorion yn byw ynddi. Ceir enghreifftiau lu yn y gweithiau llenyddol eu hunain – mae'n hynod amlwg yn achos Idris Davies, dyweder, ond mae'n ffaith lawn mor arwyddocaol yn achos Lewis Jones. Pan ddarllenais ei nofelau, fe hoeliwyd fy sylw gan

'Shane', enw anghyfarwydd ac ymddangosiadol anaddas un o'r cymeriadau. Dyfalais i ddechrau mai teulu Gwyddelig oedd teulu 'Shane', ond doedd yr esboniad ddim yn argyhoeddi, gan ei bod yn amlwg mai o gefndir Cymraeg y tarddai'r cymeriad. Yna sylweddolais – braidd yn hwyr, rhaid cyfaddef – mai ystumiad o 'Siân' ydoedd, yn ôl pob tebyg. A dyna agor cil y drws ar destun diddorol, sef y wedd 'drefedigaethol' ar nofel Lewis Jones, gan fod 'Shane' yn enghraifft o gymhwyso enw brodorol er mwyn sicrhau fod cymdeithas estron, drefedigaethol Seisnig yn medru ei ynganu.

Manylyn yn unig yw hwn, ond dengys fod y Gymraeg, a'i diwylliant, nid yn unig yn gefnlen pwysig i lenyddiaeth Eingl-Gymreig cymoedd y de, ond hefyd yn rhan annatod o wead y testunau llenyddol eu hunain. Ar ben hynny, mae'r llenyddiaeth ar ei hyd yn darlunio syniadau cymdeithas Saesneg y cymoedd am y Gymru Gymraeg. Yn wir, mae mawr angen map arnom yn seiliedig ar y gweithiau hyn – nid map o'r tirlun fel y mae, eithr map 'symbolaidd', map o'r moddau dychmygus yr oedd y naill gymdeithas ieithyddol a'r llall yng Nghymru yn canfod ei gilydd mewn cyfnod a fu.

I ysgol gynradd Saesneg yr es i. Ond mae'r ysgol honno – syth gyferbyn â'm hen gartref – yn ysgol Gymraeg erbyn hyn. Dyma benllanw'r datblygiad a gychwynnodd pan agorwyd ysgol Gymraeg gyntaf y Rhondda Fach ym Mhont-y-gwaith, ychydig fisoedd yn unig ar ôl i ysgol Ynys-wen gael ei hagor yn y Rhondda Fawr. Ches i ddim mynychu'r ysgol newydd, gan fy mod eisoes wedi ymgartrefu yn ysgol feithrin Saesneg Ferndale. Yn sicr, bu ail-Gymreigio'r cymoedd yn ddatblygiad cyffrous ar sawl ystyr, a hawdd deall paham y mae pryddest gyfarwydd Rhydwen Williams, 'Ffynhonnau', yn taro deuddeg ym meddyliau'r rheini a fu'n ymgyrchu'n barhaus i sicrhau'r datblygiad hwnnw. Eithr thâl hi ddim i lyncu'r myth a fynegir yn y gerdd, a'i delwedd beryglus o sentimental o gymdeithas a fu:

> Yma, lle 'roedd y ffynhonnau mor bur â'r bobl,
> A'r ffrydiau mor siriol â'r plant
> Yn canu eu diniweidrwydd drwy'r Cwm.

Sgersli bilîf! A'r un modd, dylem warchod rhag mabwysiadu'r syniad mai adfer rhyw ddiwylliant diflanedig, rhyw baradwys uniaith goll, y mae ysgolion Cymraeg y cymoedd di-Gymraeg. Na; gan i gymoedd diwydiannol y de fod yn gyffordd diwylliannau o'r cychwyn, dim ond adfer y wedd greiddiol ar y gymdeithas y maent. Ac er bod achos i lawenhau yn hynny, y mae'r newid yn esgor ar sefyllfa gymhleth iawn ac iddi sawl gwedd go anghysurus. Teimlir hyn yn nramâu grymus Ian Rowlands. Un a faged ar aelwyd Saesneg ei hiaith ond a addysgwyd yn ysgolion Cymraeg y cwm yw ef, a mynegir ganddo y tyndra seicolegol a all ddeillio o brofiad tebyg. Y broblem sy'n wynebu ei genhedlaeth ef yw nad ydynt yn 'perthyn' nac i'r diwylliant traddodiadol pellennig Cymraeg nac i ddiwylliant Saesneg eu teuloedd, eu cyfeillion, a'u cymdogion. Yr her sy'n eu hwynebu o'r herwydd yw sut i greu trigfan yn nhir neb, gan droi'r diffyg perthyn cymdeithasol yn gydberthyn ffrwythlon.

Yn fy nhyb i, felly, mae'r gyfres hon o gyfrolau o werth amhrisiadwy. Mae'n ein galluogi ni i gael cipolwg, o'r diwedd, nid ar 'the valleys' eithr ar gymdeithasau cymysgryw y cymoedd go iawn, yn eu hamrywiaeth rhyfedd a'u cyflawnder ysblennydd. Ac mae sawl gwedd amheuthun ar y gyfres. Mae'n achubol, am ei bod yn cofnodi profiadau a deunyddiau yr oeddem ar fin eu colli. Mae'n adferol, am ei bod yn adfer talp coll o'n hanes fel cenedl. Ac mae'n arbrofol, gan ei bod yn torri cwys newydd a thrwy hynny'n paratoi'r ffordd ar gyfer astudiaethau mwy estynedig y dyfodol. Ceir ynddi ddeunydd hynod amrywiol – hanes baledi a chanu gwerin, proffeil cymdeithasegol, dadansoddiadau gwleidyddol a ieithyddol, gorolwg o draddodiad y ddrama, y corau a'r canu cynulleidfaol, portreadau bywgraffyddol, ysgrifau hunangofiannol. Cymwys yw hynny, oherwydd amlochredd syfrdanol eu diwylliant gweithfaol 'gwerinol' oedd prif ogoniant y cymoedd, mynegiant digyffelyb o'r bwrlwm egni trydanol a'u nodweddai yn eu hanterth.

A'r gyfres bellach yn dirwyn i'w phen – eithr heb i'w thestun chwythu ei blwc: nid ydyw'r gân ond dechrau – mae'n briodol dwyn i gof sylwadau'r golygydd yn y gyfrol am Gwm Tawe:

> Hon yw'r gyntaf mewn cyfres arfaethedig o gyfrolau blynyddol a fydd yn trafod agweddau ar ddiwylliant Cymraeg Cymoedd y De mewn gwahanol gyfnodau. Fe darddodd y syniad o Adran y Gymraeg, Prifysgol Cymru, Abertawe.

Ym 1993 y sgrifennwyd hynny o eiriau, a chyflawnodd y golygydd orchest drwy ymroi'n ddiarbed i sicrhau bod cyfrol yn ymddangos bob blwyddyn ers hynny yn ddiffael am gyfnod o ddeng mlynedd. Ni chafwyd cyfres debyg iddi yn y maes o'r blaen., A chan mai yn Abertawe y cychwynnodd y gwaith, mae'n briodol mai un o Abertawe sy'n cael y gair – neu o leiaf y rhagair – olaf. Diolch o galon i'r golygydd am y pleser a'r anrhydedd hwnnw. Ond mwy o ddiolch byth iddo am y gymwynas a wnaeth â Chymru – ac nid â'r Gymru Gymraeg yn unig, eithr â Chymru gyfan, benbaladr – drwy saernïo, a chyfarwyddo a goruchwylio prosiect gweledigaethol o'r fath. Gosodwyd ar glawr ganddo ef a'i gyfranwyr yr hyn a alwai Gwenallt, y bachgen athrylithgar o berfeddwlad Cwm Tawe, yn 'seiliau gwareiddiad a diwylliant y De'. Mae cymdeithas falch, gwbl unigryw, wedi derbyn ei haeddiant, ac mae delwedd gul, gyfyng 'the Valleys' wedi ei disodli, o'r diwedd, gan ddarlun cynhwysfawr, amlochrog, cyffrous, o'r Cymoedd digyffelyb.

M. Wynn Thomas,
CREW (Canolfan Ymchwil i Lên ac Iaith Saesneg Cymru),
Prifysgol Cymru, Abertawe,
Mai, 2003

Colli Llais a Mynnu Lle: Abertawe a Chwm Tawe mewn llenyddiaeth ddiweddar

MARI STEVENS

Grayo: *Dylan Thomas!*
Terry: *Who?*
Grayo: *The poet, Dylan Thomas. He said 'Swansea is the graveyard of ambition', and he was right. Dylan Thomas also called Swansea an 'Ugly, lovely, town.'*
Terry: *I'd call it Pretty Shitty City.*

(*Twin Town*)[1]

Safwn, yn wynebu'r môr, mewn bae ar Benrhyn Gŵyr. Dilyn yr arfordir i'r Mwmbwls, a'r maestrefi o *'semis'* dosbarth-canol. I galon goncrit y ddinas ac ar hyd Wind St., lle mae nosweithiau *stag* meddwol a merched mewn lycra yn gwyro tua'r Kingsway. Lan i Townhill, yn deyrnas o dai cyngor. Draw i 'ochor Treforys o'r dre', am beint yn y clwb rygbi, cyn torri, gyda'r Tawe, trwy gulni'r cwm i Glydach, lle mae'r llethrau'n rhydu'n frown a'r afon yn arwain yn oer i Ystalyfera a'r Ystrad.

* * *

> Wrth edrych ar y Gwaith Dur a'r Gwaith Alcan a'u mwg a'u mwrllwch ym Mhontardawe, fe fydden ni, fechgyn, yn dweud wrth ein gilydd: 'Dyna dwll o le.'
>
> Gwenallt[2]

Erbyn hyn, wrth gwrs, caeodd y gweithiau a'u 'hymbarél o fwg' a chwythodd y cwm lwch diwydiant o'i ysgyfaint. Ond tybed pa mor wahanol fyddai argraff Gwenallt heddiw, o weld fod olion y gweithiau ac arwyddion y tlodi ôl-ddiwydiannol a ddaeth yn sgil eu cau yn amlwg o hyd ar strydoedd pentrefi di-raen y cwm? 'Twll' hefyd, yn arwynebol, yw llawer o ddinas Abertawe, lle mae craith yr

'Pretty Shitty City'. *(Patricia Aithie)*

Ail Ryfel Byd yn dal yn glir ar groen. Ac o blymio o dan yr wyneb mae realiti economaidd, diwylliannol, cymdeithasol – ac ieithyddol – Abertawe a'r cwm yn gallu bod yn 'hyll', yn *'pretty shitty'* ac yn llawn mor llwm â'r strydoedd llwyd. Ar y llaw arall, fel yr awgryma teitl y ffilm gyfoes boblogaidd, mae ochr arall i'r *'Twin Town'*. Yn ddaearyddol, mae traethau gwyllt Gŵyr yn wrthbwynt i symetri pensaernïol y canol. Yn economaidd, mae dosbarth canol cyfforddus yn byw ar gyrion y ddinas. Yn ieithyddol hefyd erbyn hyn – bydd ail ysgol uwchradd Gymraeg yn agor yn y sir ym mis Medi. Ac yng Nghwm Tawe yntau mae clymau'r hen gymunedau yn dal i gydio'n dynn, weithiau, o dan wyneb y tir.

Yr hyll a'r hardd, y llwyd a'r lliwgar, y Gymraeg a'r Saesneg – mae Abertawe a Chwm Tawe yn llanast o baradocsau a chymhlethdodau na ellir eu cyfleu yn daclus mewn geiriau. Fodd bynnag, fel y dengys llenyddiaeth rymusaf yr ardal, nid paradocsau anghymarus ydynt o anghenraid; yn hytrach daw'r paradocsau a'r gwrthgyferbyniadau ynghyd i ffurfio gwir hanfod yr ardaloedd hyn. Mae'r hyll yn perthyn i'r hardd, y tlodi yn rhan o'r cyfoeth, ac afiaith ynghlwm wrth atgasedd. Dyna sy'n rhoi i Gwm Tawe ac Abertawe eu lle a'u llais unigryw ar fap ein llên – ond tybed pa mor llwyddiannus yw ein llenorion wrth fynd ati i roi mynegiant a mynnu lle i'r llais arbennig hwnnw?

* * *

Nod yr ysgrif hon felly yw ceisio dod o hyd i, a dehongli 'llais' llenyddol yr ardal lle cefais fy magu a gofyn beth sydd gan y 'llais' hwn i'w ddweud am Abertawe a Chwm Tawe. A lwyddir i gyfathrebu panorama profiad dinesig ac ôl-ddiwydiannol yr ardal? Ac a yw'r llais hwn, felly, yn mynnu, o'r diwedd, ei gyfryw le i Abertawe, a lle newydd i Gwm Tawe, ar fap llenyddiaeth ein gwlad?

* * *

Mae mwy na phellter daearyddol rhwng Cwm Tawe – ac Abertawe yn sicr – ac ardaloedd 'prydferthaf' 'bro Gymraeg' ein llenyddiaeth. Mae'r ddwy ardal hon yn cynnig i ni ffordd wahanol iawn i'r 'hen ffordd Gymreig' o fyw – y 'ffordd' a ystyrid yn draddodiadol yn rhan mor gynhenid o'n hunaniaeth a'n hanfod fel cenedl.

Tuedd llenorion a llenyddiaeth Gymraeg hyd yn ddiweddar iawn fu ystyried ffyrdd newydd a datblygiad fel grymoedd 'anghymreig' a fyddai'n cael effaith di-droi-'nôl o andwyol ar 'hen ffordd o fyw' ein 'bröydd Cymraeg'. Aeth Saunders Lewis mor bell â galw am ddad-ddiwydiannu Cymru er mwyn dychwelyd at hen ffordd ffiwdalaidd o fyw, a cheir mynegiant clir o'i deimladau tuag at 'lysnafedd' diwydiant yn 'Y Dilyw, 1939'. Ceir mynegiant o'r pryder fod newid yn dod ar draul yr hen ac o'r bygythiad i ardaloedd gwledig Cymru yn y ffilm arhosol *Yr Etifeddiaeth* (1949) hefyd, ac mae'n eironig fod Geoff Charles a John Roberts Williams yn cyflwyno eu darlun o Gymru'r cyfnod trwy gyfrwng un o ddatblygiadau mwyaf pellgyrhaeddol a global yr ugeinfed ganrif – ffilm. Ac yn llenyddol, cefnu ar, yn hytrach na wynebu 'hagrwch cynnydd' a wna llawer o feirdd Cymru yn ogystal, gan ddianc i glydwch daearyddol a chymdeithasol bro 'heb arni staen na chraith' gan fethu'n llwyr – neu wrthod – cysoni eu 'Cymreictod' a'u hiaith â newidiadau'r oes. Mae Alan Llwyd yn atgyfnerthu'r ddadl:

> Barddoniaeth wedi ymwreiddio yn y wlad fu barddoniaeth Gymraeg yn bennaf, gan mai cefn-gwlad Cymru fu prif gadarnle'r Gymraeg erioed.[3]

Nid yw'n syndod felly nad yw Abertawe ddinesig a Chwm Tawe ôl-ddiwydiannol yn ffitio'n hawdd i'r tirlun llenyddol ac ieithyddol hwn.

Fodd bynnag, fel y dengys Heini Gruffudd, i raddau atgyfnerthu hen stereoteipiau y mae darlun unllygeidiog fel hwn o natur ein diwylliant a thraddodiad ein llenyddiaeth. Meddai:

> Un o ffolinebau ein hoes ni yw dal i dderbyn y gred ffuantus mai Cymru wledig, Gymraeg y fro Gymraeg fondigrybwyll, yw tarddle ein llên, ac na pherthyn y Gymraeg a'i llenyddiaeth yn ddedwydd i'n bröydd diwydiannol.[4]

Bwydo hen ragfarnau yw ildio i'r stereoteip llenyddol a chydnabod fod Abertawe a Chwm Tawe yn bodoli y tu allan i'r 'traddodiad' ieithyddol a llenyddol Cymraeg. Ac ymhellach, onid yw coleddu a chydnabod y fath safbwyntiau gyfystyr â getoeiddio ein llên mewn corlan gul, sy'n gynyddol amherthnasol i fwyafrif poblogaeth Cymru?

Ffolineb, felly, fyddai honni mai torri cwys gwbl newydd yw her yr iaith a llenyddiaeth yn Abertawe a Chwm Tawe ar droad yr unfed ganrif ar hugain: 'yr enwau sy'n ddwfn yn sgwâr y filltir hon'.[5]

* * *

Mae hi'n eironig efallai, o ystyried y rhagfarn a'r hinsawdd gwrth-ddiwydiannol hwn, fod cyswllt uniongyrchol, a chadarnhaol, rhwng twf diwydiant yng Nghwm Tawe a'r cynnwrf diwylliannol – a llenyddol – a ddaeth yn ei sgil. O ardaloedd Cymraeg yng Nghymru – o siroedd Caerfyrddin a Brycheiniog – y daeth mwyafrif gweithwyr a phoblogaeth newydd Cwm Tawe:

> Yn 1851 roedd traean poblogaeth Cwm Tawe wedi eu geni o fewn Sir Forgannwg. Daethai 20.3% o Orllewin Cymru a 2.6% o ardaloedd eraill yng Nghymru. Tua 10% yn unig o'r boblogaeth a oedd yn fewnfudwyr di-Gymraeg.[6]

Daeth ystod o brofiadau Cymraeg a Chymreig gwahanol ardaloedd ynghyd, gan adweithio'n gadarnhaol â'i gilydd a chynnau tanchwa o ddiwylliant. Yn wir roedd Cwm Tawe diwedd y bedwaredd ganrif ar bymtheg yn 'bair' o weithgarwch diwylliannol[7] – gweithgarwch y capeli, bwrlwm corawl, cystadlu eisteddfodol ac wrth gwrs, llenydda. Oddi fewn i'r cyd-destun cymdeithasol cyfoethog hwn y magwyd Gwenallt ac y mae ei gerdd 'Beddau'[8] yn tystio i amrywiaeth ddiwylliannol 'bro' ei gynefin. Disgrifio'r diwylliant a gladdwyd yn y beddau yn Llansawel, sir Gaerfyrddin, a wna ar ddechrau ei gerdd:

> Piau'r beddau cysegrlan?
> Gwŷr diwyd, duwiol, diddan;

Ond buan y dychwela at 'fro' fwy uniongyrchol ei brofiadau – at ei rieni:

> Bedd fy nhad ar y bryn.
> Lluniai bennill ac englyn . . .

a'i fam:

> Crefftreg gwëyll a nodwyddau . . .

Crefydd, cerddoriaeth a chanu, barddoniaeth, crefftwaith llaw – dyma dapestri o ddiwylliant, ac er bod y gynrychiolaeth a geir o 'ddiwylliant' sir Forgannwg:

> Piau'r beddau'n yr Allt-wen?
> Dau yfwr cadarn, llawen . . .

yn wahanol i'r diwylliant duwiol-ddyrchafedig yn Llansawel, mae diwedd y gerdd, ynghyd â symlrwydd a thynerwch y mynegiant, yn cyfleu'r gwarineb sydd yn gwlwm trwy'r cyfan.

Roedd llenydda yn rhan amlwg o'r tapestri diwylliannol hwn – a llenydda ar lefel leol, eisteddfodol ydoedd yn bennaf. Dyma ddiwylliant o ganu cymdeithasol ac o gystadlu mewn *'penny readings'* ac mewn eisteddfodau. Disgrifir y beirdd fel 'beirdd y cylch' ac fel 'beirdd gwlad ar rhyw [*sic*] ystyr' gan Gwenallt ei hun[9] – ac mae hi'n drawiadol fod y traddodiad gwledig wedi trawsblannu'i hun ym mro diwydiant, yn fwrlwm o farddoni a chyfansoddi naturiol, organig – mae Gwenallt ei hun yn brawf o hynny. Dyma ddiwylliant Cymreig a Chymraeg; yn wir roedd cymaint â 96.2% o boblogaeth Pontardawe yn siarad y Gymraeg yn 1911.

Mynegir yr un ymdeimlad cryf o 'gymuned' gynnes Gymraeg a Chymreig yn y cwm mewn cyfnod ychydig yn ddiweddarach yn y gyfres deledu *Licyris Olsorts*.[10] Ond fel *The Last of the Summer Wine* gedy'r *Licyris Olsorts* flas chwerw-felys yn eich ceg. Nid cyd-ddigwyddiad yw'r ffaith mai hen fechgyn dros eu deg a thrigain yw prif gymeriadau'r cyfresi hyn. Symbolau ydynt o hen genhedlaeth, cenhedlaeth olaf ffordd arbennig o fyw – ac mae arwyddocâd y ffaith hon yn fwy grymus o'i gweld yng nghyd-destun Cymru, ac ardal fel Cwm Tawe, na mewn cyd-destun Seisnig, oherwydd yr oblygiadau ieithyddol sydd ynghlwm wrth y golled yng Nghymru. Ers cyfnod y rhaglen, hanes o ddirywio ac o farwolaeth – ac o fynd yn hŷn ac yn hŷn – fu hanes yr iaith yn yr ardal. Yn ôl cyfrifiad 1991, 30% o'r bobl ifanc rhwng 11 a 17 oed sy'n siarad Cymraeg yn ardal Pontardawe, o'i gymharu â 65% o rai dros eu 60 oed.[11]

Ar y cyd â'r newidiadau ieithyddol hyn, gwelwyd yr ardal yn trawsnewid yn ddaearyddol, yn economaidd ac yn gymdeithasol yn ystod y degawdau diwethaf. Yn y gerdd 'Y Pentref Hwn', mae

Dafydd Rowlands yn delio'n uniongyrchol â'i brofiadau diweddarach yn ardal ei fagwraeth ef a Gwenallt. Adlewyrchir newidiadau gweledol, ac mae'r bardd hefyd, trwy gyfrwng dirmyg, yn lleisio dirywiad y gymdeithas o'i gwmpas:

> Paid â phoeni am y caniau Coke a'r gwag becynnau condoms
> sy'n arnofio'n fud fel petalau lili'r dŵr
> ar wyneb llonydd pwll yr anfarwolion;
> nid sarhad arnat ti a'th debyg
> yw fod crots yn pisho i'r pownd.[12]

Bellach mae 'archfarchnad lle bu'r gwaith stîl', 'soser(i) lloeren' ar y tai, 'caniau Coke' yn y camlesi – mae globaleiddio wedi cyrraedd y cwm ac yn rhan o'r dirywiad. At hyn, trwy annerch Gwenallt yn uniongyrchol mae'r bardd yn cyfleu nid yn unig ddirywiad cymdeithasol ond effaith andwyol cau'r pyllau, ynghyd â dylanwadau global allanol, ar etifeddiaeth lenyddol ac ieithyddol yr ardal. P'un a fo'r bardd yn ornegyddol yn ei ddehongliad o'r newidiadau cymdeithasol diweddar ac effaith andwyol globaleiddio ar ei 'gymuned' ai peidio, ni ellid gwadu'r gostyngiad sydd wedi digwydd yn nifer y cymunedau Cymraeg eu hiaith ac yng ngweithgarwch diwylliannol a llenyddol Cymraeg yr ardal yn ystod y degawdau diwethaf – fel y dangosodd Geraint Roberts, cydlynydd Menter Brycheiniog, i mi yn ddiweddar.[13] Erbyn hyn mae ymdrechion mawr ar droed, ar lefel addysgiadol a chymunedol, i wrthdroi'r llif.

Mae hi'n eironig, neu'n ddadlennol, mai trwy gyfrwng un o brif ffrydiau diwylliannol y byd ffasiynol rhyngwladol hwn – cerddoriaeth bop – y mynegodd Cwm Tawe ei lais yn ddiwylliannol yn ystod y blynyddoedd diwethaf. Mae gan Ysgol Gyfun Ystalyfera draddodiad o gynhyrchu bandiau roc Cymraeg ac fe adleisir llawer o bryder Dafydd Rowlands am ddirywiad y gymdeithas yn gyffredinol yng nghanu cyfoes Huw Chiswell. Fodd bynnag, er gwaethaf ei gyfrwng, ac er gwaetha'r holl newidiadau cymdeithasol a amlygir yn ei waith, yr ymdeimlad o 'gymuned' Cwm Tawe sydd wrth wraidd gwaith Huw Chiswell yntau.

* * *

Yn wahanol i Gwm Tawe, nid yw cael hyd i, a chydnabod cyd-destun neu draddodiad Cymraeg a llenyddol Abertawe, yn hawdd nac yn amlwg. Fe ddangoswyd eisoes fod cyfran helaeth o'r mewnfudwyr i ardaloedd diwydiannol y cwm o gwmpas canol y bedwaredd ganrif ar bymtheg wedi dod o fröydd Cymraeg Cymru, ond roedd y darlun hwnnw 'yn bur wahanol i'r hyn a gafwyd yn Abertawe ei hunan lle roedd 45% o'r boblogaeth yn fewnfudwyr a mwy na hanner y rhai hynny'n ddi-Gymraeg'.[14]

Yn ystod y cyfnod hwn dechreuodd y Saesneg dresbasu ar rai o beuoedd cadarnaf y Gymraeg a rhai o beuoedd pwysicaf cymdeithas y cyfnod gan ddylanwadu a newid iaith byd crefydd a byd gwaith. Fe'n rhybuddir, er hynny, gan Heini Gruffudd[15] rhag syrthio i'r trap cyfarwydd o ddiystyru Cymreictod Abertawe, yn arbennig yn y cyfnod hwn. Y Gymraeg oedd 'iaith gudd y mwyafrif' hyd ddiwedd y ganrif meddai, a thrwy godi cwr y llenni ar lenyddiaeth Gymraeg Abertawe'r cyfnod – ar farddoniaeth Islwyn a W. Samlet Williams, a chofnodion John Williams – fe brofir, nid yn unig fodolaeth llenorion a llenyddiaeth Gymraeg y ddinas, ond yn bwysicach na hynny, trwy eu gwaith, cawn dystiolaeth fod y ddinas ei hun yn fwrlwm o Gymreictod: 'Ni allwn heddiw ond ceisio dychmygu berw'r gymdeithas Gymraeg yn Abertawe ganol y ganrif ddiwethaf . . .'[16]

Fodd bynnag, ni ellid cymharu'r 'berw' cymdeithasol Cymraeg hwn â'r 'pair' o lenydda Cymraeg ei iaith a gafwyd yng Nghwm Tawe rywfaint yn ddiweddarach. Nid oes yma'r un hinsawdd o lenydda 'naturiol' ac organig ac mae'r cyd-destun barddonol yn fwy 'ad-hoc' ac ysbeidiol. Cofnod ysgrifenedig ac nid llenyddiaeth fel y cyfryw sydd gan John Williams o Abertawe'r cyfnod, a gedy hyn fwlch yn etifeddiaeth lenyddol y ddinas. Er hynny, mae cydnabod yr Abertawe Gymraeg hon a'i llenyddiaeth yn dangos nad tir ieithyddol a llenyddol cwbl hesb yw concrit y ddinas hon – nid yw Cymreictod yn Abertawe yn bodoli mewn gwagle llwyr.

Yn ystod yr ugeinfed ganrif gwelwyd y tirlun ieithyddol yn troi'n anobeithiol o anial. Yn ôl Heini Gruffudd: 'Hanes o drychineb fu hanes yr iaith yn Abertawe o nawdegau'r ganrif hyd at heddiw'.[17] Enciliodd yr iaith o fod yn 'iaith gudd y mwyafrif' a llithro yn iaith anweledig yn y mwyafrif o beuoedd ac ardaloedd, ar wahân i ambell boced neu bau a lwyddodd i frwydro yn erbyn y lli. Un o beuoedd llwyddiannus yr iaith erbyn hyn, ac wedi hir frwydro, ydyw pau addysg. Bydd ail ysgol uwchradd y sir yn agor ar 'ochr Treforys i'r dre', yn ardal Penlan, ym mis Medi 2003, a diolch i waith rhagorol mudiad Rhieni Dros Addysg Gymraeg a Mudiad Ysgolion Meithrin, cafwyd twf o dros 120% yn niferoedd disgyblion ysgolion cynradd Cymraeg y sir er 1985.[18] Serch hyn, er gwaethaf y twf dramatig yn nifer y bobl ifanc sydd yn siarad yr iaith yn sir Abertawe, mae'r canran cyffredinol o siaradwyr Cymraeg yn y sir yn uwch o hyd na'r canran o bobl ifanc sy'n mynychu ei hysgolion Cymraeg. Ar lefel real mae'r iaith yn marw o hyd – ond llwyddwyd i droi'r llif mewn rhai wardiau unigol fel yr Uplands a'r Mayals ac mae lle i hyderu, o leiaf, mai ennill ac nid colli tir y mae'r iaith bellach.

Heb gyd-destun ieithyddol ehangach y perygl yw mai iaith 'addysg', iaith mwyafrif eu gwersi yn yr ysgol yn unig yw'r Gymraeg i lawer o'r bobl ifanc hyn. Dyma her aruthrol yr iaith yn Abertawe. Sut mae dechrau hydreiddio bywyd dinesig a gwneud yr iaith yn berthnasol i'r ifanc mewn byd o glybiau nos a *'Gyms'*, o siopau dillad ac archfarchnadoedd cadwyn? Sut mae 'normaleiddio iaith' mewn dinas lle mae hyd yn oed y siaradwyr Cymraeg mwyaf rhugl wedi hen arfer, ac yn mwynhau, byw bywyd dwyieithog? Sefydlwyd Menter Iaith ar gyfer y ddinas erbyn hyn ac eisoes cymerwyd camau i sefydlu peuoedd newydd, deniadol, ar gyfer y Gymraeg, ochr yn ochr â'r peuoedd Saesneg poblogaidd, fel cam tuag at normaleiddio'r iaith fwyfwy yn y ddinas.

Rhan o'r fframwaith cymdeithasol a'r rhwydwaith hwn o beuoedd, wrth gwrs, yw bodolaeth a ffyniant diwylliant a llenyddiaeth Gymraeg. I raddau, mae'r un ffactorau dinesig ag sydd yn achosi her i'r iaith Gymraeg yn Abertawe heddiw wedi moldio llenorion a llenyddiaeth Gymraeg y ddinas.

Yn wahanol i'r iaith, sydd wedi cael trafferth i addasu i'r mold dinesig, mae cyfrol ddiweddar o farddoniaeth am, ac o ardal Abertawe a'r cwm, yn profi bod rhyw gymaint o weithgarwch llenyddol wedi bodoli yn yr ardal ar hyd y blynyddoedd. Ar ddechrau'r gyfrol mae'r golygydd, Heini Gruffudd, yn mynd â ni i Heol Pantycelyn, Townhill, i daflu'n golygon dros dirlun cyfarwydd iawn o ddinas Abertawe. Wrth ei disgrifio mae'n ystumio'r olygfa gyfarwydd hon, ac yn peri i ni ei gweld trwy 'sbienddrych llenyddol:

Gwenallt. *(Trwy garedigrwydd Cyngor Celfyddydau Cymru)*

> Ac ond i chi wybod, byddwch yn gallu gweld lle y bu Crwys fyw, yn yr Uplands. Ychydig i'r dde mae hen gartref Aneirin Talfan Davies, ac ymhellach i'r dde eto y stryd lle roedd Pennar Davies yn byw. Draw eto, yn y swbwrbia tua'r môr, roedd cartref Saunders Lewis.[19]

'Ac ond i chi wybod', ond i chi agor eich llygaid, meddai, fe welwch chi'r amrywiaeth annisgwyl o bersonoliaethau, o lenorion ac o lenyddiaeth sydd yn rhan o dirlun y ddinas – o Islwyn i Neil Rosser; o Alan Llwyd i Mari George. Aiff ati, yn bwrpasol, i graffu am 'leisiau' llenyddol Abertawe a cheir hyd iddynt, yn feirdd ac yn awduron, ar hyd a lled y ddinas.

* * *

Mae gan Abertawe a Chwm Tawe eu 'lleisiau' llenyddol felly ac er bod profi bodolaeth llenorion a llenyddiaeth Gymraeg yn yr ardaloedd hyn ynddo'i hun yn chwalu llawer o fythau ynglŷn â diwylliant yr ardal, pwysicach efallai yw gofyn beth sydd gan y lleisiau llenyddol, yn unigol a chyda'i gilydd, i'w ddweud wrthym am brofiad a byw yn y bröydd hyn.

* * *

Un o leisiau llenyddol amlycaf Cwm Tawe yw Gwenallt – a gafodd ei eni a'i fagu yn ardal Pontardawe – sy'n trafod 'bro' ei brofiadau yn uniongyrchol yn llawer o'i lenyddiaeth ac sydd hefyd yn cyfaddef fod y 'fro' hon a'r 'cynefin' hwn wedi cael dylanwad trwm a ffurfiannol ar ei bersonoliaeth. Yr hyn sy'n nodedig – ac yn baradocsaidd ar yr olwg gyntaf – ynglŷn â Gwenallt, wrth gwrs, yw fod 'bro' ei 'gynefin' yn ddeublyg ac yn rhychwantu dwy ardal gwbl wahanol i'w gilydd. Cafodd ei fagu yng Nghwm Tawe ond cafodd sir Gaerfyrddin hithau ddylanwad ar ei fagwraeth – o'r rhan hon o Gymru y daeth ei rieni i Bontardawe. A rhoi mynegiant i harddwch rhinweddol yr ardal hon a wna Gwenallt yn 'Y Sant', 1928, harddwch a flagurodd ar ôl ei ymweliad ag Iwerddon ym 1929, pan sylweddolodd werth gwreiddiau a chysoni'r ymdeimlad hwnnw â chenedlaetholdeb. Fe welwn Gwenallt yn olrhain ei wreiddiau i dir ffrwythlon sir

Gaerfyrddin ac yn honni mai o'i ymlyniad â'r ardal hon y tyfodd ei genedlaetholdeb:

> Gwelais werth iaith, a diwylliant a thraddodiadau'r bywyd gwledig. Âi fy meddwl o hyd yn Connemara yn ôl i Sir Gaerfyrddin a gwelais mai yno yr oedd fy ngwreiddiau.[20]

Hyd yn oed os ydyw Gwenallt, yn ddiweddarach yn ei yrfa, yn dod i wynebu ac i ddehongli'r dylanwadau diwydiannol arno'n fanylach; hyd yn oed os ydyw'n dod i sylweddoli gafael y fro honno ynddo yn ogystal, oni ellir bob amser amau dyfnder yr ymlyniad hwnnw, ac yntau eisoes wedi rhoi ei galon i sir Gâr ac wedi gwreiddio ei genedlaetholdeb ynddi? Onid yw'n bradychu ei gefndir trwy gefnu ar wirionedd ei wreiddiau gan ddewis cofleidio'r fro wledig?:

> Mewn pwll a gwaith clustfeiniwn am y dydd
> Y cawn fynd atat, a gorffwyso'n llwyr . . .[21]

Mae portread Gwenallt o'r ardal brydferth, hamddenol hon yn wrthbwynt trawiadol i'r darlun o sir Forgannwg ddiriaethol a bydol lle, trwy gyfrwng onomatopeia a chytseiniaid caled, mae sŵn gweithgarwch y gweithiau'n crafu yn ein clustiau: 'rhugldrwst y crân'; 'sgrech yr hwterau'; 'chwyrn y gantri'. Mae'r tirlun mor galed â realiti'r bywydau. Yn 'Y Meirwon'[22] cyfosodir yr arfer bob dydd o chwarae rygbi – gweithgarwch agored, awyr iach – â chlawstroffobia afiach parlyrau'r ardal, lle gorwedd eirch a'u 'cloriau wedi eu sgriwio cyn eu pryd'. Defnyddir geiriau llafarog i bwysleisio gorthrwm yr 'angau llychlyd, myglyd':

> Sleifiem i'r parlyrau beiblaidd i sbïo yn syn
> Ar olosg o gnawd yn yr arch, ac ar ludw o lais;

Cyferbynna hyn â 'naid' 'sydyn slei' y 'llewpart diwydiannol', 'naid' sydd yn sioclyd, ag eto'n gwbl ddisgwyliadwy – fel naid y gwrthwynebydd ar gae rygbi.

Fodd bynnag, nid darlun tywyll yn unig a geir. Tra bod y bardd yn cyfleu caledi'r bywyd diwydiannol yn rymus, mae'n cydnabod hefyd nad yw ei brofiad a'i ymateb emosiynol ef i'r byd hwnnw yn simplistig o negyddol:

Sôn y sydd yn awr yn y De am symud pob tip,
A'u troi yn goedwig a chaeau chwarae a dôl;
A da fydd cael gwared arnynt, ond eto i gyd
Bydd hiraeth ar rai ohonom ar eu hôl.[23]

Nid darlun du a gwyn sydd gan Gwenallt felly o'r fro ddiwydiannol ar y naill law a sir Gaerfyrddin ar y llall. Ac yn wir mae'r fro ddiwydiannol hefyd yn gydnaws, yn ei ffordd hi ei hun, ac yn ffitio i athroniaeth gymdeithasol ehangach Gwenallt. Gwelai yn y cymdogaethau clòs, diwydiannol brawf o frawdoliaeth, dyneiddiaeth a gwarineb dyn. O gau'r gweithfeydd:

Tyllwyd y gymdogaeth; craciwyd y cartrefi,
Seiliau gwareiddiad a diwylliant y De.[24]

Yn wir, llwydda Gwenallt i gysoni'r ardaloedd diwydiannol hyn â'i grefydd ac â duwioldeb hyd yn oed. Mae ei ddelweddau annisgwyl yn dangos y cyswllt mewn ffordd ddiriaethol iawn:

Codent o'r beddau ar rym yr emyn
Heibio i'r staciau yn eu gynnau gwyn.[25]

Ac yn y gweithiau:

Tynnir y caets o waelod pwll i'r nef
Â rhaffau dur Ei hen olwynion Ef.[26]

Mae'r ddelwedd hon yn cyfleu'n rymus o weladwy agwedd holistaidd Gwenallt at fywyd ac at grefydd – mae cyswllt a chwlwm di-dor ac uniongyrchol rhwng nef a daear. Trwy sbectol yr holistiaeth hon felly y deuai elfennau arwynebol gwrthgyferbyniol ynghyd yn Gwenallt – nef a daear, crefydd a chenedlaetholdeb, cefn gwlad a'r cwm diwydiannol. Ni thrawsblannodd Gwenallt ei wreiddiau yn llwyr yn nhir sir Gaerfyrddin; caniatâi cynhysgaeth ei grefydd iddo 'gynefin' mwy holistig na hynny:

Cydfydd fferm a ffwrnais ar Ei ystad,
Dyneiddiaeth y pwll glo, duwioldeb y wlad:
Tawe a Thywi, Canaan a Chymru, daear a nef.[27]

Nid yw dau 'gynefin' Gwenallt yn baradocsau anghymarus felly, yn hytrach:

> Y mae Gwenallt yn fardd dau fyd – y wlad a'r dref ddiwydiannol. Yn ei gerddi ceir tensiwn parhaus rhwng y ddau . . . Rhaid oedd cael cymod rhwng Rhydcymerau a Phontardawe.
>
> Trwy'r Efengyl Gristnogol cafodd weledigaeth o undod bywyd; bywyd y mae grym yr Ysbryd Glân yn cyniwair drwyddo, yn gwneud pob peth yn sanctaidd, ie, hyd yn oed ddaear Cymru, ei mynyddoedd a'i chymoedd, y fferm a'r ffwrnais.[28]

Gwendid holistiaeth fel hyn yw'r duedd ar brydiau i blygu neu i liwio 'gwirionedd' darlun unigol er mwyn sicrhau fod cysondeb ac undod yn perthyn i weledigaeth gyffredinol ehangach y bardd. Disgrifiwyd Gwenallt fel 'Pen ddehonglydd y proletariat diwydiannol' ond mae Christine James[29] yn dangos sut y daeth myth y gymuned lofaol i gydbwyso â'r myth gwledig a grëwyd eisoes. Mae barddoniaeth Gwenallt yn dweud mwy wrthym am athroniaeth a chrefydd y bardd ei hun, efallai, nag am yr ardaloedd a ddisgrifir ynddi. Er bod cri Gwenallt ar 'Weithwyr Deheudir Cymru' i 'dorri ffyn' eu dadleuon gwleidyddol o 'genedlaethol lannau' yn hytrach na gwleidyddiaeth estron,[30] yn gydnaws â'i safbwyntiau a'i weledigaeth bersonol ef, er enghraifft, tybed pa mor berthnasol oeddynt i weithwyr de Cymru'r cyfnod? Fodd bynnag, ni ellir amau gafael ffurfiannol ei brofiad real yn ei 'gynefin' a'i gymuned arno gydol ei oes.

Fel y dengys Dafydd Rowlands ar ddechrau 'Y Pentref Hwn'[31] mae Cwm Tawe – a Phontardawe – wedi gwneud argraff ddofn arno yntau ar lefel bersonol. 'Mae'r lle wedi newid' ac yn 'Y Pentref Hwn' cawn ddarlun didostur o negyddol o Bontardawe ar ddiwedd yr ugeinfed ganrif. Caeodd y gweithfeydd a chymerwyd camau i 'wella' amgylchedd y pentref ond daeth math gwahanol o lygredd, yn llythrennol, ond hefyd ar ffurf dirywiad cymdeithasol, i anwareiddio'r gymuned. 'Fyddet ti ddim yn napod y lle erbyn hyn', meddai wrth Gwenallt – ac mae hi'n amlwg, o'r dirmyg yn ei dôn, mai er gwaeth, ac nid er gwell, y newidiodd y pentref: 'Mae'r lle wedi gwella, medden nhw.' Yn wir, cawn yr argraff yn 'Dangosaf Iti Lendid' ac yn 'Ewyllys y Meibion'[32] mai gwell gan y bardd ddianc i borfeydd glasach y llethrau neu droi'r cloc yn ôl i oes ac amser arall yn hanes ei gwm, ac i gyfnod Gwenallt efallai.

Dafydd Rowlands.

Yn 'Dangosaf Iti Lendid' aiff y bardd â'i fab am rith-daith o gwmpas yr ardal – Cefn Llan, Rhyd-y-fro, Barli Bach. Mae ei frwdfrydedd yn fyrlymus:

> Dere, fy mab,
> dangosaf iti'r defaid
> sy'n cadw, mewn cusanau, y Gwyryd yn gymen . . .

Mae 'erwau drud' y 'glendid' yn gwbl wahanol i balmentydd budron 'Y Pentref Hwn', ac nid ar lefel arwynebol yn unig. Mae'r personoli, y delweddu meddal a'r tempo araf oll yn cyfrannu at gyfleu ceinder, ac ar ddiwedd y gerdd dangosir inni'r cyswllt rhwng 'glendid' cain yr amgylchedd a gwarineb a dyneiddiwch cymdeithasol: mae 'olion' 'gwaith dan y gwair' ac mae'r 'glendid' i'w weld hefyd yn y 'tŷ lle ganed Gwenallt' ac 'yn llygaid glas dy fam'.

Gellid honni fod y bardd, fel Gwenallt, yn dianc yn y fan hon o berfedd ei bentref i 'leoliad' llythrennol arall. Fodd bynnag, yn fy nhyb i nid mynd i unrhyw 'le', neu ddisgrifio unrhyw 'ardal' ddiriaethol, y mae'r bardd o gwbl, ond ceisio cyfleu haniaeth sy'n ddyfnach nag unrhyw arwyneb. Rhaid iddo dywys ei fab: 'dangosaf', 'dangosaf', 'dangosaf' – nid yw'r 'glendid' yn hawdd nac yn amlwg ar yr olwg gyntaf ac mae gofyn i'r bardd bwysleisio ac esbonio'r 'glendid' yn glir. Diriaethu haniaeth ar ein cyfer a wna'r bardd a dangos i ni'r anweledig ar ffurf weladwy, glir.

Yr allwedd i ddeall yr haniaeth hon ydyw'r fro a'r cwm o'i chwmpas, ac amlygir yr un syniad, fod haniaethau mawr ac oesol wedi gwreiddio'n ddwfn ym mhridd yr ardal yn 'Ewyllys i'r Meibion':

> Dewch i erchwyn ysgwydd y mynydd hwn lle mae anadl oesol
> y gwynt yn cynnal gwyrth y wennol, lle mae doe yn
> glaf yn y cerrig, lle mae'r pridd yn hen.

Diystyrir 'meini', 'eiddo mân' a 'bric a brac' bywyd er mwyn pwysleisio dyfnder sydd yn hŷn ac yn fwy na breuder dyn. Try hen, hen bridd mynydd penodol mewn bro benodol yn ficrocosm o hen, hen bridd ein cenedl.

Nid yw Dafydd Rowlands yn ceisio ymgiprys â, na chyfleu'r realiti bob dydd ar lawr y cwm yn y cerddi hyn – yn hytrach cyfyd i lethrau'r haniaethol oesol, ond, ar brydiau, dewisa ddelio'n fwy uniongyrchol â materion bydol. Rhydd fynegiant i gulni profiad pobl y cwm ynysig, daearyddol gul:

> Wyth milltir i ffwrdd – lle'r oedd tref
> ein Sadyrnau'n farchnad ac yn hafau ar draeth
> gwawl goch fel machlud gydol y nos;[33]

lle roedd y Rhyfel dafliad carreg ond byd o brofiad i ffwrdd. Dro arall, gwrthbrofa'r culni trwy fentro i Efrog Newydd efallai, neu i Almaen y Rhyfel, ond efallai mai teg dweud mai o bersbectif personol ei brofiadau tadol, teuluol, cymunedol yng Nghwm Tawe y mae'n ymateb i'r profiadau hynny:

> Rwy'n cofio Abertawe
> yn waed ar gwmwl y nos . . .
> Rwy'n cofio'r dydd
> – yn dawel;
> mae rhywun yn cofio'r nos
>   o drais
>   ar ddinas Dresden.[34]

Os mai darlun unllygeidiog neu ragfarnllyd o realiti daearyddol, economaidd a chymdeithasol Cwm Tawe a gyfleir yn 'Y Pentref Hwn', mae hi'n drueni mawr nad yw hi'n hawdd cael hyd i lais llenyddol clir sy'n datgan fod lliw y tu ôl i'r llwydni o hyd. Hyd yn oed os myth a ddarlunnir gan Gwenallt, ac os cyfrwng i gyfathrebu gwirioneddau oesol yw'r fro hon i Dafydd Rowlands, o leiaf cafwyd portreadau llenyddol sy'n adeiladu ar dir yr ardal. Yn hytrach nag wfftio darlun trist Dafydd Rowlands o ddirywiad, atgyfnerthu'r safbwynt yn unig a wna'r diffyg bwrlwm llenyddol diweddar – yn ogystal â neges y lleisiau prin hynny sydd i'w clywed.

Ar y cyfan, mae caneuon Huw Chiswell yn cyflwyno i ni, trwy gyfrwng eu straeon, amrywiaeth bywyd yng Nghwm Tawe – paffio yn 'Cân Joe'; gwleidyddiaeth yn 'Democrasi', tafarn 'Rho Un i Mi'.[35] Ymateb rhai o'r caneuon hefyd yn bwrpasol ac uniongyrchol i brofiadau 'Y Cwm'.[36] Yn 'Y Cwm' rhamantir ynglŷn â phlentyndod mewn bro ddiwydiannol. Mynegir teimlad tyner at gymuned, brawdgarwch a thraddodiad:

> Ond rwy'n cofio nawr
> ni'n meddwl bo ni'n fechgyn mawr,
> cerdded gyda'n tadau
> y llwybr hir i'r pyllau . . .

Er gwaetha'r gadael, yn y gytgan anthemig ceir datganiad hyfryd o hyderus – a chadarnhaol – fod y fagwraeth a'r fro yn gafael yn gwbl ddiysgog yn ei meibion:

> Craig yn sownd o dan ein traed
> a chariad at y cwm yn berwi yn ein gwaed.

Huw Chiswell. *(Trwy garedigrwydd S4C)*

Ar y cyfan, mae'r hel atgofion melys a dirmyg y sylw fod y 'cwm yn rhy gul i fachgen fel Siôn' yn awgrymu fod y canwr yn teimlo i'w 'hen ffrind' fradychu'r fro wrth ei gadael. Ond yn y pennill olaf mae'r gân yn newid ei naws rywfaint. Erbyn hyn mae'r pyllau wedi cau ac mae 'dianc' yn anorfod i lawer o'r meibion. Rhaid yw cydnabod fod pethau wedi, neu ar fin, newid:

> efallai mai ti oedd y cyntaf i weld
> y tywydd ar ein gorwel . . .

ac onid oes yma dinc o rwystredigaeth ac o golli cyfle ar ran y canwr?

Os mai rhag-weld y storm sydd ar y gorwel mae 'Y Cwm', mae'r storm wedi hen dorri mewn caneuon fel 'Rhywun yn Gadael' a 'Frank a Moira'.[37] Yn llythrennol i ddechrau – mae glaw oer a chwip y gwynt i'w deimlo'n rhynllyd ac yn adlewyrchu'r dymer ddrwg a'r hinsawdd gymdeithasol ddiflas. Delia'r caneuon 'ysgafn' hyn ag iselder, methiant, brwydro – sy'n cyfuno i greu mosaig llwyd.

Mae hi'n arwyddocaol mai 'Rhywun yn Gadael' yw teitl un o recordiau Chiswell. Y 'rhywun' yw 'neb' y gymdeithas ddienaid sy'n ysu am ddihangfa – thema gyson y caneuon; dihangfa trwy hunanladdiad neu alcohol efallai:

> Mae Frank yn yfed yn y bar
> wedi colli'i dŷ a'i gar
> Mae'n chwythu 'fewn i'w organ geg
> Ei symffoni i'r tylwyth teg . . .[38]

Efallai fod a wnelo'r rhwystredigaeth sur hon â chlawstroffobia llythrennol y cymunedau 'cul', y diffyg cyfleoedd a'r 'cariad at y cwm' sydd yn clymu ac yn caethiwo'r cymeriadau. Mae ceir mawr a strydoedd llydan yn fotifau:

> Mae rhywun yn gadael
> 'Di codi o'r baw
> Wedi cael digon ar fyw yn y glaw
> Mo'yn ff'ind'o car cyflym
> Teiars mawr drud
> Traed ar y sbardun tan ddiwedd y dydd.[39]

Fel cymeriadau *'road movies'* Americanaidd dyheir am godi pac, dianc a gadael hen gymuned.

Efallai mai mynegiant cwbl bersonol a geir gan Chiswell ac na ddylid caniatáu i un record ddiffinio ein hargraff gyffredinol o Gwm Tawe troad y mileniwm. Caneuon ysgafn poblogaidd ydynt hefyd, ac nid llais llenyddol fel y cyfryw ydyw hwn. Ceir darlun grymus, os unochrog, o fywyd cyfoes y cwm – ond byddai anobeithio yn sŵn y diwn hon mor annheg ac anghyfrifol â chwympo'n llwyr am fyth Gwenallt.

Ceir cipolwg ar gynhysgaeth y gymdeithas o bersbectif ychydig yn fwy positif, trwy ffenest ei gar, gan Emyr Lewis ar yr 'M4'. Fel gyda 'Chis' mae llethrau llythrennol y cwm yn llethol ond mae caer Emyr Lewis yn gwarchod yn ogystal â chaethiwo:

> gwlad sy'n gariad, yn gweryl,
> yn gaer, yn ddrws agored,
> yn roc a rôl, yn dir cred,
> yn rhwd, yn gymeriadau,
> yn bridd, yn ddyfalbarhau . . .[40]

Dibynna'r dyfalu ar sawl stereoteip a hynny gan mai cerdd wedi'i chyfansoddi o led braich ydyw hon. Canu o bellter diogel yr 'M4' a wna'r bardd – wrth basio trwodd neu heibio, heb aros i sbio'n fanwl, ac yn hynny o beth mae'r ymateb yn arwynebol ac yn amhersonol.

* * *

Bwriad rhan nesaf yr ysgrif hon ydyw dangos pa mor nodweddiadol ydyw 'M4' o bellter llythrennol a deallusol beirdd eraill Abertawe a'r cwm oddi wrth eu testun.

O gapel y Tabernacl, Treforys, i'r *Castle Bingo*; o glybiau nos hoyw'r Marina i glybiau rygbi meddwol ymylon y ddinas; o graeniau diwydiannol y dociau i faeau'r syrffwyr ar bentir Gŵyr mae hunaniaeth dinas Abertawe yn llithrig o amlhaenog. Mae hi'n anodd iawn cael hyd i 'hunaniaeth' dinas sy'n golygu rhywbeth gwahanol i bob un o'i thrigolion – nid yr un Abertawe yw Abertawe tai bwyta'r Mwmbwls ag Abertawe siopau tsips Blaen-y-maes. Ac eto, fel yr awgrymwyd, mae'r gynhysgaeth gymhleth hon o brofiadau gwahanol yn rhoi i'r ddinas ei naws cwbl arbennig. Mae'r gynhysgaeth yn gyffredin i bob dinas neu dref fawr, boblog ond nid yw hyn gyfystyr â dweud fod pob tref fawr 'run fath â'i gilydd 'chwaith.

Yn ôl Myfanwy Jones, cydlynydd Menter Iaith y ddinas,[41] un her fawr i'r iaith yn Abertawe – ac mae hyn yn her i'w llenorion hefyd, mae'n siŵr – yw fod Abertawe yn syrthio rhwng dwy stôl. Mae patrymau'r ddinas yn torri'r mold – yn ieithyddol ac yn llenyddol. Dyw Abertawe ddim yn ffitio i 'fold' barddoniaeth y Gymru Gymraeg, wledig, ond dydi barddoniaeth Gymraeg ddinesig ddiweddar Caerdydd, neu Bontcanna, ddim yn rhoi rhywbeth i Abertawe uniaethu ag ef ychwaith. Dydi barddoniaeth *ciabattas* ac *antipasti* Grahame Davies ddim yn fwy perthnasol i Abertawe na 'machismo' gwladgarol y to newydd o gywyddwyr. Fyddai Abertawe ddim yn meiddio bod mor ymhonnus â hynny.

Yn anaml iawn y ceir ymgais yn ein diwylliant Cymraeg i brocio'n bwrpasol ac archwilio personoliaeth gyffredinol y ddinas, fel y gwnaeth Kevin Allan yn ei ffilm *Twin Town*. Mae hi'n arwyddocaol fod Allan, sy'n byw yn Lloegr erbyn hyn, wedi'i eni a'i fagu yng Ngorseinon ac felly'n adnabod 'cymeriad' dinas y môr glas a'r concrit llwyd, yr hiwmor a'r trais, y tlodi a'r cyfoeth – yn gymysg oll i gyd. Abertawe dywyll a negatif sydd wrth wraidd y ffilm yn y bôn ond mae'r modd y llwyddir i fynd i'r afael â phanorama profiadau'r ddinas yn chwa mor ffres â golygfeydd agoriadol y ffilm – sy'n edrych o bersbectif newydd eto ar yr un hen olygfa gyfarwydd honno dros y bae.

Un arall sy'n adnabod y dref yn dda, wrth gwrs, yw Dylan Thomas. A thrwy'r disgrifiadau llwythog ac amwysedd ei eirfa – ei ddawn i'w wrth-ddweud ei hun er mwyn gwneud ei bwynt – daw personoliaeth gymysglyd Abertawe yn fyw:

> *The wind cut up the street with a soft sea-noise hanging on its arm, like a hooter in a muffler. I could see the swathed hill stepping out of the town, which you never could see properly before, and the powdered fields of the roofs of Milton Terrace and Warkin Street and Fullers Row.*[42]

Mae Abertawe wedi newid ei dymor ac mae eira oer y gaeaf yn arwydd diriaethol o hyn, ac eto mae cynhesrwydd yn yr hiraeth hoffus.Yn y ddrama hunangofiannol hon aiff Dylan Thomas â ni ar 'daith' i rannau pwysicaf ei brofiad ef o Abertawe – i'r dociau, i ganol y ddinas, i gaffe'r Kardomah, i'r traeth ac i fro ei fagwraeth yn yr Uplands ac mae'r lleoliadau cyfarwydd hyn wedi cael dylanwad ffurfiannol ar lenorion eraill.

Un o'r nodweddion daearyddol sy'n gwneud marc ffurfiannol ar Abertawe a'i phobl yw'r môr sy'n plygu'i ewyn ar rai o draethau prydferthaf Cymru. Meddai Saunders Lewis o bawb mewn llythyr at ei chwaer:

> *The sea was in full tide and the twilight of the Gower coastline was very beautiful. There is much that you will like around Swansea.*

Ond,

> *In Summer Gower is choked with trippers, and they spoil it entirely.*[43]

Mae rhai o'r beirdd yn mynd â ni, trwy eu llên, i'r traethau hyn. Aiff y bardd Saesneg Don Rogers â ni i draeth Burry Holm:

Mwmbwls. *(Patricia Aithie)*

Southward, the Worm is pulling strongly out to sea,
but held by the tail's still stationary.[44]

Mae'r traethau'n rhoi cyfle i agor y meddyliau ac ymestyn golygon, fel Pen y Pyrod, tua'r gorwelion a hynny heb adael gafael y ddinas. Mae delwedd Rogers yn cyfleu tynfa'r traeth, a cheir elfen o warafun hynny i ymwelwyr, fel y gwna Saunders Lewis, gan Mari George:

Roedd Awst yn gwrando'n astud
am yr heddwch
am gyfle i sgubo'r sbwriel
a sgwrio'r traeth,
a chicio potel Bud ei ddicter . . .[45]

Daw'r traeth hwn, fel Burry Holm, yn lleoliad rhamantaidd o rannu profiad cyfrin ac yn dir cyffredin rhwng dau:

Ond dim ond ti a mi glywodd
felodïau'r tonnau
yn lapio'u mwclis
am y traeth . . .

Er y digwydd y gerdd ar draeth penodol yn Abertawe nid yw'r profiad ei hun yn unigryw i'r ardal. Yn wir, fel arfer defnyddir y traethau penodol hyn, a'r môr mawr, fel cyfryngau yn unig ar gyfer cyfleu gwirioneddau oesol. Y traeth yw'r allwedd i orffennol Cymru yn 'Burry Holm':

While the ragged discs of the golden lichen Xanthoria,
encrusting the cliff like memorial Celtic suns,
emblazon echoes on the stone. You run
your hands over the radiant Braille of their faces.
'Don't you see' you say, as you sway in the west wind,
The blinding sun that shines beyond the greys?'

neu o rymoedd llachar rhyngwladol oesol y tu hwnt i lwydni cyffredin y byd – fel parhad yr elfennau:

Awst yn gwrando'n astud
arnom ni ein dau . . .[46]

Pwerau grymusach eto a gyfleir yn ymchwydd barddoniaeth Islwyn ar '[d]raeth y nefoedd' ac ar lan 'llanw, olaf lanw'r byd gerllaw.'[47]

Treiddia gronynnau'r tywod rhwng bodiau traed delweddau'r llenyddiaeth a glynu wrth y cymariaethau yn ogystal:

> pan ddeffrôdd y Mwmbwls
> a'th weld fel perl yn sgleinio
> ymysg y gwymon
> a'r darnau pren.[48]

Mae gafael daearyddiaeth a thirwedd amrywiol yr ardal i'w weld yng ngherddi rhai o lenorion eraill y fro hefyd. Cymer Alan Llwyd ni allan o'r canol dinesig i gyrion Abertawe yn yr ambell gerdd sy'n tystio i'w brofiad fel un o drigolion yr ardal. Mae'r delweddau yn crensian yn gofiadwy yn y cof, fel ôl-troed yn yr eira ffres sy'n taenu trwy'r canu: yr hebog sy'n 'pwnio drwy sidan/y fynwes denau';[49] mae'r 'eira'n feiriol,/yn nhincial y ceinciau' yn Llangyfelach;[50] mae drain cyrion y ddinas 'fel rhaeadrau ewynnog/wedi'u fferru'n stond'.[51] Anghywir fyddai dadlau nad yw cywreindeb cain y byd natur hwn yn berthnasol i brofiad Abertawe – mor gyfarwydd yr olygfa o feirch gwyllt y Gŵr yn carlamu trwy'r machlud, er enghraifft:

> pystylad heb hast eilwaith
> ar eu gorymdaith hir,
> a thramwy ymaith gyda'r hwyr,
> a'r haenau gwaed uwch Penrhyn Gŵyr.[52]

Ac eto rhin gyfrin a chywreindeb afreal sydd i'r byd a bortreadir ac fel yr hebog, mae'r cerddi'n 'hongian' y tu allan i'r profiad bydol bob dydd. 'Rhyw hoe' oddi wrth 'drafnidiaeth yr heol' ydynt, ac, fel y meirch yn Llangyfelach, nid yw 'ystŵr' ffordd o fyw y ddinas yn 'rhusio dim' ar y farddoniaeth.

Fodd bynnag, mae rhai o feirdd Abertawe sy'n dod at ei gilydd o'r diwedd rhwng cloriau *Cerddi Abertawe a'r Cwm*, yn ogystal â rhai o feirdd Saesneg ifanc y ddinas, yn gallu mynd ati'n ymwybodol i ddelio â bywyd 'go iawn' ar y stryd yn y ddinas – ei gwleidyddiaeth yn 'Is-Etholiad Townhill, Mehefin 1968' Heini Gruffudd;[53] ei hiaith yn 'Tycoch', Don Rogers;[54] bywyd yng ngharchar y ddinas yn 'Abertawe 5, Leeds 1, "A" Wing 0',[55] Menna Elfyn; ac mae Prys Morgan yn mynd â ni i lawr, yn llythrennol, i lefel y stryd yn 'O dan y pafin'![56]

Mae teitl cerdd Menna Elfyn yn rhoi cip anuniongyrchol ar wedd arall o'r bywyd dinesig sy'n cael ei fynegi'n uniongyrchol gan Dafydd Rowlands yn '*Hospitality Suite*'[57] ac yn nifer o'i ysgrifau; sy'n cael ei 'daflu i mewn' i ambell un o linellau Gwenallt ac sydd yn thema yn 'Bryn Road' Tudur Hallam, sef chwaraeon. Mae chwaraeon – a rygbi – yn rhan gyfoethog a chynhenid o 'ddiwylliant' de Cymru. Ond i Hallam try'r cae rygbi'n faes ar gyfer chwarae â'i deimladau personol:

> Dyma stadiwm y stydi – San Helen,
> sy'n hawlio fy rygbi
> lle na all ond Llanelli
> lawenhau fy nghalon i.[58]

Cerdd ysgafn yw hon, wrth gwrs, a lleisio ei ymateb personol un pnawn Sadwrn a wna'r bardd, ond i mi, mae'r pennill hwn yn dweud y cyfan. Dydi enaid y bardd na'r gerdd ddim yn y ddinas – perthynas wag sydd gan lawer o'n llenorion â hi.

Cefnlen ddymunol i'w cherddi a'i bywyd yw Abertawe i Mari George. Taro i mewn i'r ddinas i wylio ambell gêm griced a wna Dafydd Rowlands. Ble mae cydwybod gymdeithasol ein prif feirdd lleol? Dianc i borfeydd brasach byd natur neu i ardaloedd eraill o Gymru a wna llawer ohonynt. A beth am y beirdd sy'n dewis 'aros' yn ymwybodol oddi fewn i dalgylch eu profiadau, yn cynnwys beirdd ifanc Saesneg y ddinas? I mi mae'r gynrychiolaeth yn ysbeidiol, a'r 'lleisiau' unigol yn canu am brofiadau sy'n aml yn oer o ddigyswllt â'i gilydd.

Efallai y cyfuna'r farddoniaeth sy'n siarad am, ac ar ran Abertawe, i greu rhyw fath o 'fosaig' neu gorff o ganu sy'n rhoi i'n llên ddarlun pwysig a dadlennol – os nad cynhwysfawr – o Abertawe'r mileniwm newydd. Yn ôl a ddywed golygydd y gyfres o gyfrolau *Cerddi Fan Hyn*, R.Arwel Jones,[59] am y gyfrol ar 'Abertawe a'r Cwm':

> Mae'r gyfrol hon yn iau na chyfrolau eraill y gyfres – yn llythrennol – mae llawer o'r beirdd yn ifanc o ran oed – ac o ran cynnwys a mynegiant y farddoniaeth. Mae cerdd gan J.Gwyn Griffiths yma sy'n disgrifio golchi car ar fore Sul – fyddai hynna ddim wedi digwydd yn rhai o ardaloedd mwy traddodiadol Cymru!

Yn wir, efallai fod ysbryd ifanc y cerddi, yn ogystal â'r diffyg enaid sydd ynddynt weithiau a hyd yn oed natur ysbeidiol a digyswllt y darlun, yn dweud mwy wrthym am gyflwr dinas fawr, arwynebol, amhersonol nag unrhyw un gerdd unigol. Ond yn y bôn profi 'gwacter' yr emosiwn a'r ymateb llenyddol yw hyn.

Mae hyn hefyd yn adlewyrchu stereoteip cyfleus o Abertawe ddinesig, ddienaid – stereoteip sy'n awgrymu fod bwlch enfawr yn y portread llenyddol a geir o'r ddinas. Dywedwyd eisoes fod y mosaig ei hun yn anghyflawn – ble mae *Icon* a'r *UCI*; y tai cyngor a'r tor-cyfraith? Ond yn fwy na hynny, rhaid yw mynd o dan groen y darlun llawn, ystyried y mosaig cyfan ac 'adnabod' y wir Abertawe er mwyn sicrhau iddi gael ei chydnabod yn iawn ar fap ein llên.

Un 'llais' sy'n amlwg yn adnabod Abertawe ac sy'n ceisio rhoi mynegiant i gynhysgaeth amlweddog yr Abertawe honno yw Neil

Neil Rosser. *(Trwy garedigrwydd S4C)*

Rosser. Er nad yw'n 'fardd', fe'i cynhwyswyd ar ddechrau'r gyfrol o 'Gerddi Fan Hyn' y fro, a hynny'n haeddiannol yn fy nhyb i, gan mai yn ei ganeuon ef y ceir y mynegiant amlaf a mwyaf di-flewyn-ar-dafod yn y Gymraeg o fywyd yn Abertawe heddiw.

Canu o 'Ochor Treforys o'r Dre' a wna – ardal sy'n pontio'n ddaearyddol y cwm ac Abertawe ac mae caneuon Rosser yn rhychwantu'r ddau fyd gwahanol hyn. Cawn yn y caneuon ddarlun gonest, a negyddol iawn ar brydiau, ac aiff ati'n bwrpasol i chwalu unrhyw 'fythau' llenyddol. Yn 'Ochor Treforys o'r Dre'[60] nid yw Rosser yn chwilio am ryw athroniaeth fawr sy'n cyfiawnhau ac yn harddu ei ymrwymiad i'r ardal:

> I Gwenallt chi'n gweld o'dd e'n fwy na lle –
> Ochor Treforys o'r dre.

Mae dirmyg yn ei lais:

> Gweddillion ffwrneisi, tai teras mewn rhesi,
> Adeilade'n pwtru, a'r Tawe yn drewi.
> Dyw hwn ddim yn dwll, ma'n fwy na lle –
> Ochor Treforys o'r dre.

Mae etifeddiaeth ddiwydiannol yr ardal yn dal yn gwbl glir yn Nhreforys y canwr ac yn wir cyfosodir yr hen galedi diwydiannol â chaledi newydd ond llawn mor llwm: 'Tair milltir ar wilod y cwm/Ceir yn dod o bobman a'r aer yn llawn plwm'.

'Dyw hi 'ddim yn rhy bert' ar yr ochr hon i'r dre, ac eto, trwy gyfeirio'n ôl at yr hanes, yr hiwmor a'r arferion, a hynny mewn acen leol, cyfleir y cwlwm cymunedol sy'n dal i afael yn dynn – ac yn gynnes – ynddo. Ar ddiwedd y gân mynegir yr un math o ymlyniad rhwystredig wrth y cwm ag sydd gan Huw Chiswell, gan brocio cydwybod Gwenallt hefyd efallai:

> I'r rhai sy wedi gatel ma fe'n seithfed ne
> Lawr yn ochor Treforys o'r dre.

Fodd bynnag, yn wahanol i Chiswell nid wyf yn credu mai lleisio rhwystredigaeth bersonol y mae'r bardd – ond yn hytrach onid yw'n ceisio amddiffyn a derbyn yr ardal fel ag y mae? Y gwir yw fod

Treforys ac Abertawe *yn* fwy na lle i Neil Rosser. Mae ei deyrngarwch i'r ardal yn gwbl amlwg – yn ei acen gref, yn ei 'wilia' parhaus am yr ardal yn ogystal ag yn neges y 'wilia' hwnnw. Dyma 'Swansea Jac, Swansea Jac, Swansea Jac, ie, *Swansea boy*.'[61]

Rhydd y canwr lwyfan a llais i brofiadau sy'n gyfarwydd iawn i bobl ifanc y ddinas:

> Dyn y drws yw Steve, tamed bach yn naïf,
> Byta steroids fel byta ffa;
> Ma fe'n bartners gyda Aled sy rili yn galed,
> Mor galed ag Algebra.[62]

Ceir darlun tebyg yn *Twin Town* – ac fel yn y ffilm honno mae islais o hiwmor hoffus yn y canu bob amser.

Efallai fod Neil Rosser yn rhy ymwybodol weithiau o'r angen i godi llais Abertawe a'r cwm ac i brofi pwynt. Gorbwysleisia arwahanrwydd y ddinas nes troi ei Abertawe ef hefyd yn stereoteip. Perthyn elfen o ragrith yn anffodus, hefyd, i unrhyw ganu Cymraeg sy'n honni rhoi 'llais' llawn i brofiad y ddinas; elît dosbarth-canol fydd cymdeithas Gymraeg lenyddol Abertawe am gyfnod eto. Fel gyda Chiswell, mae hi'n hynod o arwyddocaol mai mewn canu ysgafn y clywir llais gonestaf yr ardal hon hithau. Nid 'llenyddiaeth' mohono, fodd bynnag, ac mae'r bwlch yn parhau.

Yr olaf o'r ffrydiau diwylliannol y byddaf yn ei hystyried yn yr ysgrif hon ydyw rhyddiaith. Y nofel ddiweddar, *Mas,* gan Mair Evans,[63] sy'n dod agosaf, dwi'n meddwl, at leisio 'llais' fy mhrofiad personol i – fel merch ifanc – o ddinas Abertawe. Mae'r awdures yn amlwg yn agos iawn at ei thestun ac yn adnabod ei phrif gymeriadau a'u cyd-destun yn dda iawn. Digwydd y nofel gyfan mewn un noson 'mas' yn Abertawe a rhydd hyn y cyfle i'r awdures ganolbwyntio ar y manylion, ac i blymio o dan wyneb y cymeriadau a'r ddinas – mae hi'n datgelu Abertawe'r clybiau *singles*, y tacsis trwy'r glaw, y clybiau nos a'r *one night stands*. Mae'r llais 'merchetaidd' yn anarferol a'r nofel yn frith o gyfeiriadau at gylchgronau *Cosmo*, *diets*, ffasiwn, a charu. Gwendid mawr y nofel yw fod y portread hwn o ffordd o fyw – a ffordd o feddwl merched yn sicr – yn orsimplistig ac yn wrth-ffeminyddol ar brydiau. Mae'r prif gymeriad yn rhamantu'n barhaus am gael cariad a chymar, ond efallai mai cyfrwng i gyfathrebu gwacter ystyr ac unigrwydd bywyd y prif gymeriad yn gyffredinol yw pwrpas hyn oll. Cawn hi ar ei phen ei hun ar ddechrau'r nofel:

> Falle byddai'n well symud y llygoden wedi'r cyfan. Tra fod Mulder mas yn dal rhagor. Dyw e braidd byth yn bwyta'r hyn mae e'n ei ladd. Ac mae'r creaduriaid bach yn gorwedd yno am oriau. Yn ddim gwerth i neb.[64]

Gellid cymharu'r llesgedd a'r bryntni gwyrdroëdig hyn â phortread Saunders Lewis o ferch arall yn y ddinas – Monica. Ar y cyfan, beth bynnag, mor wahanol yw Abertawe fywiog a hyderus y merched hyn i bortread Saunders Lewis o Abertawe'r merched:

> Peth ar ei ben ei hun yw stryd mewn maestref o'r dosbarth canol. Ffurfir ei chymeriad a rheolir ei bywyd cymdeithasol yn llwyr gan ferched.[65]

Darlun negyddol sydd ganddo o'r gymdeithas fenywaidd-ganolog hon a chyplysir ffordd o fyw faldodus y merched – eu siopa a'u swancio mewn caffés – â ffordd o fyw rywiol-faldodus a phechadurus dosbarth canol swbwrbia.

Dwi'n hoffi meddwl nad dal dig yn erbyn Abertawe'n benodol y mae Saunders Lewis ond yn hytrach mai defnyddio maestref ddinesig digon nodweddiadol er mwyn dadlau achos oesol yn erbyn pechod a wna. Wedi'r cyfan, ceir rhyw fath o achubiaeth i Abertawe ar ddiwedd y nofel. Mae adeiladau 'gogyfuwch' ac 'urddasol' strydoedd dinesig yr Uplands yn gwrthgyferbynnu'n llwyr â maestref Monica.

Mae hi'n eitha posibl fod *Mas*, a'i moesau llac, yn cadarnhau portread Saunders Lewis o bechodau merched dinesig – ac nid drwg o beth yw hynny! Nid llenyddiaeth ymhonnus o fawr yw'r nofel hon, sy'n ei gwneud hi'n fwy perthnasol, efallai, i bobl ifanc Abertawe heddiw. Llenwir ganddi ran o un bwlch yn nhirlun ein llên.

Yn ei gyfraniad i'r gyfrol *Cwm Tawe* yng Nghyfres y Cymoedd, mae Robert Rhys yn cyferbynnu gonestrwydd cymdeithasol a 'chân y fwyalchen' J. J. Williams â llais crasach llenorion cyfoes yr ardal:

> 'Mae'n bryd bo ni'n edrych ar y gwir'. Eu parodrwydd i wneud hynny ar gân yw'r peth mawr sy'n gwahanu Gwenallt ac Alan Llwyd a Neil Rosser oddi wrth J. J. Williams. Fe beidiodd cân y fwyalchen.[66]

Do, dechreuwyd cyfleu ac ymateb i'r realiti dinesig, diwydiannol ac ôl-ddiwydiannol trwy gyfrwng llenyddiaeth Gymraeg a gobeithio fy mod, yn yr ysgrif hon, wedi gwrando ar, ac wedi cwestiynu 'gonestrwydd' geiriau a thiwn y lleisiau llenyddol hyn. Gobeithio fy mod wedi archwilio'r mosaig sy'n cynrychioli Abertawe a Chwm Tawe – o'r diwedd – ar dirlun a map llenyddol Cymru.

Yng Nghwm Tawe, lle mae cwlwm yr un gydwybod gymdeithasol yn clymu, ond hefyd yn crebachu, o hyder oes ddiwylliannol Gwenallt i anialdir o anobaith Huw Chiswell. Ac yn Abertawe, lle mae gwreiddiau'r adnabyddiaeth gymdeithasol yn fwy arwynebol a'r afael yng 'ngwir' grynswth y ddinas yn fwy llac – ac ond megis yn dechrau cael ei gyfleu yn llawn.

Mae tua dwy fil o ddisgyblion yn mynychu Ysgolion Cyfun Cymraeg Ystalyfera a Gŵyr heddiw. Mae'r ysgolion hyn yn llwyddo'n rhyfeddol yng nghystadlaethau llenyddol Eisteddfod Genedlaethol yr Urdd. Yma mae'r gwybod. Yma mae'r gobaith – ac yma hefyd mae'r cyfrifoldeb.[67]

NODIADAU

[1]Kevin Allen (cyf.), *Twin Town*

[2]Christine James (gol.), yn 'Rhagymadrodd', *Cerddi Gwenallt – Y Casgliad Cyflawn* (Gwasg Gomer, 2001), xix.

[3]Heini Gruffudd, 'Cydnabod yr Abertawe Gymraeg', *Y Traethodydd,* Ionawr, 1992, 35.

[4]Ibid., 35.

[5]Dafydd Rowlands, 'Ewyllys i'r Meibion' yn Alan Llwyd a Gwynn ap Gwilym (gol.), *Blodeugerdd o Farddoniaeth Gymraeg yr Ugeinfed Ganrif* (Gwasg Gomer a Chyhoeddiadau Barddas, 1987), 415.

[6]Robert Owen Jones, 'Tafodiaith Cwm Tawe' yn Hywel Teifi Edwards (gol.), *Cyfres y Cymoedd – Cwm Tawe* (Gwasg Gomer, 1993), 217.

[7]Yn 'Rhagymadrodd' *Cerddi Gwenallt – Y Casgliad Cyflawn*, xxvii.

[8]Ibid., 67.

[9]Ibid., xvii.

[10]Dafydd Rowlands, *Licyris Olsorts* (Teledu Daffodil, S4C)

[11]Heini Gruffudd, *Y Gymraeg a Phobl Ifanc* (Adran Addysg Barhaus Oedolion Prifysgol Cymru Abertawe), 36.

[12]Y Pentref Hwn', *Cyfres y Cymoedd – Cwm Tawe*, 3.

[13]Yn ystod cyfweliad yn Aberystwyth fis Hydref ac ar ymweliad ag Ystradgynlais ym mis Tachwedd.

[14]Robert Owen Jones, 'Tafodiaith Cwm Tawe' yn *Cyfres y Cymoedd – Cwm Tawe*, 217.

[15]Heini Gruffudd, 'Iaith Gudd y Mwyafrif: Y Gymraeg yn Abertawe ganol y bedwaredd ganrif ar bymtheg', *Cyfres y Cymoedd – Cwm Tawe,* 105–141.

[16]Ibid, 140.

[17]Ibid., 124–125.

[18]Heini Gruffudd, 'Ystadegau disgyblion ysgolion Cymraeg Abertawe 2001-2002' (ar gyfer RhAG).

[19]Heini Gruffudd yn ei 'Ragair' i Heini Gruffudd (gol.), *Cerddi Abertawe a'r Cwm* (Gwasg Gomer, 2002), xi.

[20]Christine James, *Cerddi Gwenallt*, xxxvii.

[21]Ibid., 'Sir Gaerfyrddin', 105.

[22]Ibid., 'Y Meirwon', 139.

[23]Ibid., 'Y Tipiau', 122.

[24]Ibid., 'Y Dirwasgiad', 141.

[25]Ibid., 'Morgannwg', 143.

[26]Ibid., 'Sir Forgannwg', 113.

[27]Ibid., 'Sir Forgannwg a Sir Gaerfyrddin', 152.

[28]Ibid., dyfynnir Aneirin Talfan Davies yn 'Rhagymadrodd' Christine James, xxxix.

[29]Ibid., 'Rhagymadrodd', xxxviii.

[30]Ibid., 'Gweithwyr Deheudir Cymru', 134.

[31]'Y Pentref Hwn', *Cyfres y Cymoedd – Cwm Tawe*, 3.

[32]Yn yr adran ar Dafydd Rowlands yn *Blodeugerdd o Farddoniaeth Gymraeg yr Ugeinfed Ganrif*, 408–417.

[33]Dafydd Rowlands, *Sobers a Fi* (Gwasg Gomer, 1995), 5.

[34]'Ffatri'n y Rhigos', yn *Blodeugerdd o Farddoniaeth Gymraeg yr Ugeinfed Ganrif*, 411–412.

[35]Caneuon ar yr albwm *Rhywun yn Gadael*, (Sain, 1989).

[36]Huw Chiswell, 'Y Cwm' yn *Cerddi Abertawe a'r Cwm*, 13.

[37]Oddi ar *Rhywun yn Gadael.*

[38]Ibid., ochr B, trac 2.

[39]Ibid., ochr A, trac 5.

[40]'M4', *Cerddi Abertawe a'r Cwm*, 19.

[40]Mewn cyfweliad yn ei swyddfa yn Abertawe fis Medi, 2002.

[42]Dylan Thomas, 'Return Journey' yn Walford Davies, *A Dylan Thomas Treasury – Poems, Stories and Broadcasts* (Everyman, 1991), 171.

[43]Cyfeirir at y llythyr yn Mair Saunders (gol.), *Bro a Bywyd – Saunders Lewis* (Cyngor Celfyddydau Cymru, 1987), 33.

[44]'Burry Holm' yn Amy Wack a Grahame Davies, *Oxygen* (Seren, 2000), 30.

[45]'Traeth Abertawe' yn *Cerddi Abertawe a'r Cwm*, 9.

[46]Ibid.

[47]Ibid., yn y detholiad o 'Y Storm', 104.

[48]Ibid., Mari George yn 'Llongddrylliad', 8.

[49]Ibid., 'Yr Hebog Uwch Felindre', 32.

[50]Ibid., 'Cloch Llangyfelach ar Fore o Fawrth', 29.

[51]Ibid., 'Gaeaf ar Gyrion Dinas', 30.

[52]Ibid., 'Meirch Llangyfelach', 31.

[53]Ibid., 37.

[54]yn *Oxygen*, 30.

[55]yn *Cerddi Abertawe a'r Cwm*, 36.

[56]Ibid., 50.

[57]Ibid., 43.

[58]Ibid., 6.

[59]Mewn cyfweliad yn y Llyfrgell Genedlaethol yn Aberystwyth.

[60]yn *Cerddi Abertawe a'r Cwm*, 5.

[61]Ibid., 'Swansea Jac', 1.

[62]Ibid., 'Nos Sadwrn yn Abertawe', 3.

[63]Mair Evans, *Mas* (Gwasg Gomer, 2000).

[64]Ibid., 13.

[65]Saunders Lewis, *Monica* (Gwasg Gomer, 1989), 38.

[66]Robert Rhys, 'Cân y Fwyalchen', *Cyfres y Cymoedd – Cwm Tawe*, 291.

[67]Hoffwn ddiolch i Geraint Roberts, Myfanwy Jones, Ysgol Gyfun Gŵyr ac Ysgol Gyfun Cwmtawe am eu cydweithrediad parod wrth baratoi'r ysgrif.

‘Y lôn hir o Lyn Nedd’

OWEN MARTELL

Y peth cyntaf i’w wneud, mae’n debyg, ar ddechrau’r erthygl hon, yw pennu safle. Rwy’ i’n ysgrifennu o’r tu allan i gwm fy mhlentyndod (nid fy nghwm genedigol; mae hwnnw rhyw ddwy awr i’r de o dde Cymru) – a hynny, mae’n debyg, fel nifer helaeth o gyfranwyr y gyfrol hon: o Gaerdydd, er enghraifft, neu o lefydd gwaith eraill. Ac mae hynny ynddo’i hun, rwy’n credu, yn diffinio golwg arbennig ar gymoedd ‘traddodiadol’ Cymru; y cymoedd hynny sydd yn eu hanesion unigol a chyfun, eu traddodiadau llenyddol, eu hymrwymiadau i fath arbennig o ddiwydiant a gwaith, er enghraifft, yn diffinio’r Gymru y byddai llawer ohonom yn ei disgrifio petai’n rhaid gwneud hynny. Hynny yw, hyd yn oed wrth feddwl yn hollol gyffredinol am hanes y wlad, o’r Oesoedd Canol hyd heddiw, o wahanol deyrnasoedd de a gogledd ac ati ac ati, sôn yr ydym am

‘Y lôn hir o Lyn Nedd.’

gasgliad (weithiau yn gasgliad llac, weithiau yn dynnach), o wahanol ardaloedd a *mini*-ddiwylliannau hyd yn oed, yn diffinio un endid yn ôl yr hyn y gellid tybio ei fod yn gyffredin rhwng y gwahanol gymunedau hynny.

Ond mae hi'n amlwg erbyn hyn fod yna erydu cynyddol ar y syniad hwnnw. Wrth i gynifer o'r ffactorau sy'n effeithio ar yr hyn y gellir ei adnabod fel yr endid Cymreig a Chymraeg ddigwydd a chael eu pennu y tu allan i'r cymoedd a'r cymunedau hynny sydd wedi rhoi i Gymru ac i'r Gymraeg ei lliw – y blas lleol, er enghraifft, y syniad cyffyrddus a chynhaliol o adnabod – mae hi'n dod yn fwyfwy pwysig ystyried y cymoedd hyn fel y maen nhw heddiw, ac fel y maen nhw mewn perthynas â'r bobl hynny sydd wedi eu magu yno ac sydd efallai yn byw yno o hyd, neu, fel fi, wedi symud oddi yno heb lawer o fwriad, yn y dyfodol agos beth bynnag, i fynd yn ôl. Y mae pennu safle, felly, yn hollbwysig. Meddwl am y llygaid sy'n gweld Cwm Nedd, yn fy achos i, a'r dylanwadau niferus ac amrywiol ar y llygaid hynny.

Y mae hi, wrth gwrs, yn hen thema – y gwewyr o fod yn edrych yn ôl ar le ac amser. Ac mae hi wastad yn demtasiwn – gofynnwch i unrhyw awdur opera sebon, er enghraifft – i geisio defnyddio'r hyn a welir yn y gorffennol hwnnw i esbonio, ac i ffurfio syniadau pendant ynglŷn â phob mathau o bethau . . . Ond mae'r syniad, a'r weithred, o edrych yn ôl ar *gwm*, er nad yn egsgliwsif o bell ffordd i Gymru, yn taro rhywun yn syth fel peth arbennig o Gymreig i'w wneud – T. H. Parry-Williams, Gwyn Thomas y Rhondda ac yn y blaen. Fe ellid yn ddigon teg gynnwys hynny hefyd mewn diffiniad o'r profiad Cymreig – yr angen am grafangau i 'ddirdynnu'r fron'! Ac mae bodolaeth y gyfres hon, a'r gyfrol hon yn arbennig, yn tystio i hynny.

Ac yn gysylltiedig, bron fel efaill i'r math hwnnw o brofiad, y mae'r ymrwymiad megis yn y groth, neu yng nghyrff ac ym meddyliau y rhai, rwy'n tybio, sydd wedi cyfrannu at y gyfrol hon, a'r rhai sydd nawr yn darllen y gyfrol hon, i'r Gymraeg. Ac fel y mae meddwl am gwm, yn yr ystyr Cymreig hwnnw o gymuned glòs a diwylliant aelwyd, yn awgrymu yn syth syniadau o gadwraeth ac amddiffyniad – a daearyddiaeth y cwm yn datblygu'n rhyw fath o ddaearyddiaeth y meddwl – felly y mae'r Gymraeg mewn trafodaethau fel hyn yn trosi'n hawdd iawn yn blentyn y mae angen ei fagu a'i ddiogelu – a hynny, mewn ffordd real iawn, rhag y byd yr ochr draw a'r tu allan i ochrau serth y dyffryn . . .

Mae yna ddeuoliaeth i fi, felly, yn y fan hon. Rwy'n cael fy nhynnu rhwng gorfod 'darllen' y cwm nawr – ac ystyried ffactorau fel yr uchod, yn wyneb rhyw fath o ddisgwyliad bod profiad o fyw a bod yng Nghwm Nedd yn yr wyth degau a'r naw degau, yn ffitio i fewn i gyfanwaith o brofiad, cynfas ehangach sy'n cwmpasu 'Cymreictod' ac amrywiol gysyniadau llithrig eraill; ceisio cymharu'r lle bryd hynny â nawr, pan nad ydw i'n gyfarwydd â'r cwm bellach ond yn fy atgofion i o gyfnod blaenorol. Rwy'n cael fy nhynnu rhwng hynny a'r teimlad sy'n aros gen i o'r cwm, o fy mhlentyndod i, nad yw, yn y lle cynta', yn perthyn i unrhyw beth ond hynny, ac a oedd yn bodoli, os nad y tu allan i'r holl ystyriaethau hyn, yna mewn profiad lle nad oedd ymwybyddiaeth o'r cwestiynau hynny yn hunanamlwg. Hynny yw, jyst tyfu lan roeddwn i'n ei wneud; tyfu i mewn ac allan o'r cwm a'i ddylanwadau, a hynny mewn ffordd a oedd, ar un ystyr, yn hollol *bersonol*. Rwy'n teimlo'n rhyfedd, mewn ffordd, yn gorfod ymwneud â'r materion hyn nawr. Mae e'n teimlo fel rhywbeth y gallwn i fod yn ei wneud ymhen ugain neu ddeugain (*God willing*!) o flynyddoedd gyda llawer mwy o synnwyr a doethineb: gofyn faint o'r 'cwm' sydd ynof fi nawr, ac a fydd mewn amser i ddod, faint sydd yn gynnyrch yr hyn ddaeth wedyn – coleg, gwaith ac yn y blaen ac yn y blaen – a faint sy'n gynnyrch yr *interstices*, y rhyng-ofod, fel petai. A gofyn, yn fwy sylfaenol, a oes unrhyw ddiben gofyn y cwestiynau hynny yn y fath fodd? Ac a ellir eu hateb nhw'n foddhaol? Ac a fyddai modd gwahaniaethu rhwng y gwahanol foddau hynny o fod beth bynnag?

Wrth feddwl nawr am y cyfnod a dreuliais yng Nghwm Nedd, rhyw arwahanrwydd sy'n nodweddu'r profiad i mi. Rhyw fath o brofiad deuol, fel petai ar ffin, a hynny yn debyg iawn i'r hyn y soniodd y beirniad Raymond Williams amdano ar sawl achlysur.[1] Mae e'n brofiad cyffredin, rwy'n tybio, i blant mewn ysgolion Cymraeg (ac mewn ysgolion 'Saesneg' am wn i, hefyd) ar hyd y wlad – nawr fel bryd hynny: y teimlad o fod ar yr un pryd oddi mewn ac ar y tu allan i bethau. Mae Raymond Williams wrth gofio'i blentyndod ef, ar y gororau rhwng Cymru a Lloegr, yn sôn am 'the "English" who were

'Welsh Cakes' Ysgol Gymraeg Cwm Nedd.

not us, and "the Welsh" who were not us', a rhyw deimlad felly oedd hi yng Nghwm Nedd, i fi, ac i ambell ffrind, mae'n siŵr, oedd yn teimlo'r pwysau o fod yn Gymry Cymraeg yn erbyn eu hewyllys, bron, yn gorfod eu hamddiffyn eu hunain ar yr iard yn erbyn y cyhuddiad o fod yn 'Welshies' a'r ysgogiad cyson i siarad Saesneg. Ond wrth gwrs nid dim ond mater syml o Gymry a Saeson oedd hi. (Roedd ein hysgol Gymraeg ni drws nesa' i'r ysgol Saesneg leol, a bob bore byddai'r plant o'r ysgol honno'n cerdded drwy ein iard ni. Nhw yn ein galw ni'n 'Welsh cakes' a ni'n eu galw nhw'n 'English pasties'. Saeson, felly, oedd ein syniad ni ohonyn nhw, ond dim ond i raddau, efallai, gan fod y bastai yn fwyd a'i gadarnle yng Nghernyw . . . 'Sgwn i pwy feddyliodd am y syniad o alw'r plant drws nesa yn 'pasties'? Efallai ei fod e neu hi wedi treulio mwy o amser yn ymaflyd codwm â chwestiynau hunaniaeth nag yr oeddem ni wedi'i dybio yn saith mlwydd oed!) Ond os oedd y rhaniad rhwng ysgolion yn fodd cyfleus i ni i gyd ddod at ein gilydd fel torf fechan ar yr iard i amddiffyn ein hysgol yn erbyn ysgol arall, yna roedd y tensiwn yn bodoli cymaint oddi mewn i'r dosbarth pan fyddai'r gloch wedi canu ar ddiwedd yr awr ginio. Rwy'n cofio bod yn ymwybodol o fyd 'Cymraeg' ac o fyd 'arall' – doedd e ddim o angenrheidrwydd yn fyd 'Saesneg' nac yn 'ddi-Gymraeg' chwaith, roedd e jyst yn fyd arall. Roeddwn i'n siarad Cymraeg gartre gan amlaf, ac roedd rhai, dim llawer mae'n rhaid dweud, o fy ffrindiau hefyd yn siarad Cymraeg gydag un o leia o'u rhieni. Ac roedd yna wedyn rai plant, rhai ffrindiau, na fyddech chi byth yn breuddwydio siarad Cymraeg â nhw ond pan fyddai yna athro neu athrawes o gwmpas. Roedd y gwahaniaeth yn sylfaenol ac yn bodoli reit o'r dechrau, rwy'n credu.

Ond nid dim ond mater o Gymraeg a Saesneg oedd hi, neu o Gymraeg a di-Gymraeg . . . Mae plant yn bethau craff, ac rwy'n cofio bod yn ymwybodol, hyd yn oed yn yr ysgol gynradd, o'r gwahaniaethau mewn cefndir hefyd. Roedd fy ffrindiau a oedd yn siarad Cymraeg gartre yn tueddu i ddod o'r hyn y byddech chi yn eu galw yn 'gartrefi da'. Nid nad oedd pawb arall yn dod o gartrefi da a chariadus hefyd, wrth gwrs, ond mae e'n ddiffiniad ac yn ddisgrifiad sydd fel petai'n perthyn i'r *milieu* y soniais amdano yn y paragraffau cynta mewn perthynas â'r cyfranwyr i'r gyfrol hon a'r darllenwyr, ac am y rheswm hwnnw fe wna i gadw'r ymadrodd . . . Ac o'r disgrifiad hwnnw, roeddech chi'n gweld patrymau'n datblygu.

Ac o'm safbwynt i, felly, fe allech chi ddweud bod yna syniad go bendant yn dechrau datblygu o natur pethau . . . Hynny yw, gwahaniaeth yw popeth i blentyn, ac roedd y ffaith o fod yn un o'r lleiafrif yn fy nosbarth a oedd yn siarad Cymraeg gartre, er enghraifft, neu o fod yn byw ym Mhontneddfechan ychydig filltiroedd y tu allan i Lyn-nedd (lle roedd y plant *cool* i gyd yn byw), ac felly'n gorfod brwydro i sefydlu a chynnal *street cred* o ryw fath, i gyd yn cyfrannu at deimlad o fod ar y tu allan i un agwedd eitha pwysig o fyw mewn cwm a chymuned gymharol glòs, sef bod yn rhan o'r norm. Hynny yw, rwy'n meddwl am y peth nawr, ac yn gweld yr hyn a ddisgrifiodd Daniel Williams, yng ngwaith Raymond Williams, fel 'that border experience, the feeling of being both "inside and outside" [that is] firstly a lived experience that mutates into a position from which to speak . . .'. Pennu safle, felly, o hyd. (Mae'r syniad o 'the return of the native' yn bwysig iawn i ymwneud Raymond Williams â Chymru hefyd, ac mae'r syniad hwnnw yn addas yn y fan hon. Hoffwn wneud ambell ymddiheuriad, ar ran yr erthygl hon, fodd bynnag. Dwy' i ddim eisiau gorbwysleisio'r arwahanrwydd y soniais amdano. Dwy' i ddim, wedi'r cyfan, yn sôn am brofiad sy'n unigryw i fi, neu yn arbennig i fi mewn unrhyw ffordd. Dwy' i ddim yn credu fy mod i'n siarad o safbwynt ymylol fel y cyfryw, rwy' i jyst am geisio adrodd fy mhrofiad i, yn y gobaith y bydd hynny o ryw ddiddordeb. Hefyd, rwy' i eisiau ymddiheuro am fod yn fyfïol ac am yr hyn a allai gael ei weld fel hunan-bwysigrwydd. Nid dyna'r bwriad o gwbl. Alla i ddim ond siarad drosof fi fy hun – byddai ceisio siarad dros bobl eraill, os rhywbeth, hyd yn oed yn *fwy* hunandybus, felly 'nawn ni aros gyda'r hunan-dyb y mae iddo ryw ychydig o gyfiawnhad . . .!)

Mae'n rhaid meddwl, felly, am *strata*. Nid haenau o hierarchiaeth, o angenrheidrwydd, ond grwpiau, mae'n debyg, jyst o ran y bobl a'r pethau hynny sy'n llywio fy narlleniad i o'r cwm nawr. Mae hi'n hollol naturiol, efallai, ac eto yn arwyddocaol hefyd, taw'r unig bobl o'r cwm o fy oedran i rwy'n dal i'w gweld yw'r bobl hynny a ddilynodd gwrs tebyg i fi – coleg, symud bant ac yn y blaen. Dwy' i ddim erbyn hyn mewn cysylltiad ag unrhyw un o'r bobl yn fy nosbarth i sy'n dal i fyw yng Nghwm Nedd. Neb o gwbl. Does gen i ddim teulu yno, ac ar wahân i ambell ffrind teuluol, does yna ddim cysylltiad o gwbl gen i â'r ardal, ar wahân i'r cysylltiad yn y meddwl (ac mewn rhan arall, fwy sentimental, ac anos ei diffinio!). Ac mae hynny'n beth mor rhyfedd i fi nes gwneud i fi amau – er bod yna luniau fyddai'n profi'r gwrthwyneb – a fûm i'n byw nid jyst yn y cwm ond yng nghymuned y cwm erioed. *Roeddwn* i'n nabod digon o bobl, wrth reswm, yn ffrindiau trwy bethau fel rygbi, clybiau chwaraeon ac ati, ond rhywle fe rannodd y llwybrau heb lawer o obaith y dôn nhw yn ôl at ei gilydd. A'r peth mawr sy'n codi o hyn, canlyniad mawr fy addysg i, er enghraifft, yw'r perswâd – yn erbyn pob synnwyr, ac yn erbyn pob awydd i feddwl hynny hefyd, fy mod i rywsut ar fy ennill, ar draul pobl na ddilynodd gwrs tebyg i fi, ac fy mod i nawr mewn safle breintiedig mewn cymhariaeth. Nonsens, wrth gwrs, ond fe erys y teimlad yn anghyffyrddus yn y meddwl. Hynny yw, bydda i'n meddwl weithiau y gallwn i nawr fod yn piso fy mywyd yn erbyn waliau tai bach yr Oddfellows ar y Stryd Fawr heb fod wedi gadael y lle erioed. (Yn hytrach na gwneud peth tebyg yn nhafarnau dienaid Caerdydd . . .!) Ond beth sydd o'i le ar hynny wedyn? Dim oll.

'Falle ei bod hi'n ganlyniad syml i systemau addysg – a taw'r mesur cudd ac anochel o 'lwyddiant' addysg yw paratoi plant, eu haddysgu er budd cymoedd – ond nid cymoedd chwaith, rhwydweithiau cymdeithasol yn hytrach – y tu allan i'w bröydd genedigol. Dyna, i raddau, yw teimlad prifathro presennol fy hen ysgol, Ysgol Gymraeg Cwm Nedd, Geraint Morgan, a oedd yn athro arna' i yn ystod ei gyfnod cynta yn yr ysgol, ddechrau'r wyth degau: 'Dyna sy'n digwydd mewn lot o gymoedd sydd yn rhannol wledig fel Cwm Nedd. Dyw'r cyfleoedd gwaith ddim ar gael i [bobl ifanc] os ŷn nhw ishe ennill cyflogau da ac ati, ma' rhaid symud i ffwrdd . . . Pobl sy'n câl cymwysterau uwch na'r cyffredin . . . dyw'r math yna o waith ddim yn bodoli fan hyn erbyn hyn . . .' Hynny yw, mae 'addysg dda', yn yr un ystyr â'r 'cartrefi da' y soniais amdanyn nhw uchod, yn cynrychioli erbyn hyn gyflyraeth nad yw'n cynnwys unrhyw ystyriaeth o elfennau y tu allan i'r hunan unigol. Plant Thatcher, wedi'r cyfan . . . Neu os oes yna ystyriaeth o'r fath, yna mae natur y gymuned a ganfyddir wedi'i throi ar ei phen o'r hen ddiffiniadau o fro ac ati. Ac mae hi, wrth gwrs, yn hen, hen broblem, ac yn ystrydeb dreuliedig, ond mae hi hefyd yn broblem sydd yn amlwg yn cael dylanwad cwbl sylfaenol ar natur cymunedau fel Cwm Nedd.

'Falle ei bod hi hefyd, neu yn hytrach, yn fater syml, a chlasurol, o euogrwydd bachgen o'r dosbarth canol gwyn, lled addysgiedig. Pwy ydw i nawr i wneud datganiadau ysgubol o'r fath? I yrru 'nôl ar hyd y ffordd osgoi newydd (mae'r enw'n dweud y cyfan, mewn gwirionedd, on'd yw e? *Ffordd osgoi* . . .) sy'n hollti perfedd y cwm – yr hewl yr oeddem ni yn ysu am iddi gael ei chwblhau tra oedden ni'n byw ym mhen ucha'r cwm ond yn meddwl na fyddai hi byth yn dod – ac i edrych ar y lle â llygaid beirniadol? Neu i feiddio dweud bod y lle yn teimlo'n bellach i ffwrdd, mewn gofod ac amser, na'r cwta hanner can munud yn y car? Yr ethnograffydd amatur bondigrybwyll, ofnadwy. Gauguin a'i ferched 'egsotig' ar yr ynys hud, y ffotograffwyr Bill Brandt a Weegee, *The English at Home* a *Weegee's People* . . . Roedd mynd yn ôl i Lyn-nedd yn ddiweddar, am y tro cynta ers rhai blynyddoedd, yn brofiad rhyfedd. Roedd hi fel petawn i'n cerdded o gwmpas mewn cerdd gan Philip Larkin. Mae ganddo fe gerdd,

'I Remember, I Remember', am ddychwelyd ar y trên i Coventry, lle cafodd ei eni a'i fagu, a chael popeth yn anghyfarwydd o gyfarwydd:

> I leant far out and squinnied for a sign
> That this was still the town that had been 'mine'
> [...] 'Was that,' my friend smiled, 'where you "have your roots"?'
> No, only where my childhood was unspent,
> I wanted to retort, just where I started:
> By now I've got the whole place clearly charted.

Mae'r gerdd yn gorffen, wrth iddo gofio'r holl bethau na wnaeth e yn ei dre enedigol, gyda'r llinellau, '"I suppose it's not the place's fault," I said. / "Nothing, like something, happens everywhere."' Ac wrth gwrs, hen *misery guts* yw Philip Larkin mewn llawer iawn o'i gerddi ond mae e'n llwyddo i ddal y profiad i'r dim. Y syniad o fytholegu plentyndod a lle, er enghraifft, ac yn sgil hynny y llinyn anweledig ond grymus sy'n clymu presennol wrth orffennol, sydd i raddau helaeth iawn yn orffennol wedi'i ddychmygu.

Ond mae'n rhaid i mi ddweud, er cydymdeimlo â'r darlun o blentyndod sy'n gwrthod sentiment, ac yn fwy na hynny, yn gwadu'r posibilrwydd o orffennol gwrthrychol, gwahanol iawn yw fy nheimlad *i* at Gwm Nedd. Oherwydd y mae'r lle ei hun, yn y coed ar y mynyddoedd, neu yn yr afonydd, Nedd Fechan, Mellte, Hepste, neu hyd yn oed yn yr hen A465 a'i throadau cyfarwydd, lletchwith, wedi suddo'n ddwfn, ddwfn . . . Llyn Rheola, Pentreclwydau, Cwmgwrach ac Aberpergwm – Aberpergwm yn enwedig, efallai, hen gartre Maria Jane Williams, a gasglodd ynghyd alawon gwerin Morgannwg (ac sy'n destun traethawd diddorol iawn yn y gyfrol yn y gyfres hon sy'n canolbwyntio ar Gwm Nedd), ac sydd erbyn hyn yn cynrychioli i fi, beth bynnag, ddiwylliant hynod gyfoethog nad yw bob amser yn cael y sylw dyledus gan y rheiny sy'n cloriannu diwylliant Cymru (a'r diwylliant Cymraeg yn fwy penodol). Oherwydd, mewn ffordd hollol amlwg, dyma'r fan lle r'yn ni'n dysgu *popeth*. Yn ein hymwneud â daearyddiaeth, â natur, ac yn y blaen ac yn y blaen. Anodd gorbwysleisio hynny, neu'i wadu. Mae'r peth yn gwbl greiddiol. Syniadau am gartre, am wreiddiau, ac am y cymhlethdodau sy'n rhan o hynny – 'nes mynd o'u moelni i mewn i'm hanfod i', chwedl 'Parry

Bach' am fynyddoedd Eryri. Neu i ddyfynnu englyn gwych Twm Morys, gan newid y llinell olaf i ffitio fy hanes i,

> A minnau'n colli 'mynedd yn y car,
> Daw'r co'n ddidrugaredd
> Ar y lôn hir o Lyn Nedd
> Am lôn y *pymtheng* mlynedd.

Ac os ydyw fy agweddau at rai pethau eraill (yr iaith Gymraeg, er enghraifft) yn anghyson weithiau, yna mae'r ymdeimlad o Gwm Nedd a'i ddaearyddiaeth yn rhyfeddol o gyson, fel llinell ffawt ar Graig y Dinas.

Ac wrth feddwl am y cwm nawr, ystyriaethau fel hyn sy'n lliwio ac yn llywio'r meddwl. Alla i ddim peidio meddwl bod yna bethau i'w deall a'u hamgyffred sy'n fwy sylfaenol na'r ddadl am y Gymraeg, er enghraifft. Wrth gwrs, mae yna gyd-fodolaeth rhwng y pethau hyn, ond wrth gerdded y strydoedd nawr, er enghraifft, cael blas o'r newydd ar y *malaise* cyffredinol sy'n nodweddu'r lle erbyn hyn, neu wrth gerdded heibio'r siopau punt niferus, neu'r Co-op ffyddlon a

'Sound as a Pound': Stryd Fawr Glyn-nedd.

phlaen, neu'r tafarnau – y Woolpack a'r Oddfellows ar y sgwâr (o ble daeth yr enwau yna, 'sgwn i?) – mae hi'n teimlo'n union fel yr ymdeimlad rhyfedd hwnnw o wleidyddiaeth dosbarth yn yr ysgol: bod yna ddigon o bethau yn ogystal â'r Gymraeg i boeni amdanyn nhw. (Roeddwn i'n cerdded o gwmpas y lle rhyw naw o'r gloch un bore ychydig cyn y Nadolig, yn tynnu ambell lun o'r pentre a fy nghamera'n pwyntio i gyfeiriad y Woolpack, pan gerddodd dyn heibio i fi a dweud, 'Oh, selling it are they?' fel petai pobl ddim ond yn tynnu lluniau yng Nglyn-nedd pan mae busnes arall wedi methu a'r perchnogion yn gorfod gwerthu i geisio ad-dalu'r banc . . .) Ac mewn ffordd, felly, o ran yr erthygl hon ac o ran trafodaethau tebyg am gymoedd eraill hefyd, y mae canolbwyntio'n ormodol ar gyflwr y Gymraeg yng Nglyn-nedd, ar draul pethau eraill, yn teimlo rywsut yn chwithig a hyd yn oed fymryn yn esgeulus . . .

Ond efallai bod hyn eto yn esiampl o euogrwydd dosbarth-canol, neu yn enghreifftio ambell syniad cyfeiliornus, a chyfarwydd, sy'n dal i fodoli am 'Gymreictod'. Diflas yw gorfod nodi bod Cymry Glyn-nedd a Chwm Nedd yn gymaint Cymry â neb pa un a ydyn nhw'n siarad 'yr iaith' ai peidio, neu yn gwybod bod Guto'r Glyn a Lewis Glyn Cothi wedi troedio'r un llwybr â nhw, sydd erbyn hyn yn pasio'r Lamb and Flag a'r *takeaway* Indiaidd, ai peidio . . . Hynny yw, does dim angen perswâd ar lawer iawn ohonon ni i lawnsio'n frwd i drafodaeth am 'yr iaith', ond yn ogystal â bod erbyn hyn yn eitha diflas mae'r fath unllygeidrwydd, bron iawn, yn awgrymu patrwm a diffiniad o Gymru a'r Gymraeg a Chymreictod sy'n niweidiol, os nad yn gwbl anghywir. Fel y dywed Daniel Williams eto am waith Raymond Williams yn ei ragymadrodd i *Who Speaks for Wales?* (Gwasg Prifysgol Cymru, 2003):

> Williams' support for the Welsh language's continued existence is not based upon, nor does it ever lead him to embrace, a familiar form of cultural nationalism which regards the endangered language as the guardian of the nation's 'spiritual inheritance' and the only basis for national identity. His engagement with the actual history of modern Wales made him resistant to such totalising narratives.

Wel go dda Raymond Williams ddyweda' i! Rwy' i, ar y llaw arall, hyd yn oed yn y ffaith o fod wedi canolbwyntio cymaint ar y

Gymraeg hyd yn hyn (a gyda mwy i ddod!), a hynny mae'n debyg o safbwynt 'cadwraethol' un sydd wedi ennill 'gradd dda yn y Gymraeg', ac sy'n hyddysg yn y 'cenedlaetholdeb diwylliannol' y sonnir amdano uchod, yn cyfrannu, yn erbyn fy ewyllys bron, i 'totalising narrative' o'r fath! A dydw i ddim am ddadlau yn erbyn y prosiect cadwraethol o gwbl – y mae'n hollbwysig, wrth gwrs – ond mae hi'n anodd osgoi meddwl weithiau bod rhai modelau o Gymru, sy'n mwynhau tipyn o sylw mewn gwahanol lefydd ar hyn o bryd, ac sy'n seiliedig ar 'waddol diwylliannol' eitha penodol fel y sonnir amdano uchod, yn ffordd o wahardd a gwahanu cymaint ag y maen nhw'n fodd i uno a bod yn gynhwysol. Mae hynny yn sicr yn wir pan osodir model o'r fath ar Gwm Nedd, er enghraifft, ac fe ddof i yn ôl at hyn yn nes ymlaen.

Mae hi'n broblem sy'n ymddangos i fi dipyn yn fwy argyfyngus i Gwm Nedd ar hyn o bryd bod diwydiant a chyfleoedd gwaith, er enghraifft, yn dirywio, yn enwedig ym mhen ucha'r cwm. Ffatrïoedd wedi cau, fel gwaith alwminiwm Rheola – hynny ers blynyddoedd maith – a dim byd wedi dod yn ei le, y gweithfeydd glo wedi hen fynd, ar wahân i'r gwaith glo brig ar fynydd y Rhigos, ac yn y blaen ac yn y blaen. Mae Gareth Richards, sy'n berchen ar Wasg Nedd ac yn aelod hefyd o bwyllgor economeg y Cyngor Sir, yn sicr yn gweld effeithiau hynny. 'Ma'r cyngor wedi twlu'r tywel i fewn ar drio câl diwydiant i ben ucha'r cymoedd,' meddai. 'Ma' nhw'n cyfadde ma'r hewlydd yn wael, d'yn ni ddim yn mynd i gael y diwydiant mewn, felly ma' nhw'n canolbwyntio ar goridor yr M4 – dyna yw popeth nawr . . . Parc Ynni Baglan . . . Ma' hyd yn oed Abertawe yn cael trafferth oherwydd yr hewlydd gwael mewn i'r ddinas. Pen ucha Cwm Afan, amhosib, "we're not even going to try", dyna'r agwedd – ac o ran cadw pobl ifanc pen ucha'r cymoedd, anodd iawn. Unig fantais top Cwm Nedd yw'r hewl newydd dda lawr y canol.' Dyna ni, felly – fel yr hen jôcs am yr M4, y peth gorau i ddod allan o Gymru erioed – un fantais Cwm Nedd yw'r ffordd gyfleus i adael y lle. Y ffordd osgoi unwaith eto. Mae'r prifathro Geraint Morgan hefyd yn gweld Glyn-nedd yn benodol fel 'cymuned lle ma' pethe fel economeg y tu allan i rym y bobl leol'. Eto, darlun sy'n gyffredin ar draws cymoedd de Cymru, ond heb fod yn llai brawychus am ei fod mor gyfarwydd ag ydyw. (Ac fe allech chi ddadlau wedyn bod yr ymgyrch i achub yr iaith Gymraeg, yn wyneb y fath ddirywiad, yn rhyw fath o ymgorfforiad poenus o'r frwydr yn erbyn gwacter ystyr. Eto, euogrwydd dosbarth-canol – ond y teimlad anghyffyrddus hwnnw fod pethau rywsut yn *ready-made* i fi, ni: 'The aristocratic rebel, since he has enough to eat, must have other causes of discontent,' chwedl yr athronydd Bertrand Russell.)

Ond wrth gwrs, llathenni o frethyn yr un dirywiad yw'r ddau: y diwylliannol a'r economaidd fel ei gilydd. Ac er dadlau achos y diafol yn y paragraffau uchod, mae'r Gymraeg yn amlwg yn gymaint mwy nag *add-on* parchus i bethau. Oherwydd beth yw hynt y Gymraeg yng Nghwm Nedd ond yr enghraifft amlycaf, efallai, o hynt a datblygiad a chrebachiad, a'r newid yn niwylliant yr ardal? (Ac mae'n siŵr taw'r *safle* a bennir wrth drafod y Gymraeg sy'n bwysig, a'r modd y lleolir y ddadl o ran cyd-destun, yn hytrach na cheisio 'chwarae' un ddadl – economaidd *v* diwylliannol, er enghraifft – yn erbyn y llall . . .)

Ac o ran hynt y Gymraeg, wel crebachiad sydd agosaf ati – ond nad yw ffigurau moel yn adrodd yr hanes cyflawn o bell ffordd. Er enghraifft, yn ôl ymchwil a wnaed gan Geraint Morgan ac Ysgol Gymraeg Cwm Nedd, ac yn ôl cyfrifiad 1891, allan o 1,077 oedd yn byw yn y gymuned leol yng Nglyn-nedd, roedd 45% yn siarad Cymraeg a Saesneg, 43% yn uniaith Gymraeg a 12% yn uniaith Saesneg. Roedd 88% felly yn medru'r Gymraeg. (Yn ôl Geraint Morgan, dyn o'r enw Shepherd, prifathro a ddaeth i'r ysgol yng Nglyn-nedd o Gaerloyw oedd y prif ddrwg yn y caws o ran erydu'r canran uchel ac *impressive* hwnnw, a hynny yn ei dro yn dylanwadu ar genedlaethau cyfain, falle . . .) Ac fe fu yna newid sylweddol hyd yn oed yn yr ugain mlynedd diwethaf – o gyfnod cyntaf Mr Morgan yn y cwm, ac yn yr ysgol, ddechre'r wyth degau, i'r adeg pan ddychwelodd i fod yn brifathro, ym 1997. Ddiwedd y saith degau roedd efallai 40% o blant yr ysgol Gymraeg (rwy'n dibynnu ar dystiolaeth anecdotaidd yn y fan hon – ac er mai anecdotaidd ydyw, mae'r ffigurau'n rhoi bras amcan o'r sefyllfa) yn dod o gartrefi lle roedd y Gymraeg yn cael ei siarad. Erbyn hyn, dim ond un teulu sydd yna, allan o 180 o ddisgyblion, lle mae'r ddau riant yn siarad Cymraeg yn y cartre. Mae yna wedyn, efallai, 5% o'r plant yn siarad Cymraeg gartre gydag un rhiant. Ac mae hynny'n ddarlun eitha brawychus ar un olwg. A'r un yw'r ymateb gan Geraint Morgan i'r ffigurau hynny ag y caech chi gan nifer o brifathrawon eraill, mae'n siŵr, mewn ysgolion o'r fath. 'Y perygl yw,' meddai, 'bod y Gymraeg yn cael ei chyfyngu oddi mewn i waliau'r ysgol. Ma'r ysgol yn gallu neud cyfraniad tu allan i'r ysgol – clybie, tripiau ac yn y blaen – ond ma' ishe mwy na hynny. Ma' 'na le i'r mentrau iaith, er enghraifft, chwarae rôl tipyn mwy blaenllaw er mwyn i'r plant ddod ar draws profiadau lle maen nhw'n gallu defnyddio'r Gymraeg tu fas i'r ysgol.'

Ond yn yr un ffordd ag y mae hi'n anghywir i fi fod yn gwneud datganiadau ysgubol am y 'malaise' a'r teimlad o *inertia* sy'n perthyn i Lyn-nedd nawr, fel taswn i'n anthropolegydd yn arsylwi arferion llwyth brodorol yn fforest law yr Amazon, felly y mae'n rhaid ceisio mynd dan yr wyneb gyda'r ffigurau hyn, a hynny er mwyn osgoi'r 'snobyddiaeth ddiwylliannol', mae'n debyg, sy'n gallu nodweddu trafodaethau o'r math hwn (ac rwyf i mor euog o hynny â neb, yn y fan hon). Oherwydd pan sonnir am y dirywiad hwn o ran yr iaith Gymraeg, neu am fethiant cymoedd fel Cwm Nedd i gadw'r bobl ifanc fyddai'n gallu rhwystro'r dirywiad hwnnw, fe dderbynnir bod hynny'n gyffredinol wir. Yr hyn a olygir, rwy'n credu, yw bod grŵp penodol o blith y bobl ifanc hynny yn gadael – rŷn ni wedi cyffwrdd â'r peth yn barod, y mudo 'mennydd y mae Geraint Morgan yn cyfeirio ato, a'r syniad taw'n 'pobl ifanc gorau ni' sy'n gadael, a hynny yn ei dro yn ddyfarniad gwerth ar y bobl sy'n *aros* yn eu cymunedau.

Oherwydd mae tystiolaeth Geraint Morgan, sydd mewn sefyllfa i weld patrymau dros gyfnod o ryw ugain mlynedd, yn tynnu sylw at yr elfen hon o hierarchiaeth ac yn dangos hefyd nad yw pethau'n anobeithiol o bell ffordd. 'Rhaid crafu dan yr wyneb,' meddai, 'i weld beth sy'n digwydd yn iawn. Mae yna frwdfrydedd mawr yn yr ardal dros y Gymraeg. Ac rwy' i wedi gweld llawer o blant odd 'da fi gynta nawr, ugain mlynedd wedyn, yn dal i fyw yma ac wedi penderfynu anfon eu plant nhw i'r ysgol Gymraeg. Ma' rhain yn bobl sy falle ddim yn siarad Cymraeg bob dydd nawr ond ma' nhw'n amlwg yn cofio gwerth yr addysg Gymraeg geson nhw, ac yn mo'yn hynny i'w plant. 'Ti'n sôn am y *brain-drain*, er enghraifft, ond, wel, ma'r bobl sy ddim yn symud o 'ma, ma' 'da nhw eu cyfraniad i'w wneud o hyd i'r gymdeithas a ma' rhaid i ni beidio anwybyddu hynny.' Wel, rwy'n cytuno'n llwyr! A phwy sydd i ddweud nad gyda'r bobl hyn y mae'r cyfraniad mwyaf i'w wneud – os ydyn ni'n mynd i sôn am bethau yn nhermau dyletswydd neu gyfrifoldeb? Hynny yw, y sail yw'r peth hollbwysig. Mae Geraint Morgan yn cytuno â hynny: 'Mae hi yn gymdeithas fywiog o hyd, er bod pethe wedi cau. Ma' pobl yn hapus i wirfoddoli ar gyfer gwahanol bethau, hyd yn oed pobl sydd heb gysylltiad uniongyrchol â'r ysgol erbyn hyn. Wrth gwrs, fydde fe'n grêt tase mwy yn digwydd, yn enwedig tu fas i'r ysgol, ond o leia mae'r ewyllys da yno . . .'

Ac wrth gwrs beth sy'n iach erbyn hyn yw'r ffaith bod diwylliant Cymraeg yn ehangu ac yn esblygu drwy'r amser i gynnwys cyweiriau a phrofiadau gwahanol, 'anhraddodiadol' hyd yn oed . . . Mae Caerdydd, er enghraifft, er gwaetha'r *bashing* y mae Cymry Cymraeg y ddinas wedi'i dderbyn yn ddiweddar, yn rhan hollbwysig o'r bywyd Cymraeg – lawn mor bwysig â'r cadarnleoedd i'm tyb i – ac yn lle barnu'r methiant honedig i Gymreigeiddio'r ddinas yn fwy, oni ddylid dathlu'r amrywiaeth o gyfleoedd sydd ar gael nawr i bobl i fyw a bodoli yn Gymraeg? Dyma Geraint Morgan unwaith eto: 'Ma' tipyn o dwrw wedi câl ei godi'n ddiweddar a wy'n credu bod e'n mynd wedyn yn rhyw fath o obsesiwn gyda ni [y 'ni' rŷn ni'n gwbod yn iawn pwy ydyn 'ni', mae'n debyg!] – hynny yw, ni gyd jyst yn trio byw ein bywydau ar ddiwedd popeth, ac os wyt ti'n mynd i feddwl, yffach dân, wy'n byw 'y mywyd er mwyn *achub* pethe, er mwyn y dyfodol, ac er mwyn y genedl, wel, ma' 'na bethau eraill . . .'

Ac wrth dynnu tua'r diwedd, allwch chi ddim sôn am addysg Gymraeg heb sôn, wrth fynd heibio o leia, am y ddadl iaith ehangach sydd wedi bod yn ffrwtian yn braf ers sawl blwyddyn bellach . . . Ac os yw'r rhybudd uchod yn erbyn obsesiynu yn werth ei gofio, felly hefyd y dylai fod yn werth cofio nad unffurf yw patrymau ac amgylchiadau dros Gymru gyfan, ac mai peryglus yw ceisio cyffredinoli ar faterion fel addysg. Roedd sylwadau Eifion Lloyd Jones yn yr eisteddfod dro yn ôl, er enghraifft, pan awgrymodd fod angen system o ddethol ar ysgolion Cymraeg, yn hytrach na gadael unrhyw blentyn i mewn heb ystyried y cefndir ieithyddol, yn dân ar groen y bobl hynny y siaradais i â nhw fu'n dysgu yng Nghwm Nedd. Roedd Alun Wyn Bevan, er enghraifft, a fu'n brifathro Ysgol Gymraeg Cwm Nedd yn ystod yr wyth degau a'r naw degau ac a aeth wedyn i fod yn Gyfarwyddwr Menter Iaith Aman Tawe, yn 'gandryll' gyda'r awgrym bod yna broblem addysg Gymraeg yng Nghymru gyfan – pan taw cyfeirio at ardal fwy penodol oedd gwir fwriad Eifion Lloyd Jones. 'Hynny yw,' meddai, 'ma' nhw'n dweud taw'r ysgol orau o ran y Gymraeg yn cael ei siarad yn naturiol ar yr iard yw Ysgol Gwynllyw ym Mhontypŵl. Mae'n rhaid bod y Gymraeg i bawb – i blant sy'n academaidd neu fel arall.' Roedd e'n mynegi ansicrwydd hefyd ynglŷn â'r symudiad tuag at wneud yr iaith, ac addysg Gymraeg, yn fater gwleidyddol yn anad dim byd, a'r ffordd y mae'r dadleuon hyn wedi eu cyplysu wrth agenda wleidyddol benodol sy'n boblogaidd mewn ardaloedd fel gogledd-orllewin Cymru ond heb fod mor addas ar gyfer yr hinsawdd a'r amgylchiadau gwahanol sy'n bodoli mewn cymoedd fel Cwm Nedd. 'O'dd yna gyfnod tan yn gymharol ddiweddar,' meddai Alun Wyn Bevan o'i brofiad e yn delio â rhieni, er enghraifft, 'lle os o't ti'n sôn am y Gymraeg yna o't ti'n wleidyddol – lle o'dd lot o bobl yn twlu fe mewn pot gyda lot o bethau eraill. Falle bod hwnna mor niweidiol i'r achos ar draws ardal fel y cymoedd yn ne Cymru ag yw e o fudd. Oherwydd nawr ma' 'na lot fawr o gefnogaeth i'r Gymraeg, mewn llefydd fel Cwm Nedd, neu'r Rhondda neu ardaloedd fel hynny. A dyw'r un agwedd ddim i'w gael wastad mewn llefydd fel Ceredigion, neu sir Gaerfyrddin neu sir Benfro, dwy' ddim yn credu – ardaloedd sydd yn fwy traddodiadol Gymraeg . . . Yn Llambed neu gefn gwlad Ceredigion ma' rhaid i'r rhod droi. Bydd rhaid i bethau fynd yn wael a bydd rhaid iddyn nhw agor ysgolion cyfrwng Cymraeg penodol i adennill y tir.' A'r gŵyn wedyn yw nad oes yna ddigon o glod mewn ardaloedd lle mae yna ddatblygiad a thwf gwirioneddol. 'Mewn ardaloedd eraill ma'r broblem, nid yng Nghwm Nedd. Ma' cymoedd y de yn esiampl i Gymru gyfan – a ddylen ni ddim anghofio am y gwaith ffantastig ma' hyd yn oed yr ysgolion cyfrwng Saesneg yn ei wneud i hybu'r iaith, ac i hybu hunaniaeth. Mae e'n hala colled arna i – wrth sôn am y 'cadarnleoedd' – d'yn nhw byth yn sôn am y cynnydd sy yna mewn rhannau eraill o Gymru.' Mae hyn, rwy'n siŵr, yn ganlyniad i'r syniad sydd ynghudd mewn cynifer o ddatganiadau a darlleniadau o ddiwylliant Cymraeg – boed yn llenyddiaeth a safonau iaith, neu yn ddadl fel a fu yn dilyn sylwadau Seimon Brooks am 'ddyled' honedig cymoedd de Cymru i'r 'cadarnleoedd' am gynnal pleidlais Plaid Cymru yn ystod y dyddiau tywyll cyn y Cynulliad, neu beth bynnag –

bod Cymreictod 'cynhenid' y gogledd a'r gorllewin rywsut yn fwy 'gwerthfawr' . . . Enghraifft arall, rwy'n credu, o'r 'totalising narrative' y mae angen gofalu rhag syrthio i'w fagl – nawr yn fwy nag erioed, efallai.

Ond bid hyn oll fel y bo. Nid yw hyn i gyd, fel yr awgrymais ar ddechrau'r erthygl hon, yn ddim ond rhan o'r profiad sydd gen i o Gwm Nedd. Ac mewn sawl ffordd, yr uchod yw'r rhan fwya *banal* o'r profiad hwnnw, oherwydd yn aml iawn does yna ddim byd gwaeth na gwrando ar draethu pobl sy'n meddwl eu bod nhw'n gwybod am bethau! Bydd eraill, mae'n siŵr, yn gallu cynnig dadansoddiadau mwy treiddgar a chynhwysfawr na fi o'r sefyllfa gymdeithasol, neu ddiwylliannol neu wleidyddol, sy'n wynebu cymoedd fel Cwm Nedd, a chynnig llawer mwy o fanylder ac arbenigedd. Braidd gyffwrdd â'r materion hyn a wnes i yn yr erthygl hon, ac rwy'n ymwybodol iawn o hynny . . . Oherwydd – fel gyda phrofiad pawb, mae'n debyg, o edrych yn ôl ar bentre eich magwraeth – dyw'r hyn y gallwch chi ei ysgrifennu amdano, a'i resymoli, waeth pa mor gelfydd (neu anghelfydd yn yr achos hwn), ddim yn dod yn agos at gyfleu'r profiad a'r cymhlethdod fel y mae'n bodoli oddi mewn i'r màs o gyferbyniadau a gwrthwynebiadau ac emosiynau a rhagfarnau sy'n diffinio unigolyn. Dyna pam fod gyda ni feirdd ac awduron, mae'n debyg, a dyna pam y dyfynnais i o gerddi gwahanol yng nghorff yr erthygl . . . Mae Cwm Nedd i fi, erbyn hyn, yn cynnwys yr holl ystyriaethau a nodais uchod a chymaint mwy. Y mae'n cynnwys yr ansicrwydd ar faterion fel yr iaith, cymdeithaseg, y berthynas rhwng dyn a gwaith ac ystyr a diwylliant, sy'n newid gyda phob newid amgylchfyd. (Rwy'n meddwl yn wahanol iawn am faterion o'r fath pan fydda i yng Nghwm Nedd o gymharu â phan fydda i yng Nghaerdydd, er enghraifft.) Ond yn ogystal â chynnwys yr amrywiaeth eang hwn o ystyriaethau, mae e hefyd yn cynnwys sylfaen popeth, yr haniaethau – y pethau na wnes i ond lled-gyfeirio atyn nhw uchod. Yr *angen* dwfn am gwm, er enghraifft, a'r waliau serth ar bob ochr. Y teimlad syml ac annisgrifiadwy sy'n dod o edrych ar fynyddoedd (yr un mynyddoedd ag a oedd yno pan oeddwn i'n blentyn, ac sy'n adleisio pob cynfyd), a'r teimlad nad yw'n *bodoli*, nad yw hyd yn oed yn rhan o eirfa emosiynol dinas . . .

Ac yn tarddu, rhaeadru o'r haniaethau hyn, fel yr ewyn gwyllt dros sgydau'r Clun Gwyn, y mae'r myrdd o brofiadau ac atgofion unigol, o ddigwyddiadau ac o gymeriadau o fywyd arall: copïo stori yn fy llawysgrifen orau i ddyddiadur yr ysgol, rhewi allan ar yr asgell ar gae'r Welfare Hall yn y glaw, gwneud delw o'r Esgob William Morgan allan o hen rolyn tŷ bach a darnau o ffelt, canu 'Y Deryn Pur' yn neuadd yr ysgol, bwrw chwech dros ffens 'y meithrin' mewn gêm griced ar y diwrnod y cafodd fy chwaer fach ei geni – ac yn y blaen ac yn y blaen am byth.

NODIADAU

[1] Rwy'n ddiolchgar iawn i Daniel Williams am adael i mi weld ei ragymadrodd i'r gyfrol *Who Speaks for Wales?*, sy'n casglu ynghyd ysgrifau Raymond Williams ar Gymru, cyn i'r gyfrol gael ei chyhoeddi gan Wasg Prifysgol Cymru ym Mawrth 2003.

Marc y Cwm

DANIEL EVANS

'Gwrandewch. Fe'm ganed yma. Mae marc y Cwm
Fel nod ar ddafad arnaf. Acen. Atgofion. Cred.'

'Y Ffynhonnau'
Rhydwen Williams

Pan adewais y Rhondda yn ddeunaw oed a throi 'ngolygon tua Llundain ar gyfer bywyd coleg, does ryfedd imi hiraethu'n ddibaid am fod 'gatre' – a mi wedi fy ngeni (yn llythrennol) *yn* y cartref hwnnw. Newydd adael oedd y fydwraig, mae'n debyg, a Mam yn ei gwely lan llofft yn Rheidol Close, Ynys-wen, pan benderfynais innau gamu ar lwyfan bodolaeth! Mae Mam yn tyngu mai'r peth cyntaf a wnes i oedd pisho bwa hirfelyn drosti fel pe bawn i wedi bod yn ysu 'mo'yn mynd' tra o'n i yn ei chroth. Y peth cyntaf wnaeth Nicholas, fy mrawd hŷn, oedd neidio ar ei feic newydd, 'Chopper', a bolltio trwy'r clôs ('cul-de-sac' â thai newydd o frics lego melyn) gan gyhoeddi fy nyfodiad, fel crïwr cyhoeddus gynt, neu'r fan hufen iâ a arferai ddod bob bore Sadwrn gan rygnu canu *Jingle Bells* – gaeaf neu beidio!

Rhyw frith gof sydd gen i o'r dyddiau cynnar hynny yn Ynys-wen. A hyd yn oed wedyn, alla i fyth â bod yn siŵr ai o'm cof fy hun y daw'r lluniau ynteu o sgrîn fideo hen ffilm 'cine' fy nhad. Wrth gwrs, fel pob teulu, mae'r straeon yn faith ac yn niferus ac weithiau'n ymylu ar fod yn chwedlau digon anghredadwy i'w cymharu â mytholeg gwlad Groeg. Yn eu plith – y tro y llyncodd Luc, fy mrawd, fwled dryll a ninnau'n deulu yn gorfod aros nes iddo fynd i'r tŷ bach cyn cael ailafael ar y fwled (efallai mai dyna'r pryd y sylweddolais fod yn rhaid i'r hyn sy'n mynd i mewn drwy'r geg ddod allan drwy ryw dwll arall!); neu gychwyn fy niléit fy hun mewn bwyd Ffrengig, pan lyncais falwen gyfan (cragen a chwbl) ar waelod yr ardd yn ddwyflwydd oed; neu chwarae gyda Meryl a Lisa, merched aeddfed, soffistigedig y cymdogion, yn eu pwll nofio rwber, crwn neu gyda Christopher a Michael, bechgyn y gymdogaeth, ar gae'r Baglan. Ta waeth, yn fuan wedi fy mhen-blwydd yn ddwyflwydd oed, dyma benderfynu symud o Ynys-wen, sy'n gorwedd rhwng Treorci a Phenyrenglyn, ac ymgartrefu yn Fferm Parc Isaf yng Nghwm-parc.

Yn ystod dyddiau du yr Ail Ryfel Byd, mae'n debyg i'r Almaenwyr gamgymryd goleuadau pyllau glo'r Parc a'r Dâr am oleuadau dociau Caerdydd (yn wir, yn y cyfnod wedi'r rhyfel, llysenwyd yr ardal yn 'Little Moscow' am fod sglein y goleuadau yn y tywyllwch yn debyg i sglein aur mewn mwynglawdd), ac felly, bomiwyd Cwm-parc. Cyd-ddigwyddiad llwyr a ffodus oedd y ffaith bod 'Gran' a 'Grampa' (fy mam-gu a'm tad-cu) yn swpera yn nhŷ eu ffrind y noswaith honno. Tra'u bod nhw'n cwato dan ford dderw y swper rhag rhu gwyllt awyrennau'r gelyn, dymchwelwyd eu tŷ i'r llawr. Heddiw, mae bwlch yn rhes y tai ar Parc Road sy'n gae gwyrdd ac yn goed i gyd yn dynodi'r union fan lle y bu'r tai a fomiwyd. Fe'm magwyd i nid nepell o'r cae (a elwir hyd heddiw 'The Bombed 'Ouses' gan y trigolion), yng nghysgod mynydd Bwlch y Clawdd,

Bwlch y Clawdd.

mynydd ac iddo ddau fasin crwn (sy'n unigryw yn ddaearyddol, yn ôl y sôn) sy'n dynodi'r ffin rhwng yr hen Orllewin Morgannwg a'r hen Forgannwg Ganol. Pe bai Cwm Rhondda a Chwm Afan yn goed, byddai eu brigau'n cyffwrdd ar gopa'r Bwlch a byddai ffrwyth y brigau, Cwm-parc a Blaengwynfi, yn gymdogion – er yn ddwy rywogaeth dra gwahanol. Ar ddiwrnod braf, gellir sefyll ar gopa'r Bwlch a gweld tua'r gorllewin Gwm Afan a'i fforestydd trwm, tywyll yn ymestyn hyd at Bont-rhyd-y-fen, tua'r de y mae Nant-y-moel, Pen-y-bont ac arfordir Merthyr Mawr, ac ym mhellter y dwyrain mae pigau Bannau Brycheiniog – Penyfan a Chorn Du – yn gwarchod Merthyr Tudful a Chwm Dâr a mynydd y Rhigos yn gwahanu Hirwaun a Threherbert. Ond wrth edrych tua throed y mynydd serth, ar waelod y cwm, mae stribed o bentref yn cyd-fyw â'r fforestydd a'r afon a'r gwyrddni, yn canghennu o fetropolis Treorci a'i ysgol gyfun a'i archfarchnadoedd a'i neuaddau a'i gae rygbi: Cwm-parc.

Mae'n anodd esbonio'r teimlad o berthyn i fan arbennig. Mae'n anodd cyfleu mewn geiriau yr hyn yn union rwy'n ei deimlo wrth feddwl am Gwm-parc a'm plentyndod. Fy ofn, wastod, yw swnio'n rhamantydd llwyr neu'n anghredadwy o baradwysaidd. Ond y gwir yw imi dderbyn, hyd at f'arddegau, fagwraeth Gymreig dwymgalon, hapus, a rhywsut mae Cwm-parc a dyddiau fy mabinogi yn toddi'n un. Tŷ oedd wedi mynd â'i ben iddo oedd Fferm Parc Isaf pan ddarganfuwyd ef gan Mam a Dad wrth chwilota am dŷ mwy o faint i fagu'u teulu. I blentyn, roedd yn dŷ anferth – yn deyrnas llawn drysau pren derw, ffenestri enfawr wedi'u rhannu'n ugain chwarel, grisiau a chanllaw yn ymestyn at nefoedd o landin, ac ystafell atig lle trigai Duw ei hun uwchben y cyfan. Y lle perffaith i chwarae mig, neu gynnal parti. Roedd lawnt ar dair ochr i'r tŷ a chwrt clai coch ar y bedwaredd ochr. Rhwng wal gerrig y lawnt flaen a'r mynydd a godai weithiau fel bwgan, weithiau fel clogyn cynnes, roedd yr afon. Yma, arferai fy mrawd a minnau greu cwrs rhwystrau ac amseru'n gilydd yn neidio dros y welydd, cyffwrdd y lan ochr draw a 'nôl, neu adeiladem gronfa ddŵr o gerrig er mwyn nofio yn yr afon neu geisio cosi brithyll neu ddau heb lwyddiant yn y byd.

Roedd anifeiliaid yn bla! Y tu ôl i'r tŷ, ar batshyn gwyllt o dir yn rhedeg hyd Railway Terrace, cadwai fy nhad geffylau (Doli, Taran, Caradog), geifr (Matilda, Billy), ffowls, hwyaid, gwyddau a thwrcïod

Fi, Sêra a Matilda.

– heb sôn am y cŵn (Meg, Gem, Guto, Gypsy a Jess), y cwningod a'r 'hamster' a gafodd fyw yn y tŷ gyda ni. Cyn gynted ag yr oeddem yn ddigon hen, fe rannem y baich o gasglu'r wyau, bwydo'r ceffylau, godro'r geifr – ac un tro ces hyd yn oed fod yn fydwr fy hun, pan gafodd Matilda rai bach a minnau'n gorfod dodi fy mysedd yng nghegau'r geifr newydd-anedig er mwyn clirio'r hylif amnotig a sicrhau sianel glir iddynt anadlu. Ond, os oedd helpu rhoi genedigaeth yn rhan o'm dyletswyddau, roedd rhaid hefyd helpu lladd y twrcïod adeg y Nadolig – er, fel arfer, y cyfan y medrwn ei wneud oedd gwylio 'nhad â chymysgedd o ffieidd-dod nerfus a chwilfrydedd 'macabre.' Unwaith, wrth y ford ginio dydd Sul, dyma Anti Doris yn cyhoeddi, 'Well, that's the nicest bit of lamb I've had in years'. Wedi eiliadau euog o dawelwch, gwenodd fy nhad, 'It's not lamb, Doris. It's Matilda.' Yn fuan wedi hynny, penderfynais fod yn llysfwytäwr.

Hen dŷ rheolwr Pwll y Parc oedd Fferm Parc Isaf, ac ar orwel fy nghof mae delwedd gref o olion y pwll: rhwng y tŷ a'r afon roedd yr hen reilffordd a gludai'r glo i ddociau Caerdydd, nawr yn ddarnau mân o fetel rhydlyd, ac wrth ochr y rheini roedd gweddillion y baddonau sinc lle yr arferai'r glowyr ymolchi (gelwid Railway Terrace yn 'Tub Row' ar un adeg); i'r dde, yn cysgodi'r tip 'slag' – talp du, mwglyd – ac olion y gêr, roedd wal y pwll – hen fohemoth o wrthglawdd o galch gwyn, trwchus yn codi i'r entrychion (yn wir, treuliodd gwŷr y Cyngor bron i flwyddyn yn ei dymchwel), yn rhybuddio pawb i gadw draw. Wrth gwrs, mae'r tai teras eu hunain, sy'n gorwedd fel casgliad o bacedi 'wine gums' ar ochrau'r mynydd (ac sy'n nodwedd mor gryf o Gwm-parc), yn rhan o etifeddiaeth y pyllau glo oherwydd ar gyfer y glowyr yr adeiladwyd y tai yn y lle cyntaf. Yn un o'r tai hynny, 6 Parc Road i fod yn fanwl, y ganed Mam. Roedd ei thad, James Allan Jones, yn löwr yn y Parc a chogydd oedd ei mam, Myfanwy (Fano i'w chymdogion), yng nghantîn y pwll. O ganlyniad i ddamwain erchyll a ddioddefodd 'Grampa' dan ddaear roedd yn gaeth i gadair olwyn nes iddo farw pan nad oeddwn i ond prin pum mlwydd oed. Ond bryd hynny roedd y ddau – ac yn wir y stryd i gyd – yn llawn asbri'r dyddiau caled ond hapus hynny pan oedd y gwaith glo yn ei anterth. Roedd drysau pob tŷ yn agored led y pen, neu weithiau byddai llen o stribedi plastig amryliw yn lle drws; bob wythnos byddai cyffro yn y ciw i weld dyn y Corona (dyn y 'pop') neu Jonny Biggs, y dyn yr oedd ganddo siop gyfan yn ei fan ei hun; uchafbwynt y calendar cymdeithasol efallai oedd y parti yn y stryd i ddathlu priodas frenhinol neu *ben-blwydd* priodas frenhinol pan fyddai bordydd llawn bwydach yn ymestyn hyd Ocean Street! Ym 1982, ailblannwyd y stryd yn Bute Street, Treorci, lle, wedi aros am oriau'n ddiamynedd, y cawsom gipolwg ar y Dywysoges Diana yn ei 'limousine' hirddu ar ei thaith chwim drwy'r cymoedd.

Yn y tŷ ar y pen, 308 Parc Road, heb ddim ond y mynydd y tu hwnt iddo, trigai Anti Doris, menyw daclus, hael nad oedd yn berthynas gwaed inni fel teulu ond a oedd yn rhan annatod ohonom beth bynnag – un a fu fel ail fam i Mam ac yn ail fam-gu i ni'r plant. Yn ôl y sôn, tad Anti Doris, William John, oedd y cyntaf i gael set deledu yng Nghwm-parc a hynny mewn da bryd i weld coroni Elizabeth II! Gydag Anti Doris yr awn i Fethel, capel (Saesneg ei iaith) y Bedyddwyr Cymreig bob Sul. Arferai Luc, fy mrawd, ddod gyda ni nes iddo gael stŵr gan Miss Higgs am bisho dros esgid rhywun neu'i gilydd yn ystod ymarfer drama'r geni. Ond fe ddotiais i ar yr Ysgol Sul. Mwynheais ddysgu'r adnodau, y damhegion a'r emynau – a chefais eu hadrodd yn achlysurol o'r pwlpud (hwyrach mai o hyn y tyfodd yr ysfa i berfformio ynof i). Cefais actio rhan Joseff neu fugail neu ddyn doeth bob Nadolig, ac yn yr haf byddai'r pentref cyfan yn llenwi dau fws 'dybl-decar' coch (prif nod y diwrnod wrth gwrs oedd cael eistedd yn un o'r seddau blaen lan llofft) a chanu'n ffordd i'r Barri neu Borthcawl neu Ddinbych-y-pysgod, lle caem groesi'r môr ac ymweld â'r mynachod a wnâi siocled a phersawr ar Ynys Bŷr cyn dychwelyd gyda'r nos yn grac gan flinder a'n sgitshe'n llawn tywod. Mae llun gan Mam a dynnwyd o bwlpud Bethel yn nechrau'r chwedegau sy'n dangos cynulleidfa oedfa'r nos. Mae pawb yn eu gwisgoedd tywyll gorau. Mae'r capel yn orlawn. Yn wir, ar un adeg roedd pedwar capel yng Nghwm-parc: Bethel, Capel y Parc, yr Annibynwyr, a Salem. Dau sydd heddiw, ynghyd ag Eglwys Sant Siôr, ac mae nifer eu hoedfaon wedi'u hen haneru.

Fel y rhelyw o'i chymdogion, roedd 'Gran' wedi hen gyfnewid ei phrynhawn Sul o addoliad am brynhawn Sul o adloniant: roedd yn gaeth i *High Chaparall* a *Bonanza* ac unrhyw raglen deledu arall o'r Gorllewin Gwyllt! Ac yno, o flaen ei theledu 'portable' du a gwyn, yr eisteddai hi a Peter Nitch, y lojar, yn sugno'n ddygn ar losin 'Fisherman's Friend' cyn paratoi ar gyfer adloniant y nos: Bingo! Weithiau, wedi'r Ysgol Sul, byddwn wrth fy modd yn eistedd ar ei chôl yn gwrando arni'n adrodd straeon (roedd hi'n storiwraig ddawnus) am ei chyfnod fel cogydd y pwll, a sawl pastai flasus y medrai goginio mewn awr, neu am y lladron fu'n dwyn o gapel yn Nhonpentre cyn llosgi'r lle'n ulw ('boom!'), neu am Abigail Booth, meudwy a drigai mewn cragen o dŷ sinc ar ganol y mynydd ac a gipiai blant drwg â'i ffon fugail, neu weithiau byddai'n dechrau canu'n sydyn, 'Alive alive-o, alive alive-o, Crying cockles and mussels, alive, alive-o' neu 'There was an old woman who swallowed a fly' a mentrai i'r Gymraeg hyd yn oed tua'r diwedd gyda 'Paham mae dicter, O! Myfanwy. . .'

Gyda 'Gran' yr awn, yn gyffro i gyd, i neuadd y Parc a'r Dâr (gem hyfryd o theatr hen-ffasiwn a'i bwa proseniwm yn llawn ffrwythau amryliw, aeddfed) yn Nhreorci i weld y cwmnïau amatur lleol yn perfformio dramâu cerdd poblogaidd, fel *Annie* a *Mamie* neu gampwaith Bernstein, *West Side Story*, a Gilbert a Sullivan ar eu gorau yn *The Gondoliers*. Euthum sawl gwaith dros Glawdd Offa i

Fryste neu Blackpool a gweld 'Joseff a'i Got Amryliw' neu bantomeim chwaethus. Dyna oedd paradwys. Rwy'n cofio'r munudau iasol hynny pan godai'r llenni melfed coch, trwm ar olygfa o Fenis neu wastadeddau Oklahoma neu Kansas – ac eiddigedd at yr actorion a oedd fel duwiau yn cronni ynof gan ddwyn f'anadl. Weithiau, 'ddeallwn i ddim gair – yn enwedig o hiwmor soffistigedig, aeddfed dramâu Frank Vickery a'i griw – ond chwarddwn beth bynnag gan ysu am fod yn eu canol nhw, yn tawelu'r tŷ ag edrychiad neu'n rheoli'r chwerthin â gair. Ar ein ffordd adre, galwem weithiau gyda Syb a Steve, ffrindiau pennaf 'Gran', yn Parc Road, am swper o gyw iâr, tatws stwnsh, moron stwnsh, bresych stwnsh a phys stwnsh, neu weithiau yn siop 'chips' John Skim, lle yr arferai 'Gran' weithio wedi i'r pwll gau, a gofyn am bysgodyn a 'sgrimps' (y darnau sbâr o saim a flasai'n nefolaidd o galoriffig), cyn ei heglu hi, yn rhy hwyr gyffrous o lawer, i'r gwely. Pan nad oedd yn theatr, roedd y Parc a Dâr yn sinema a chofiaf sefyll am oriau yn y ciw a ymestynnai hyd at oleuadau traffig sgwâr Treorci er mwyn gweld *Ghostbusters* am hanner awr wedi pump (ac eto am wyth!) neu *Rocky III* neu *Grease II*. Y ffilmiau poblogaidd i gyd – wythnosau wedi iddynt ymddangos yn sinemâu Caerdydd, fisoedd ers iddynt ymddangos yn sinemâu Llundain!

Er gwaethaf ymdrech Margaret Thatcher, y Prif Weinidog ar y pryd, i berswadio gwledydd Prydain nad oedd y fath beth â chymdeithas yn bod, roedd Cwm-parc yn ei phrofi'n anghywir. Wel, o leiaf roeddem ni'r plant yn ei phrofi'n anghywir . . . Roedd ein calendar cymdeithasol yn orlawn o ddigwyddiadau: pob 31 Hydref âi criw ohonom o dŷ i dŷ gan ofyn 'Trick or Treat' a mesur llwyddiant y noswaith yn ôl nifer y losin a fwytasem; pob 5 Tachwedd roedd coelcerth anferth i'w gweld ar ganol Railway Terrace – penllanw wythnosau o gasglu pren a choedach – a digon o 'sbarclyrs' i bawb; pob Nadolig roedd carolwyr yn llwybro ling-di-long drwy'r pentref yn mofyn arian da ac yn cael arian gwael, a mwy nag unwaith bu Dad yn Siôn Corn anarferol o ifanc yn neuadd y pentref neu Gapel y Parc. Trigai hen wreigan o'r enw Joan Middleton ar ganol Parc Road ac âi criw ohonom yn aml i grombil ei thŷ i ymweld â hi am ei bod yn gaeth i'w gwely. Ein gwobr, wrth gwrs, oedd mwy o losin! Roedd Syb, ei chymydog, yr ochr draw i'r hewl, yn coginio prydau o fwyd iddi a phob bore, wrth ddisgwyl y bws ysgol, arferwn weld byddin o fenywod 'home-help' yn eu gwisgoedd gingham glas yn dechrau ar y gwaith o lanhau, golchi a smwddio i'r henoed, gan gynnwys Joan Middleton.

Bu Mam a Dad ill dau'n wardeniaid ar Glwb Ieuenctid Treherbert am flynyddoedd, a chaem ni'r plant fynychu'r clwb ein hunain – er yn swyddogol ein bod ni'n rhy ifanc o lawer. Yno, ces ymuno â chriw dawnsio disgo am gyfnod, neu ddilyn cwrs crefftwaith a gwneud basgedi o bren helyg neu actio gyda'r cwmni theatr bychan. Leighton 'Percy' Jones oedd y prif actor ac yn dilyn ei ddynwarediad athrylithgar o Frankie Howard, sawl sgets ddoniol ac adrodd cerdd gan Pam Ayres, y 'finale' oedd meim i 'Oh, Doctor, I'm in Trouble' – fi oedd y claf (Sophia Loren) a Percy oedd y doctor (Peter Sellers)! Mae ef nawr yn un o swyddogion Plaid Cymru yn yr ardal ac rwyf i wedi graddio i ganu, gan ddefnyddio fy llais fy hun, am fy mara yn y theatr! Wrth gwrs, doedd y Clwb ddim heb ei broblemau: er gwaethaf yr ymdrechion i ymestyn gorwelion ieuenctid yr ardal gymharol dlawd a di-waith a'u cael i ymddiddori mewn amrywiol weithgareddau, gwrthryfelai ambell un ohonynt yn erbyn y gyfundrefn drwy daflu brics trwy'r ffenestri, neu gychwyn eu hymgyrch losgi eu hunain a orffennai'n anochel gyda'r heddlu'n sgrialu ar eu hôl a'u darganfod yn cuddio yn Ted's Pool Bar neu yng nghaffi teulu'r Strinati ar Bute Street.

Am ryw reswm, Treherbert oedd canolfan pob hamddena bryd hynny. Cefais wersi piano gan Norma Moss yn Miskin Street am ddeng mlynedd a gwersi gitâr gan Louise King yn Margaret Street am flwyddyn; mynychais gôr ieuenctid Selsig (un o'r cwmnïau theatr amatur lleol) a gyfarfyddai bob nos Fawrth yng nghlwb rygbi Tynewydd, ac am un waith yn unig aeth Luc a mi at y 'Sgowts' yn Bute Street cyn sylweddoli nad oedd y wisg werdd â'i bathodynnau trionglog a'r busnes o adeiladu modelau o fatsys at ein dant ni. Ceisiai fy nhad a Luc ennyn fy niddordeb ym myd y bêl hirgron am gyfnod a'm perswadio i fynychu sesiynau ymarfer gyda chlwb rygbi Treherbert yn ddeng mlwydd oed. Buan y sylweddolwyd nad oedd mab ieuenga'r teulu am gydymffurfio â'r ddelwedd arferol o 'valley boy'. Roedd yn gas gen i'r gêm. Methwn weld pa bleser oedd mewn rhynnu ar fore Sul, gwargamu trwy fwd a glaw a chael fy nhaclo'n rhwydd i'r llawr gan ryw fwli o brop. Gwell o lawer gen i oedd canu 'The Happy Wanderer' gyda'r côr, neu geisio chwarae'r 'Moonlight Sonata' ar y piano a 'Puff the Magic Dragon' ar y gitâr. Wedi dweud hynny, rhedais y 'Rhondda Fun Run' ddwy flynedd yn olynol yn ddeuddeg oed – er mai ychydig iawn o 'fun' ges i ar hyd y daith! Ar y llaw arall, roedd Luc yn fabolgampwr go iawn: chwaraeai rygbi i sawl tîm, rhedai'r 'fun run' yn flynyddol ac, yn ddeng mlwydd oed, fe redodd farathon Caerdydd! Roedd f'eiddigedd ohono'n ddim o'i gymharu â'm balchder ohono – hyd yn oed pan redodd adref o gwrs amgylcheddol yng Nghanolfan Glyncornel yn Llwynypia wedi i un arweinydd lambastio un o'i ddarluniau, a'm gadael i yno i gasglu ei dystysgrif ar ddiwedd yr wythnos!

Ar y cyfan, roedd bywyd yn dra sgitsoffrenig y pryd hwnnw a hynny am un prif reswm: iaith. Hanai teulu Mam o Gwm-parc. Cymraes Gymraeg oedd ei mam-gu (Mam Barrett) a fagodd ei hwyth plentyn yn uniaith Saesneg. Felly, hefyd, y magwyd Mam. Mynychodd Ysgol Sir y Porth a graddiodd o goleg Caerdydd cyn cychwyn gyrfa athrawes yn y cwm lle magwyd hi. O Gwm Tawe y daw teulu Dad ac roedd ei fam-gu a'i dad-cu yn uniaith Gymraeg! Er iddo fynychu ysgol Saesneg Maesydderwen cyn mynd i goleg yng Nghaerdydd, Cymraeg oedd iaith y cartref – a hwnnw'n Gymraeg llafar naturiol Cwm-twrch ('Upper', er gwybodaeth). Ei awydd ef, felly, i ddal at yr iaith a achosodd i ni blant fynd yn gyntaf i'r ysgol feithrin Gymraeg a gynhelid yng nghapel Salem ac oddi yno i Ysgol Gynradd Gymraeg Ynys-wen. Yn y Gymraeg y siaradem ni blant wastod â'n tad, yn y Saesneg â Mam, ac fel hyn y bu'r ddwy iaith yn cyd-fyw'n gymharol hapus â'i gilydd am flynyddoedd. Deallai Mam ddigon o eiriau i fedru dilyn sgwrs feunyddiol yn y Gymraeg a cheisiodd ddysgu'r iaith ei hun (yn hynod lwyddiannus) unwaith – ond difethwyd ei hyder gennym ni, ddynion y teulu, yn cywiro pob camdreiglad neu ddiffyg rhagenw perthynol ac yn y blaen . . . Gwae ni! Ond yr hyn sy'n syndod imi nawr yw'r ffaith mai yn y Saesneg y siaradai Luc a mi â'n gilydd yn ystod dyddiau'n haddysg gynradd. Yn wir, yn y Saesneg y gwnawn bopeth. Carai Neil Fitzpatrick, fy ffrind gorau yn yr ysgol gynradd, a mi wylio fideos newydd y seren Michael Jackson a mynd ati'n unionsyth i ddysgu'r ddawns amhosib o gymhleth i 'Thriller', a chofiaf fy nawns gyntaf mewn disgo cyhoeddus yn 'The Beach' yn Nhreorci i 'Don't You Want Me Baby?' gan 'Human League' ac yna 'Tainted Love' gan 'Soft Cell'.

Hyd y gwn i, roedd hyn yn gyffredin ymysg plant a aned i rieni Cymraeg eu hiaith yn y Rhondda. Yr un yw stori nifer o'm cymheiriaid a'u teuluoedd. Wn i ddim yn union pam. Roeddem yn dwlu ar deledu Cymraeg (a hynny yn y dyddiau cyn S4C) a'n hoff raglen o bell ffordd oedd *Yr Awr Fawr* ar fore Sul, gydag Emyr Wyn (yr actor Cymraeg) yn cyhoeddi pen-blwyddi'r wythnos fel pe bai ar fin tynnu ei anadl olaf, a 'Slim' y consuriwr a chartŵnau 'Gari'r Gath' a 'Shazan' a'r 'Siop Siafins'. Ond yn sicr, roedd yr angen i gydymffurfio â'n cymdeithas Saesneg ei hiaith, gan mwyaf, yn deimlad cryf. Yr enghraifft orau a mwyaf doniol o hyn efallai oedd pan oedd y ffasiwn 'pync' yn ei anterth ar ddiwedd y saith degau; rwy'n cofio Luc a mi'n rhoi mwclis arian (ffug, wrth gwrs) yn sownd ar ein siacedi denim â 'safety pins', a phlannu gwaelodion ein jîns tynn yn ein hesgidiau Dr Martens lliw gwin mewn ymgais dila i gael ein derbyn gan 'rocyrs' y stryd. Felly y bu hi gyda'n hiaith. Eisoes

Luc (ar y dde) a mi yn ein gwisg ysgol.

roedd rhagfarn erchyll gan y rhan fwyaf o'n cymdogion yn ein herbyn oherwydd maint ein tŷ a'r ffaith ei fod yn sefyll ar wahân i'r stryd. Yn eu heiddigedd, fe'n gelwid yn 'rich bastards' neu'n 'snobs' a doedd ein gafael ar y Gymraeg a'n haddysg Gymraeg ddim ond yn cadarnhau hynny ac yn rhoi taw ar unrhyw wrth-ddadl. Weithiau, byddai'r geiriau'n troi'n weithredoedd a ches fy mwlio o bryd i'w gilydd gan rai cymdogion. Un tro anffodus, rhedodd Neil a mi fel llwynogod niwrotig rhag dau gi newynog – dau fachgen lleol – o lyfrgell Treorci a chael ein dal eiliadau cyn cyrraedd trothwy tŷ Neil yn Cardiff Street a'n pwno'n rhacs. Flynyddoedd yn ddiweddarach, pan oeddwn yn ddisgybl newydd yn Ysgol Gyfun Rhydfelen, wrth gerdded adre o'r orsaf fysys heibio i Ysgol Gyfun Treorci, tynnem ni, 'griw Cwm-parc', ein teis ysgol yn ochelgar fel na chaem ein hadnabod gan y disgyblion lleol yn 'Welshies' a chael cawod o gerrig am ein pennau. Anodd oedd peidio â theimlo'n wahanol rywsut.

Ces addysg ac amser heb eu hail yn Ysgol Ynys-wen. Hi oedd ysgol gynradd Gymraeg gyntaf y Rhondda, wedi'i sefydlu gan James Kitchener Davies ym 1950 wedi brwydr hir i gael addysg Gymraeg yn y cwm. (Mor hyfryd yw cyfri'r pum ysgol sy'n bod heddiw!) Bob bore, fe'n cludid i'r ysgol mewn bws mini a David, y gyrrwr selog, yn dyner ei ofal ohonom. Eto, uchelgais pob teithiwr oedd cael eistedd yn y blaen gan fod hynny'n brawf o aeddfedrwydd a chyfrifoldeb. Cwta ugain munud oedd hyd y daith (trwy Dreorci ac yna heibio i ffatri Polikoffs) ond bu digon o chwerthin a dadlau i bara oes. Du, gwyn, llwyd a gwyrdd oedd lliwiau'r wisg ysgol a phob gaeaf byddai'n gystadleuaeth rhyngof i a Luc i weld pwy allai ddioddef hwyaf wisgo trwsus byr yn y tywydd garw. Oherwydd ystyfnigrwydd y ddau ohonom golygai hynny mai trwsus byr a wisgem drwy'r flwyddyn! Meirion Lewis oedd ein prifathro – dyn cymharol fyr ei gorff ond mawr ei frwdfrydedd a'i egni a barai inni blant grynu yn ein sgitshe pan fyddai'n ein bygwth â'r 'dap' – y gosb fwyaf eithafol, ac effeithiol, yn ôl rhai, yn yr ysgol bryd hynny. Ef a arweiniai'n urddasol y gwasanaethau boreol, ef a ddysgai fathemateg i Safon Pedwar ('adio dim a rhannu eto'), ef a ddysgodd imi adrodd ac ef a'm galwodd i'w ystafell ar 22 Mawrth 1982 i gyhoeddi genedigaeth fy chwaer, Sêra – achlysur hapusaf cyfnod f'addysg gynradd. Mary Cynan Jones oedd athrawes amyneddgar y dosbarth meithrin, a'i swydd hithau, yn ogystal â dysgu'r plant sut oedd gofyn cyn mynd i'r tŷ bach, oedd sicrhau eu bod yn gwneud hynny yn y Gymraeg. Deuai 98% o'r disgyblion o gartrefi di-Gymraeg. Jean Thomas a Ceri Wyn Jones oedd athrawesau Safon Dau a Thri yn ogystal â bod yn arbenigwyr cerdd dant yr ysgol, a Pauline Williams (Rees nawr) oedd athrawes Safon Pedwar – pinacl ein haddysg gynradd – ac fe'n dysgai mewn 'portacabin' tamp ar ganol iard yr ysgol, ar wahân i'r prif adeilad o frics coch Fictoraidd yr oedd ei simneiai fel tŵr Babel yn codi i'r awyr y tu hwnt i olwg plentyn.

Wrth gwrs, Saesneg gan amlaf oedd iaith yr iard amser cinio – nid oherwydd unrhyw awydd dwfn i wrthryfela ond am mai dyna oedd yn naturiol. Dyna oedd iaith y cartref ac iaith y stryd, ac felly dyna oedd iaith yr iard. Fe geisiai'r athrawon eu gorau glas i'n perswadio i ymddiddan yn y Gymraeg – yn ein gwersi ac yn ystod unrhyw weithgaredd allgyrsiol – ond ni chawsom erioed ein gorfodi na'n cosbi'n rhy drwm am siarad iaith ein cymdeithas. Decini, fe ddeallai'r athrawon beth oedd bod yn realistig wrth gyflwyno cenhedlaeth newydd o blant i iaith newydd – er gwaetha'r ffaith mai iaith eu cyndadau oedd yr iaith honno. Un o'r gweithgareddau hynny oedd Eisteddfod yr Urdd a chystadlai Ynys-wen yn gyson a dygn yn yr eisteddfodau cylch a sirol. Anaml y cawsom fynd drwodd i'r 'Genedlaethol' ond 'y cystadlu sy'n bwysig'. Wedi dod yn gyntaf, ail neu'n drydydd yn eisteddfod yr ysgol, rhaid oedd perfformio yn yr Eisteddfod Gylch yn Neuadd y Dderwen, Treorci (neuadd fechan a oedd i ni ar y pryd fel y Colisewm), lle cefais, un tro, froga cyfan yn fy llwnc wrth ganu 'Aderyn y To'. Ymlaen, wedi hynny, i Ysgol Gyfun Llanhari, i Eisteddfod y Sir, lle cefais ganu 'Nicolas Dei' gyda chôr yr ysgol ac un tro'n unig ces gystadlu yn y 'Genedlaethol' ym Mhwllheli (Dad, Luc a minnau'n gorfod aros yn Butlins!) ar y darn adrodd dan naw oed, 'Bach a Mawr': 'A welsoch chi bethau bach/Drwy chwyddwydr/Yn mynd yn fawr?' 'Gog' enillodd! Dau achlysur cyffrous arall sy'n aros yn y cof yw pan ymddangosodd côr yr ysgol ar *Dechrau Canu Dechrau Canmol* a ninnau'n gorfod canu sawl emyn-dôn drosodd a throsodd ar gyfer y camerâu – dyna undonog oedd ffilmio! Rhaid dweud na fu fawr o newid yn fy marn am ffilmio ers hynny! Yr achlysur arall oedd pan gasglwyd ysgolion cynradd yr hen sir Forgannwg Ganol ynghyd mewn capel yng Nghaerdydd i recordio alawon gwerin Cymraeg poblogaidd: 'Migldi

Magldi,' 'Hen Ferchetan', 'Gen i Farch Glas,' 'Bonheddwr Mawr o'r Bala'. Roedd enw da gan Ysgol Llwyncelyn, y Porth, am altos cryf, a ches gadarnhau hynny'r diwrnod hwnnw wrth geisio cystadlu yn erbyn eu harmoni dwfn, cyfoethog â'm soprano tila. 'Awn Ymlaen' oedd enw'r record a buan y sylweddolais mai lleisiau fy narpar gyd-ddisgyblion a atseiniai drwy'r capel oherwydd dwy flynedd yn ddiweddarach roeddem gyda'n gilydd unwaith eto yn ddisgyblion nerfus, smart y flwyddyn gyntaf yn Ysgol Gyfun Rhydfelen.

Diddorol yw sylwi fel y bu'n rhaid i blant y Rhondda deithio y tu hwnt i ffiniau'n cwm am addysg gyfun yn y dyddiau hynny – naill ai i Lanhari neu Rydfelen. Agorwyd Ysgol Gyfun y Cymer, Porth, heb fod ddiwrnod cyn pryd, ym 1988 ond yn ei habsenoldeb roedd taith o dri chwarter awr bob bore a phrynhawn o'n blaenau – ar fws gorlawn, afreolus Thomas Coaches, Rhondda. Glyn oedd ein gyrrwr ac ni chwaraeai ddim ond caneuon 'Meatloaf' ar y radio! Golygai hynny fod cenhedlaeth gyfan o blant bws Cwm-parc yn gwybod ar gof bob gair i bob cân gan y perfformiwr hwnnw. Rai diwrnodau roedd y daith yn fwrn, yn enwedig cyn agor ffordd osgoi Tonypandy, a melltithiem yr awr ansyber yr oedd yn rhaid codi o'n gwlâu. Ar brydiau roeddem yn falch o'r amser i orffen gwaith cartref, neu yn fy achos i a'm ffrind gorau, Nia,

Yn y fro a garaf. *(Trwy garedigrwydd S4C)*

yn falch o'r cyfle i adolygu ein berfau Lladin ar gyfer prawf y diwrnod hwnnw, 'Amo, amas, amat, amamws, amatis, amant . . .' Yn wir, nid gor-ddweud yw dal i Nia ddod yn hynod gyfarwydd â gwaith y dramodydd Norwyaidd, Henrik Ibsen, yn ystod y teithiau hynny: fe chwaraeodd ran 'Nora' yn gymar i fy 'Nhorvald' i yn *Tŷ Dol*, a 'Mrs. Alving' i'm 'Pastor Manders' yn *Dychweledigion* er mwyn imi fedru ymarfer fy rhan. Diolch iddi! Cofiaf yn glir y boreau poenus o oer hynny yn ystod streic y glowyr yn yr wyth degau, a ninnau'n aros hyd dragwyddoldeb am y bws, nes i Mam neu Dad ein hachub ar ôl iddynt glywed ar y radio nad oedd glo na gwres yn yr ysgol. Roedd hi'n ddegawd o streicio. Os nad y glowyr, yr athrawon oedd wrthi! Ni lamodd fy nghalon erioed i fyny'n fwy cyflym ac uchel nag y gwnâi ar y diwrnodau hynny pan ddihangem rhag profion TGAU, rygbi, a'r cinio ysgol diddychymyg!

Eto, Saesneg oedd iaith y bws a Saesneg oedd iaith yr iard gan mwyaf. Ond, un o'r pethau sy'n nodweddu'r addysg a dderbyniais yn Rhydfelen yw gwleidyddiaeth. Roedd pwyslais cryf ar drwytho'r disgyblion yn y Gymraeg a'r diwylliant Cymraeg. Er enghraifft, cyn dechrau yn yr ysgol mynychai pob darpar-ddisgybl gwrs haf a barai am wythnos yn ystod y gwyliau lle caent ymgymryd â phob math o weithgareddau (mabolgampau, ymweld ag Amgueddfa Sain Ffagan, eisteddfota, nofio) drwy gyfrwng y Gymraeg. Rwy'n cofio'r syndod a gefais ar ddiwrnod cynta'r cwrs pan glywais recordiau pop yn y Gymraeg am y tro cyntaf – 'Siglo ar y Siglen', 'Chwarae'n Troi'n Chwerw', 'Sosej, bîns a chips, we-hei!' – ac roedd swyddogion y cwrs (disgyblion y chweched dosbarth) yn gwybod geiriau'r caneuon ar eu cof hyd yn oed ac yn eu canu'n braf wrth ddawnsio. Hyd at hynny, doedd diwylliant modern ddim yn bod yn y Gymraeg! Yr agosaf y deuthum ato oedd gwylio Ryan Davies ar y teledu yn canu am noswaith hir neu am adeg y Nadolig – a doedd hynny ddim yn hynod o fodern er ei fod yn hynod o ddoniol. Ond dyma oedd genedigaeth fy meddwl gwleidyddol lle roedd y Gymraeg yn y cwestiwn. Yn wir, fe'n hanogwyd gan rai athrawon i ymuno â Chymdeithas yr Iaith neu brynu recordiau Cymraeg, ac felly dyma benderfynu newid sawl elfen sylfaenol yn fy mywyd a throi at y Gymraeg, yn union fel cael tröedigaeth Gristnogol.

Un bore, fe godais a phenderfynu na siaradwn air arall o Saesneg â'm brawd, nac ychwaith ar fws yr ysgol. Hyd yn oed pe bai rhywun yn gofyn cwestiwn imi yn y Saesneg, fe'i hatebwn yn y Gymraeg, doed a ddelo – waeth sawl clais a gawn ar fy mraich gan ryw fwli o grwt, waeth faint o enwau cas y cawn fy ngalw gan ferched hy. Rwy'n synnu at fy newrder penstiff, wrth edrych yn ôl, ac yn gorfod ystyried a fu'r fath eithafiaeth yn llesol imi – neu'n ddilys i'r hyn *oeddwn* i. Yn sicr, dyna oedd diwedd fy mherthynas â phlant y gymdogaeth. Yn awr, roedd gen i ffrindiau o Gwm Dâr a Merthyr, Pontypridd a Gwaelod-y-garth, i gyd yn siarad Cymraeg; pa eisiau oedd cymdeithasu yn y Saesneg? Ystyriaf hyn yn golled nawr. Fe drodd Cwm-parc yn bentref unig, anghysbell, di-ddim a bûm yn hiraethu am ddianc – neu am gwmni, efallai. Yn yr ysgol gwelwn ddisgyblion eraill yn derbyn cosb lem, gymharol eithafol, am siarad Saesneg ar iard yr ysgol (a hynny, wrth gwrs, yn eu troi yn erbyn y Gymraeg fwyfwy), ac yn achos ambell athro roedd hyrwyddo'r Gymraeg bron yn bwysicach nag addysg dda fel y mae crefydd efallai yn hollbwysig mewn rhai ysgolion eglwysig. Pan fûm i'n ddigon ffodus, yn dair ar ddeg oed, i ennill rhan 'Oliver' yn sioe gerdd Lionel Bart gyda'r Pontypridd Amateur Operatic and Dramatic Society, gwgodd rhai athrawon yn yr ysgol. Cefais innau amser wrth fy modd! Roedd y cwmni'n griw llawn asbri ac roedd angerdd a hiwmor cwbl Gymreig yn eu nodweddu, a methwn weld sut yr oedd hyn yn amharu ar f'addysg Gymraeg nac ychwaith pam na fedrai'r disgyblion fanteisio ar bob cyfle – yn y Gymraeg neu'r Saesneg. Onid oedd yn bosib i'r naill fwydo'r llall? Ond doedd y fath gynwysoldeb gwleidyddol ac ieithyddol ddim yn rhan o athroniaeth yr ysgol yn y cyfnod hwnnw. O ganlyniad, crëwyd clwb elitaidd a bwlch na ellid ei bontio rhwng y siaradwyr Cymraeg a gweddill y disgyblion, rhwng y rhai a gymerai ran yn y gweithgareddau Cymreig a Chymraeg a'r rhelyw na faliai fotwm corn am draddodiad nac iaith na diwylliant. Gwahanwyd ffrindiau, crëwyd gelynion.

Er bod y ddeuoliaeth ddiwylliannol yma yn gorwedd fel niwl dros Gwm Rhondda hyd heddiw, mae'r cymylau'n ansylweddol a thenau ac oddi tanynt mae gwahanol gelloedd y gymdeithas yn cyd-fyw yn ddigon rhwydd â'i gilydd am y rheswm syml bod Cwm Rhondda yn gwm Cymreig – os nad yn gwm Cymraeg i gyd. Pe gofynnid i drigolion Trealaw neu Dreherbert i ba genedl y maent yn perthyn, 'The Welsh' fyddai'r ateb parod, angerddol bob tro. Yn ddiweddar, llwyddodd Plaid Cymru i ennill aceri o dir gwleidyddol yn yr

Cwm-parc. *(Trwy garedigrwydd Sean James Cameron)*

etholiadau lleol a rhagwelir y bydd un o etholaethau mwyaf cadarn y Blaid Lafur yn danfon aelod o Blaid Cymru i San Steffan yn y dyfodol agos. Yn y cyfamser, mae problemau dybryd eraill yn pwyso ar feddwl a chydwybod y cwm. Gadawodd y pyllau glo wacter ar eu hôl, ac er bod y mynyddoedd ir yn fwy prydferth yn awr nag yr oeddynt ar ddechrau'r ugeinfed ganrif, ni all dyn ddim byw ar brydferthwch. Efallai mai diweithdra sy'n gyfrifol am droi ieuenctid y cwm yn eu tracwisgoedd unffurf a'u 'treinyrs' Adidas, Nike a Puma at gyffuriau. Yn ôl y sôn, aeth Pentre yn brifddinas 'heroin' Cymru a phrin bod wythnos yn mynd heibio heb i'r *Rhondda Leader* groniclo hunanladdiadau dynion ifanc y cwm – a lled-awgrymu eu cysylltiadau â'r fasnach gyffuriau – neu gyhoeddi nifer y babanod newydd-anedig i ferched yn eu harddegau. Er y dirwasgiad economaidd a chymdeithasol hwn, mae dod adref i'r Rhondda o hyd yn falm i'r enaid. Mae'r eiliadau hynny, wrth yrru oddi ar yr A470, trwy Bontypridd, a theimlo'r mynyddoedd yn lapio amdanaf yn gwilt cynnes, fel troi fy mhen tua goleuni'r haul a theimlo'i wres ar fy nghorff. Wrth yrru i groth mynydd Bwlch-y-clawdd, gallaf ailadnabod fy hun rywsut, alltudio f'amheuon i gyd a gweld yn glir yr hyn a olygir wrth 'ystyr' mewn bywyd. Yr hapusrwydd tawel, llonydd, dwfn hwn yw fy nadeni.

Dyffryn Aman

TUDUR HALLAM

Mae'n hwyr, ac wrth imi ddechrau sgwennu hyn o eiriau ar y cyfrifiadur rwy'n cael fy nhemtio o'r cychwyn cyntaf i wasgu Ctrl + A a newid y cyfan lot i ofod dwbl, yn y gobaith y galla i 'nhwyllo'n hunan 'mod i'n sgwennu mwy nag yr ydw i. Oherwydd, ers wythnosau bellach, gwnes fy ngorau i osgoi'r foment hon. Ystyriais un tro anfon nodyn i bapur bro Llangennech, yn cyhoeddi f'angladd fy hun, yn y gobaith y gwelai'r golygydd ef ac na fyddai raid imi ofni mwyach bob tro y mae'r ffôn yn canu. Pan ofynnodd imi'r tro cyntaf i gyfansoddi cerdd ar gyfer y gyfrol ar Ddyffryn Aman yr oedd ganddo 'nghynnyrch yn ei law ymhell o flaen y dyddiad cyflwyno penodedig. Ond nawr, rai blynyddoedd yn ddiweddarach, y mae 'mhen i'n hollti a'r dyddiad cyflwyno'n prysur nesáu. Mae'n hwyr. (Fi yw'r math o ffrind sy'n danfon e-byst am dri y bore.) Rhoes y golygydd imi rwydd hynt i ddweud a fynnaf am Ddyffryn Aman, ac yn barod rwy'n cyfri'r geiriau. 173, yn cynnwys y pennawd.

Ac felly, rwy'n holi, pam. Oherwydd ni fynnwn am eiliad roi'r argraff nad yw Dyffryn Aman yn agos at 'y nghalon i. Rwy'n ymwelydd cyson. Mae 'nheulu yno o hyd, a hoffwn ryw ddydd ddychwelyd yno i fyw. Jiw, hen le da oedd sinema Brynaman 'fyd. Be? Mae'n dal i fynd!

Ond y mae'r fath siarad sentimental ynddo'i hun, mi gredaf, yn awgrymu bod rhywbeth o'i le. Bod yna bellter. Nad fi, er imi addo'n llawen ddigon – o barch i'r golygydd ac â rhyw awydd i frolio fy mro fy hun – a ddylai fod yn sgwennu'r bennod hon.

12:07 ar ochr isa'r sgrin.

Yn ddeng mlwydd oed, yr oeddwn yn cysgu'n llawen. Dim e-byst tri o'r gloch y bore. Dim ond ZX Spectrum yn 'tŷ, beth bynnag. Ac roedd Ffordd Pen-y-banc, Rhydaman, yn lle grêt i fod yn fachgen deng mlwydd oed. Y Parc. Y Rec. Parc Betws. Parc Tŷ-croes. A thomen o faw wedi'i fowldio'n ramp beics i lawr Hewl Trefriw i fi a 'mrawd a'n ffrindiau gael ymgolli ynddo – yn llythrennol felly. Lynton Lewis yn arwr – hyd yn oed i rai fel fi nad o'n nhw'n hoffi criced – a mwy o gyrtiau tenis nag o Sadyrnau sych. Nid bod y glaw byth yn rheswm dros stopio chware. A nofio. Dan do. Nes cael ein taflu mas am esgus marw. A *Snooker's World*. Nes cael ein taflu mas am rechen yn uchel pan oedd rhyw ymwelydd cyson â *Jona's*, wrth ei olwg, ar suddo'r ddu. (Lle da yw Rhydaman am *chips*.)

Bryd hynny, pe bai Mr Isaac, prifathro'r Ysgol Gymraeg, wedi gofyn imi sgwennu traethawd ar Rydaman, mae'n siŵr gen i y byddai'r dasg yn un haws o lawer na'r sgrinsyllu hwn o flaen 463 o eiriau. O leiaf, fyddai'r pellter cythreulig hwn ddim yn bod. Y talpiau mawr yma o nostalgia hunandosturiol. Fel pe bai Rhydaman yn perthyn i oes arall, a deg ceiniog yn *Bizar* yn llond bag o losin ac Abertawe ar frig cynghrair pêl-droed Lloegr.

Ond heno, a fi'n sgwennu hyn *o Abertawe*, a'r tîm ar waelod y gynghrair – yr arwydd amlycaf, o bosibl, o'r newid byd – Rhydaman i fi yw fi yn wyth mlwydd oed ac yn dwlu mynd i Obeithlu – *Band of Hope* – ar nos Fawrth gydag Anti Gaynor yn Festri Fawr Bethany. A ph'nawn dydd Sul nesaf, rydym ni i gyd yn mynd i fartsio trwy Rydaman yn dal baneri yn yr awyr a chanu 'I'm in the Lord's Army'.

Ac rwy'n sôn am hyn wrth gydweithiwr a ffrind i mi yn Abertawe, ac mae hithau, fel finnau, yn dechrau amau 'mod i ryw ugain mlynedd yn hŷn nag yr ydw i. Rywsut, mae'r darlun bandofopaidd hwn yn perthyn i oes ein rhieni, os nad eu rhieni hwythau. Nid i'r wyth degau. Fy oes i pan yw Alun Wyn yn sgrechen nerth ei ben gan fod fy mrawd i newydd gnoi ei glust. Mae'r tri ohonom yn chwech, saith a saith mlwydd oed ac yn cyflwyno ail bennill y trydydd emyn yng Nghymanfa Ganu Capel Hendre. Ac mae capel Capel Hendre'n llawn. Y Gymanfa'n achlysur o bwys. Wastad wedi bod. Ac mae'r cynnwrf yn ormod i 'mrawd. Yr holl bobl. Y pedwar llais. Mamau. Lot o bregethwrs. A chlust Alun Wyn yn edrych mor gnoadwy.

2:38. Rwy'n darllen dros y 725 gair cyntaf. Rwy'n cyffwrdd â 'nghlust. Mae gen i glustiau mawr.

3:10. Rwy'n dechrau sylweddoli 'mod i'n hŷn nag yr ydw i'n meddwl 'y mod i. A finnau heb ddweud yr un gair eto am beidio â chael rhedeg ar y Sul – er gwaetha'r ffaith fod martsio baneri ynddo'i hun yn farathon Llundain o dasg – na'r un sillaf chwaith am byllau glo, fel pwll slàg Pen-y-banc, a phlant yn cael clatshen go iawn gan eu tadau os aen nhw ar gyfyl y lle. A mamau wedyn yn rhoi deg cinog i leddfu poen y llwy bren i'w wario ar fan hufen iâ Atkins, neu yn yr *house*-siop.

Oes arall yn wir.

Pan sgwennais y gerdd, 'Yr Hen Gwm', ar gyfer *Dyffryn Aman: Cyfres y Cymoedd*, dyma'r union bethau yr oeddwn yn eu dilorni, sef y darlun ystrydebol hwn o Rydaman fel tre ddiwydiannol, grefyddol lle roedd dynion yn ddynion a gwragedd yn ddiolchgar. Y darlun hwnnw nad yw'n bortread o'r dyffryn bellach. 'Pwy o hen bobl Pen-y-banc / A ŵyr awydd yr ieuanc?' meddwn i yn 'Yr Hen Gwm'. Ond dyma fi heno, wrth edrych yn ôl, yn synied am Rydaman yng ngoleuni'r un ystrydebau, ac yn sylweddoli mor agos ydwyf finnau at oes fy nhad-cu. Oherwydd er mai bryn gwyrdd unwaith eto yw'r domen lo a fu gynt ym Mhen-y-banc, rwy'n ddigon hen i gofio'r domen lo serch hynny, ac i fedru cyd-ganu gyda Huw Chiz, 'a'r graig yn sownd o dan fy nhraed a chariad at y Cwm yn berwi yn fy ngwaed', achos rwyf finnau'n cofio'r dydd pan oedd yr ystrydebau o hyd yn rhan greiddiol o fywyd crwt, ac nid atgof yn unig, yn cofio 'cerdded gyda'n tadau y llwybyr hir i'r pyllau', neu yn fy achos i, ar gefn beic, a hwnnw'n feic a brynwyd, nid o *Halfords*, ond o siop Don Chiswell ei hun, tad y canwr. (Er nad oeddwn i fy hun yn ddigon hen i gofio Ryan, roeddwn yn ddigon hen, neu fy mrawd o leiaf, i gymryd rhan yn sioe boblogaidd Enid Davies, *Cofio Ryan*.)

Ond heddiw. Dim galw am gofio Ryan, a dim siop feics. A dim pwll glo. Dim fan hufen iâ. Dim siop losin. Dim clatsho plant. Na bygwth mynd i ôl Bôbi Pentre. Dim Bôbi Pentre. Dim Gobeithlu yn martsio trwy Rydaman. Dim Cymanfa lawn. Dim ond nostalgia a 1,119 o eiriau. Dim siop fideo hyd yn oed. Dim ond lloeren ar ôl lloeren, yr holl ffordd o sgwâr Tŷ-croes i sgwâr Rhydaman.

Pellter yn wir. Nid Rhydaman f'atgofion ystrydebol i yw Rhydaman mwy. Mi wn hynny. Pe bawn yn byw yno o hyd, mae'n siŵr na fyddai'r pellter yma'n bod. Ond y mae. Ac am hynny rwy'n ymddiheuro. Sgwennwyd yr ysgrif hon ugain mlynedd yn rhy hwyr, ac ugain milltir yn rhy bell i ffwrdd. Ac mae pellter y naill beth a'r llall yn real iawn.

Cymaint felly fel 'mod i'n dawel. Ac wedi drysu'n llwyr, heb wybod pa dîm yr ydw i'n ei gefnogi. Ryw fis yn ôl rydw i 'nôl ar y Rec. Pontyberem yn erbyn Rhydaman. Yn y dorf o ugain, rwy'n dweud shwmae wrth ambell hen wyneb cyfarwydd. Wynebau Rhydaman, lle yr oedd bois rygbi yn dawnsio gwerin, diolch yn bennaf i Aelwyd Penrhyd.

Ond maen nhw'n deall. Y tawelwch hwn pan fod Rhydaman yn pwyso. Wedi'r cyfan, maen nhw'n cofio segura cyn y practis dawnsio, yn aros i fysys Maes-yr-Yrfa ein cludo ni 'nôl i Rydaman. Ni, sef nhw, o Rydaman, ond nid o'r Comp, Ysgol Dyffryn Aman.

Nid 'mod i'n frwd dros Bontyberem chwaith. Bydden nhw hefyd yn synnu pe bawn i'n dechrau gweiddi ar eu holau. Ambell hen ffrind ysgol yn y tîm o hyd. Ond gwyddent hwythau fod plant Rhydaman yn dod o bell. Nid yn bellach o ran milltiroedd o bosibl – o feddwl am Grwbin neu Bont-iets – ond o'r tu allan i ddalgylch 'naturiol' yr ysgol, serch hynny. Ac roedd cymaint ohonom yn hoffi actio a chanu, heb sôn am ddawnsio gwerin! Ac eto'n hoffi rygbi hefyd. Od y diawch.

Parti Dawnsio Gwerin Ysgol Gymraeg Rhydaman.
(Fi yw'r ail o'r dde yn y rhes flaen).

Yn y canol rhwng y ddwyblaid a fi, felly, yn gwylio'r gêm heb fedru cefnogi'n frwd y naill dîm na'r llall. Crwtyn o Ddyffryn Aman ond a'i addysg a'i ddisgos a dros hanner ei ffrindiau, a'i wejen – nawr ei wraig sy'n gweiddi ar ei brawd i fwrw'r boi o'r neilltu – o'r cwm cyfagos, Cwm Gwendraeth. Nid nad oedd llond bws ohonom, ac eraill yn dod i'r ysgol mor bell â Llansadwrn, o'r tu hwnt i Ddyffryn Aman. Ond rywsut dim ond amlygu'r pellter fwyfwy yr oedd y ffaith fod cynifer ohonom yn teithio o gyfeiriad y dyffryn i'r cwm. Nid nad oeddem yn ymdoddi'n llwyr i fywyd yr ysgol, fel plant o Bont-iets neu Bont-henri. Ac onid oedd ganddynt hwythau ffrindiau o'r un ysgol gynradd yn mynd i ysgol gyfun wahanol? Byddai'n rhwydd imi orliwio pethau fan hyn – fel yr ydw i, heb os – fel pe bai pobl y dyffryn a phobl y cwm yn ddau lwyth cwbl ar wahân, fel pe na bai pobl Cefneithin yn siopa ym marced Rhydaman, na phobl y Betws yn ymweld â Leekes; fel pe na bai cymaint o Gymraeg a Saesneg i'w clywed yn y naill le a'r llall fore Sadwrn. Ond weithiau, fel y daith adref ar y bws a ninnau wedi bod trwy Lechyfedach a'r Tymbl, Dre-

Ysgol Gyfun Maes-yr-Yrfa. *(Trwy garedigrwydd y Pennaeth)*

fach a Phen-y-groes, a'n ffrindiau yn neidio fesul dwsin o'r bws, gwyddem, y gweddill ohonom – o leiaf yn y dyddiau cynnar hyn, pan oedd y teithio o'r dyffryn i'r cwm yn destun siarad – wrth inni neidio o'r bws fesul un ar hyd y ffordd neu yng ngorsaf bysiau Rhydaman, a cherdded trwy'r môr o siwmperi gwyrdd, fod rhyngom a'n tre ni ein hunain bellter: ein bod ar daith feunyddiol, a'n bod yn symud – yn wahanol i blant y cwm – o waelod un dyffryn i ben cwm cyfagos, a'n bod yn teithio gan fod y dyffryn hwnnw yn cynnig popeth inni – Atkins, tenis, barbwr, oifad, Gobeithlu, losin – ac eithrio addysg uwchradd ddwyieithog, gref, ac yn bwysicach na hynny, ysgol lle y byddai'r Gymraeg nid yn unig yn iaith ddosbarth, ond yn iaith gyfathrebu ar yr iard ac yn stafell y chweched dosbarth. Ugain mlynedd yn ôl, roedd yr iaith honno i'w chael ym Maes-yr-Yrfa. Nid gan bawb. O ran y chweched dosbarth, er enghraifft, yr oedd yn amrywio o flwyddyn i flwyddyn. Saesneg ydoedd prif iaith gyfathrebu y mwyafrif yn y flwyddyn o 'mlaen i, yn enwedig y bechgyn. Ond bûm i'n lwcus yn fy nosbarth ac yn fy mlwyddyn ac roedd y daith yn sicr yn un werth chweil. Oherwydd, er bod yn rhaid teithio rhyw saith milltir amdani, yn hytrach na'r filltir a hanner ar hyd Ffordd Pen-y-banc i'r Comp, yr hyn yr oedd Maes-yr-Yrfa yn ei gynnig i mi'n bersonol ydoedd estyniad o'r bywyd Cymraeg a oedd o hyd, bryd hynny, mi gredaf, yn nodweddu Pen-y-banc. O leiaf, yn blentyn wyth mlwydd oed ac yn mynd o dŷ i dŷ yn casglu noddwyr ar gyfer rhyw daith gerdded neu ryw gamp gymharol (ond di-faneri, diolch byth), hyd y gallaf gofio, lleiafrif bychan ydoedd y cymdogion di-Gymraeg, a phrinnach fyth y teuluoedd lle nad oedd o leiaf un o'r rhieni'n siarad Cymraeg. Wrth ddychwelyd, felly, o'r ysgol i Ben-y-banc, neu fel arall yn y bore, wrth adael am yr ysgol, doedd 'na ddim galw i mi droi o'r Gymraeg i'r Saesneg. Doedd 'na ddim cyfnewid iaith. Doeddwn i ddim yn croesi rhyw ffin ieithyddol ar Ffordd y Llew Du, rhwng Capel Hendre a Gors-las.

Heddiw, mae pethau'n wahanol. Nid yn unig ym Mhen-y-banc ond ym Maes-yr-Yrfa hefyd. Ar un olwg y mae'r profiad o bellter – nid daearyddiaeth y daith, ond ei harwyddocâd – heddiw'n fwy. Wrth i amlygrwydd y Gymraeg leihau yn y dyffryn, ac i ysgolion dwyieithog y tu allan iddo barhau i gynnig addysg Gymraeg i blant y dyffryn, y mae diben y daith yn amlycach. Ar y llaw arall, fodd bynnag, os yw'r

Gymraeg yn fwy o iaith ddosbarth heddiw nag o iaith gyfathrebu naturiol rhwng disgyblion Maes-yr-Yrfa a'i gilydd – neu yn achos rhan ucha'r dyffryn, Ystalyfera – gellid dadlau bod y pellter hwnnw wedi lleihau, a phrofiadau Cymry Cymraeg yn yr ysgolion dwyieithog hynny yn nes at eiddo'r Cymry Cymraeg yn Ysgol Gyfun Rhydaman, sydd, wedi'r cyfan, yn cynnal ffrwd o ddosbarthiadau Cymraeg drwy'r ysgol.

Heddiw, yr un yw prif broblem y naill le a'r llall, y pentref a'r ysgol (a'r ysgol gynradd yn arbennig), o Gwm-twrch Uchaf i Dymbl Isaf, sef teuluoedd Cymraeg yn cyfnewid iaith, ac yn dechrau defnyddio'r Saesneg fel iaith aelwyd. Er enghraifft, rwy'n meddwl am dri theulu o gymdogion ym Mhen-y-banc (ac eithrio'r mewnfudwyr o Loegr a ddaeth yma'n ddiweddar). Na, rwy'n meddwl am bedwar a phump, lle y mae'r ddau dad yn unig yn siarad Cymraeg a'r mamau'n ddi-Gymraeg. Dyma ein ffrindiau, gwir gymdogion, a dyma'r tai a fu am flynyddoedd yn llofnodi fy ffurflen noddwyr i mi gael cerdded o amgylch parc Rhydaman a chasglu arian i ryw achos neu'i gilydd. Yn eu tro, byddai fy rhieni yn noddi eu plant hwythau, a oedd – ac eithrio'r ddau ffrind a godwyd ar aelwydydd Saesneg, gan na fedrai eu mamau siarad Cymraeg – yn siarad Cymraeg. Magwyd y plant yn Gymraeg. Bellach, fodd bynnag, Saesneg yw iaith gyfathrebu yr aelwydydd hyn,

Pasiant Nadolig Ysgol Sul Caersalem, Tŷ-croes.

mi gredaf, yn ôl yr hyn a glywais, er mai dweud hyn ar sail argraff ac nid astudiaeth yr wyf. Mae'r rhieni a'r plant yn dal yn medru'r Gymraeg, ac yn siarad Cymraeg gyda fi. Ond nid gyda'i gilydd.

Meicrocosm o argraff, mi wn. Rhy fychan o lawer i ddod i gasgliadau cyffredinol. Ond os yw arferion ieithyddol fy nghymdogion i ym Mhen-y-banc yn arwydd o gwbl o'r patrwm cyfnewid iaith yn Nyffryn Aman, yna y mae lle i amau gair unrhyw un a fyn fod arwyddion dwyieithog yn Tescos – a da hynny – yn arwydd o iechyd y Gymraeg yn y dyffryn.

Ar y naill law, i'r sawl sy'n byw rhwng Landybïe a Chapel Hendre ac sydd am i'w plant dyfu'n Gymry Cymraeg, y mae'r cyfnewid iaith hwn yn cryfhau'r cymhelliad dros deithio o'r dyffryn i'r cwm am addysg Gymraeg, gan nad oes amheuaeth gennyf fi mai hyrwyddo'r cyfnewid iaith hwn y mae'r defnydd eilradd a wneir o'r Gymraeg mewn ysgolion lle y mae'r elfen ddwyieithog yn gymharol wan, a'r Gymraeg i'r mwyafrif o ddisgyblion yn bwnc ac nid yn gyfrwng dysgu na chymdeithasu. I Ysgol Dyffryn Aman yr aeth y plant o'r teuluoedd y cyfeiriwyd atynt. Nid honno yw'r unig ffaith berthnasol o bell ffordd. (Dylem hefyd ystyried eu haddysg gynradd. Fel math o baratoad ar gyfer teithio i Faes-yr-Yrfa, es i fy hun i Ysgol Gymraeg Rhydaman, er bod yna ysgol arall ychydig yn nes i'm cartre.) Yn achos Pen-y-banc, er enghraifft, cyfeiriwyd eisoes at y lloerenni. Yn ddiweddar, wrth i S4C ddathlu ugain mlynedd o ddarlledu rhoddwyd cryn sylw yn y wasg at ei hanallu i gystadlu â'r nifer gynyddol o sianeli a geir drwy deledu lloeren. Ni ellir gwadu chwaith nad yw'r modd yr ynysodd y capeli eu hunain oddi wrth weddill bywyd di-gapel eu cymunedau wedi cael effaith andwyol ar y Gymraeg. Bu'n ergyd arw i swyddogaeth gymdeithasol y Gymraeg. Oherwydd, mewn capel neu eglwys, megis mewn clwb rygbi, y mae plant yn gweld bod y Gymraeg yn eiddo i genedlaethau gwahanol o siaradwyr: ei bod yn iaith i'r gymdeithas gyfan. Ond peth i'r henoed yn bennaf yw crefydd heddiw, ac oherwydd yr ymraniad Buchedd A–Buchedd B, diwylliant capel–diwylliant tafarn, yr oeddwn i mor ddiweddar ag ugain mlynedd yn ôl yn ymwybodol ohono, ac sydd hwyrach i'w briodoli i Ddiwygiad 1904-05 pan benderfynodd chwaraewyr Rhydaman losgi eu crysau rygbi, gyda'r colli ffydd y mae pobl hefyd wedi colli cymdeithasfa Gymraeg.

Ar y llaw arall y mae'r ffaith fod y cyfnewid iaith hwn yn digwydd hefyd yng Nghwm Gwendraeth yn golygu na ellir bod yn sicr o gwbl mai'r Gymraeg fydd iaith gyfathrebu naturiol plant Rhydaman na phlant Pontyberem chwaith ym Maes-yr-Yrfa, hynny yw, pan na fydd athro neu athrawes yn bresennol. Nid wyf yn awgrymu am eiliad na all y daith barhau i fod yn un werth chweil. Ond oni cheisir ffyrdd o sicrhau bod ethos Cymraeg yr ysgol yn dylanwadu ar agwedd pobl y cwm tuag at y Gymraeg, ac nid hynny'n unig, ond eu defnydd ohoni, gellid dadlau y bydd profiad o bellter amgenach na'r un y deuthum i ar ei draws, maes o law, yn nodwedd o fywyd y plant hynny, sydd, nid yn teithio i Faes-yr-Yrfa o Ben-y-banc neu Landybïe, ond yn cerdded iddi o sgwâr Gors-las neu Garreg-hollt. Pellter y gwybod bod rhywbeth arbennig – megis ar wahân i weddill bywyd – am dderbyn addysg mewn ysgol nad yw'n estyniad o fywyd y gymuned, nid o ran daearyddiaeth fel yn fy achos i, ond o ran iaith.

5.56. Coffi. Rwy'n estyn am lyfr.

8.15. Sori. Rydym yn symud tŷ.

Dyma fe. Yn ei llyfr, *Cyflwyniad i Ddwyieithrwydd*, nododd Delyth Jones nad yw addysg ddwyieithog ynddi'i hun yn ateb cyflawn i anghenion y Gymraeg. Yn hytrach y mae'r her sy'n ein hwynebu heddiw yn un ddeublyg,

> sef sicrhau bod plant yn cael y cyfle i ddysgu'r Gymraeg mewn addysg ddwyieithog 'gref' (hynny yw, fel cyfrwng eu haddysg ac nid yn unig fel pwnc ail iaith ...) ynghyd â sicrhau bod cyfleon digonol ar gael iddynt ddefnyddio'r iaith y tu allan i'r ysgol. Yn unig drwy sicrhau dwyieithrwydd mewn unigolion ynghyd â dwyieithrwydd ar lefel y gymdeithas y llwyddir i adfer yr iaith Gymraeg.

Dyma pam y mae gwersi nofio Cymraeg i blant cyn bwysiced â gwersi Mathemateg Cymraeg. Dyna pam hefyd y mae gweld Ysgol Sul Gymraeg yn peidio â bod, nid yn unig yn golled grefyddol, ond hefyd yn un ieithyddol, a'r galw am glybiau chwarae a gweithgareddau'r Mentrau Iaith yn Nyffryn Aman a Chwm Gwendraeth mor bwysig. Pan oeddwn i yn fy arddegau, fel y nodwyd, estyniad o fywyd cymdeithasol Cymraeg ydoedd addysg Gymraeg i mi. Yr oedd eto fywyd yn y capel Cymraeg yn Nhŷ-croes bryd hynny lle y'm codwyd, ac Ysgol Sul a Chlwb Plant bywiog a phoblogaidd, er mai Saesneg ydoedd iaith y Clwb Ieuenctid yr es iddo'n ddiweddarach yn fy arddegau yn Rhydaman. Ond euthum i Faes-yr-Yrfa gan nad oedd yn Nyffryn Aman yr elfen gyntaf o'r hafaliad a nodir uchod yng ngeiriau Delyth Jones, sef addysg ddwyieithog gref, ynghyd ag awyrgylch Cymraeg y tu allan i'r ystafell ddosbarth. Ond nid yw'r elfen gyntaf yn gyflawn heb yr ail. Dyna pam y mae staff, arwyddion a gwasanaethau dwyieithog mor bwysig mewn banciau ynghyd â siopau mawr a bach a garejys a swyddfeydd y post, lle y mae cymaint ohonom yn treulio cymaint o'n hamser y dyddiau hyn.

Awgrymodd John Davies yn ei lyfr *Hanes Cymru* i'r capeli yn y cyfnod 1850–1914 'herwgipio Cymreictod, ac felly ni chaniatawyd twf diwylliant Cymraeg seciwlar'. Rhaid peidio â gadael i'r ysgolion dwyieithog wneud yr un peth yn ein hamser ni yn achos y Gymraeg. Y canlyniad, wedi i'r plant adael yr ysgol uwchradd, fydd dosbarthiadau o fyfyrwyr mewn Adrannau Cymraeg yn siarad Saesneg gyda'i gilydd cyn gynted ag y bydd y ddarlith ar ben. A hwy, ynghyd â'u ffrindiau mewn pynciau eraill, fydd yr athrawon mewn ysgolion cynradd Cymraeg a fydd yn troi i'r Saesneg wrth gymdeithasu â'i gilydd yn y stafell staff, cyn ateb y drws i'r plant yn Gymraeg. Nid y plant yn unig fydd yn edrych ar y Gymraeg fel iaith addysg. Na. Rhaid yn hytrach chwilio am ffyrdd o fwyhau'r cyswllt rhwng arferion ieithyddol yr ysgol a'r gymuned – cynyddu'r cyfleon i ddefnyddio'r Gymraeg y tu allan i'r ysgol yn y pentre a'r dre – neu, fel arall, y perygl yw y bydd y Gymraeg i ragor a rhagor o ddisgyblion ail iaith, ac iaith gyntaf, yn datblygu i fod yn gyfrwng cyfathrebu a gysylltir ag addysg yn bennaf, os nad hynny'n unig. Bydd pellter rhwng eu gallu ar y naill law i ddefnyddio'r iaith, a'u defnydd ohoni ar y llall. Medru'r Gymraeg, heb ei defnyddio. Os digwydd hynny, os daw'r dydd pan glywir cymaint o Saesneg ym mharc y Bont ag a wneir ym mharc Rhydaman – er gwaetha'r ffaith, efallai, y bydd mwy o'r plant yno *yn medru* siarad Cymraeg, diolch i'w haddysg, ond yn dewis peidio â gwneud – fydd 'na fawr o arbenigrwydd yn perthyn i'r daith o'r dyffryn i'r cwm. Bydd plant y dyffryn a'r cwm fel ei gilydd wedi ymbellhau oddi wrth yr iaith a oedd ugain mlynedd yn ôl yn nodwedd fyw o'u cymunedau. Mater o filltiroedd yn unig fydd cyfri'r pellter. Peth mor ddiflas â chyfri geiriau, ac mor ddiystyr ag esgus sgwennu mewn noson ysgrif a fu'n llafur wythnos, a'i dechrau'n ymddangos i mi bellach mor bell yn ôl.

O.N. Rhag ofn fod neb am wybod, Pontyberem a enillodd y gêm rygbi ond, i niwtral fel fi, y prif wahaniaeth rhwng y ddau dîm oedd iaith y chwaraewyr ar y cae. Yr oedd yr wynebau hynny yr oeddwn i'n eu cofio o'm dyddiau Maes-yr-Yrfaidd yn dal i weiddi ar ei gilydd yn Gymraeg. Ac nid er mwyn drysu'r gwrthwynebwyr. Pwy a ŵyr pwy sy'n deall Cymraeg, ond heb ei siarad, yn Rhydaman? Na, nid sioe oedd eu Cymraeg. Felly y mae bois y Bont ar nos Fawrth a nos Iau hefyd wrth hyfforddi, fel ambell dîm, hwyrach, i fyny'r dyffryn. (Dyma rybudd i ail dîm Brynaman fod mewnwr y Mwmbwls yn deall Cymraeg.) Ambell air o Saesneg ar gyfer ambell foi dŵad, ond mae hyd yn oed hynny'n groes i'r graen. Nid dyna fel y bu. Nid dyna'r traddodiad. Nid dyna'r clwb. Deugain o fois rhwng deunaw a deugain oed yn pasio o'r naill i'r llall yr hyn a roddodd eu mamau yn eu genau, sef y Gymraeg, ac ambell dad ar ochr y cae yn gweiddi, 'Iwswch hi!'.

Byw yn ardal Cwm Cynon

DYFAN JONES

Pan awgrymwyd i mi y dylwn ysgrifennu rhyw bennod ar fyw yng nghymoedd de Cymru o safbwynt Cymro ifanc, wyddwn i ddim yn iawn beth fyddai'n ymddangos yn y pen draw. Rywsut neu gilydd, fyddwn i ddim yn meddwl rhyw lawer am y peth ac ar ôl cytuno i wneud rhaid oedd troi fy meddwl at y pwnc a cheisio dadansoddi fy rhesymau dros gartrefu yng Nghwm Cynon. I ryw raddau doedd gen i fawr ddim y gallwn gymharu ag e ar wahân i geisio deall dyddiau

Caradog – Arweinydd 'Y Côr Mawr'.

cynnar fy rhieni a'r genhedlaeth cyn hynny. Roedd Aberdâr yn lle gwahanol iawn yn y dyddiau hynny ac mae hanes yn dangos fod mwy fyth o newid wedi digwydd yn chwarter olaf yr ugeinfed ganrif.

Mae llyfrau hanes ar gymoedd y de yn dangos bwrlwm o weithgaredd yn boliticaidd, yn ddiwylliannol a chymdeithasol. Hwyrach nad oeddwn wedi sylweddoli'r gwahaniaeth hwnnw nes imi ddarllen rhai cyfrolau ar hanes Cwm Cynon, fy nghwm i, yn ddiweddar. Ceisio dychmygu'r holl weithgaredd hwnnw a gresynu fod llawer wedi diflannu yn llwyr. Yr hyn a'm trawodd fwyaf, rwy'n credu, ar wahân i'r bwrlwm a'r blaengarwch oedd yn bodoli, oedd y ffaith fod bron popeth yn y cyfrolau hynny'n cyfeirio at y gorffennol. Anodd oedd dychmygu'r sefyllfa pan oedd Caradog yn dychwelyd o Lundain ar ôl ei fuddugoliaeth yn y Palas Grisial, y croeso tywysogaidd yn y dref i arweinydd 'Y Côr Mawr' a'r penderfyniad i osod cerflun ohono ar y sgwâr ynghanol y dref. Allwn i ddim dychmygu hynny'n digwydd y dyddiau hyn. Synnu wrth ddarllen am y cylchgronau a welodd olau dydd, y beirdd oedd yn canu eu cerddi, y bobol yn tyrru i wrando ar oratorio, y dramâu'n cael eu perfformio, y telynorion yn telyna a'r gweisg a oedd yn cyfrannu at lyfryddiaeth Cymru – ond roedd hynny i gyd yn y gorffennol.

Yn ddiweddar, darllen eto lyfr taith ar ardal de Cymru a darganfod taw at ddigwyddiadau'r gorffennol y cyfeirid wrth grwydro'r cymoedd yn enwedig. Roedd hyn yn cymharu â darllen llyfr yn yr un gyfres ar ardal Llambed a darganfod taw at ddigwyddiadau cyfoes y cyfeirid y rhan fwyaf o'r amser. Tybed, felly, a oedd yn y cwm hwn unrhyw beth gwerth cyfeirio ato yn ein hoes ni. Penderfynais fod yn rhaid i mi edrych ar y sefyllfa o'm safbwynt personol i a cheisio deall rhwydwaith cymdeithasol Cwm Cynon fel y mae heddiw, a cheisio gweld sut mae'r cwm hwn wedi dylanwadu ar fy mywyd i – a beth sydd yno i'm denu ar hyn o bryd.

Rwy'n dal i fod yn fy ugeiniau wrth ysgrifennu hwn ac ar wahân i gyfnod o ryw bedair blynedd, rwyf wedi treulio'r rhan fwyaf o'm bywyd yn byw yn y cymoedd. Mae'n siŵr y buaswn erbyn hyn yn rhan fwy allweddol o fywyd diwylliannol ardal fwy Cymreig na Chwm Cynon. I raddau, mae'n rhaid imi gyfaddef fy mod yn poeni am hynny. Trwy fy ngwaith fel cyfansoddwr cerddoriaeth, rwyf wedi cael cyfle i weithio gyda'r Urdd, yr Eisteddfodd Genedlaethol a rhaglenni Cymraeg S4C ond bach iawn yw fy nghyfraniad i'n lleol, heb ond ychydig iawn o bobol yn sylweddoli beth yw fy ngwaith. Mae'n siŵr fod llawer o'r diffyg hwnnw yn rhywbeth y dylwn i yn bersonol wneud rhywbeth yn ei gylch.

Beth bynnag am hynny, gwell dechrau trwy nodi pam yn union rwyf yn Gymro Cymraeg sy'n byw ar gyrion tref Aberdâr.

Fe'm ganed yn Ysbyty Aberdâr yn saith degau'r ganrif ddiwethaf ac fe'm codwyd ar aelwyd a oedd yn Gymreig a Chymraeg ei naws ond bod fy rhieni yn siarad Saesneg â'i gilydd. Daeth fy nhad o fferm ym mhentref Cribyn, yng nghanol Ceredigion, i Aberdâr fel gweinidog gyda'r Undodiaid yn y dref. Roedd Mam wedi ei geni yn West Bromwich ond roedd ei thad yn wreiddiol o Aberdâr ac wedi symud i ganolbarth Lloegr i gael gwaith a phriodi merch o'r ardal honno. Fe ddaethon nhw nôl i Aberdâr pan oedd Mam yn ddwy flwydd oed ond fe'i codwyd hi i siarad Saesneg er fod ei thad yn gallu siarad tipyn o Gymraeg. Anodd, bellach, yw sylweddoli'r boen o *orfod* gadael cartref er mwyn cael gwaith, a Birmingham bryd hynny'n lle pell. Mae'r rhan fwyaf o'm cyfoedion i yn yr ysgol gynradd yn byw ar wasgar dros Brydain i gyd erbyn hyn ac yn symud o un ddinas i'r llall heb feddwl ddwywaith. O golli'r pyllau glo, roedd diweithdra ofnadwy yng Nghwm Cynon, ond o leiaf mae'n bosib byw yn y cylch heddiw a theithio i'r gwaith. Sefyllfa yw hon sy'n gosod mwy a mwy o geir ar y ffyrdd a'r amgylchedd yn dioddef o'r herwydd. Gresyn na fyddai'r rhwydwaith trafnidiaeth yn well yma hefyd – fel y byddai'n bosib mynd ar y trên i Gaerdydd ynghynt ac yn fwy cyson, ond nid felly y mae. Un trên bob awr sy'n gwasanaethu Aberdâr ar hyn o bryd. Dwi'n un sy'n poeni'n fawr am orddefnydd o'r car ond yn un sy'n teithio i Gaerdydd bob yn ail ddiwrnod hefyd. Mae hi'n daith o ychydig dros hanner awr yn y car ond bron i awr ar y trên, a'r un, bron, yw cost tocyn a chost petrol. Bob awr mae'r trenau'n gadael a does dim trên yn gadael Caerdydd am Aberdâr wedi saith y nos. Does dim un cwmni dwi'n gweithio iddo â swyddfa yng nghanol y dref, felly bws neu dacsi amdani wedyn gyda'r gost a'r amser teithio yn cynyddu. Ysywaeth, mae hi'n anodd iawn rhoi'r gorau i'r car.

Digon o gwyno, 'nôl at fy magwraeth. Penderfynwyd y byddai fy mrawd, Gwion, a minnau'n cael ein codi i siarad Cymraeg ac yn mynychu'r Ysgol Gymraeg leol. Gwnaeth fy mam ymdrech dda i ddysgu'r iaith a llwyddodd i siarad â ni fel plant bach hyd nes inni ddod o'r ysgol rhyw ddiwrnod a gofyn iddi beth oedd 'pumpkin' yn Gymraeg. Doedd hi ddim yn gwybod ac fe gollwyd ffydd yng Nghymraeg Mam o'r diwrnod hwnnw. Mae rhaid i mi ddweud pe gofynnai fy mab yfory beth yw 'pumpkin' yn Gymraeg fyddai dim syniad gen i. Mae'n well i fi hôl y geiriadur 'na rhag ofn!

Doedd dim ysgol feithrin yn Aberdâr yr adeg honno, felly fe aeth nifer o rieni ati i geisio trefnu un, gyda'r mamau'n cymryd gofal a heb fawr o gyfleusterau i ddenu'r plant. Roedd fy mrawd ddwy flynedd yn hŷn na mi ac yn ddigon lwcus i gael cryn hanner dwsin o gyfeillion a oedd yn medru'r Gymraeg ac roedd hynny o gryn help; ond nid felly y bu gyda mi, yn ôl yr hanes. Er fy mod yn ddigon rhugl wrth fynd i'r ysgol feithrin a'r ysgol gynradd, doedd dim un plentyn arall yn defnyddio'r iaith a dirywiodd fy Nghymraeg yn ddirfawr. Roedd fy nhad yn gorfod ein darbwyllo nad oedd ganddo ef yr un gair o Saesneg ac felly roedd rhaid gwneud yn siŵr ein bod yn deall ein gilydd yn rhesymol o dda.

Doeddem ni ddim mewn sefyllfa unigryw. Deuai llawer o blant i'r ysgol a chan fod y mwyafrif mawr yn ddi-Gymraeg a'u rhieni yn ddi-Gymraeg, colli iaith oedd y cam cyntaf cyn ei hennill yn ôl ymhen blynyddoedd yn yr ysgolion cynradd ac uwchradd. Y mae'n glod mawr i'r athrawon a lwyddodd i blannu'r Gymraeg ar wefusau plant bach nad oedd yn gallu eu deall o gwbwl ar eu diwrnod cyntaf yn yr ysgol. Dwi ddim yn siŵr a yw'r sefyllfa wedi newid hyd yn oed erbyn hyn. Fy mab i yw'r unig blentyn dwyieithog yn ei ddosbarth meithrin ar hyn o bryd. Ar ddiwedd y tymor diwethaf, fe oedd yr unig un a oedd yn rhugl ei Gymraeg o'r holl blant a'r gofalwyr! Yn ôl a ddeallaf, er bod rhyw bump o ysgolion meithrin yn y cwm, digon anodd yw cael arweinwyr sy'n rhugl eu Cymraeg ac ymddengys fod y rhan fwyaf o'r plant a'u rhieni yn ddi-Gymraeg o hyd. Mewn ffordd mae hyn yn beth da; mae'n dangos fod tyfiant addysg Gymraeg yn para, ond yn sicr mae lle i fwy o ddosbarthiadau ar gyfer plant cyn eu bod yn cychwyn yn yr ysgol gynradd.

Dyma'r cyfnod pan oedd addysg cyfrwng Cymraeg yn dechrau tyfu o ddifrif. Idwal Rees oedd yr arloeswr fel prifathro cyntaf Ysgol Gymraeg Ynys-lwyd a rhyfedd yw deall fod cynifer o Gymry Cymraeg yr ardal yn ddig am ei bod wedi cael ei hagor o gwbwl ym

1949. Roedd peth o'r dicter yn aros, yn enwedig ymhlith prifathrawon ysgolion Saesneg eu cyfrwng, ugain mlynedd ar ôl ei hagor. Diolch fyth, mae'r sefyllfa'n llawer mwy cyfeillgar erbyn hyn. Rhyw bedwar dosbarth oeddem ni ac ychydig dros gant o blant. Erbyn heddiw, fe dyfodd o leiaf bedair ysgol gynradd arall yn sgil Ysgol Ynys-lwyd ac mae ynddi hithau dros 300 o blant. Ac mae'n amlwg y bydd angen ysgol ychwanegol yn y cwm yn fuan mewn ardal fel Aberpennar, yr unig dref yn y sir sydd heb ysgol Gymraeg.

DYDDIAU YSGOL

Roedd Ysgol Ynys-lwyd yn ysgol hapus iawn ac mae'n siŵr fod hynny wedi creu argraff arnom bob un. Ysgol fach oedd hi y pryd hwnnw yng nghanol y saith degau ond roedd twf addysg Gymraeg yn dechrau cydio o ddifrif a chofiaf fod fy nhad wastad mewn rhyw bwyllgor neu'i gilydd yn trafod yr ymgyrch oedd mor hanfodol i wneud yn siŵr fod digon o le i bawb a oedd yn mynnu addysg cyfrwng Cymraeg yng nghymoedd Morgannwg. Dyma'r cyfnod pryd yr agorwyd ysgol gyfun yng Nghwm Rhymni, ac yn ddiweddarach yn y Cymer, Gwent a Rhyd-y-waun yn Aberdâr. Roedd galw mawr am fwy o ysgolion yn ardal Pontypridd, y Rhondda a Chaerffili.

Os cofiaf yn iawn, roedd cael digon o ystafelloedd yn ein hysgol ni yn Aberdâr yn broblem. Ar y pryd, roeddem yn rhannu iard yr ysgol gyda bechgyn hŷn a oedd yn astudio dan nawdd y Coleg Addysg lleol ac ar wahân i'r ffaith eu bod yn siarad yn Saesneg, roedd eu hiaith yn lliwgar a dweud y lleiaf i glustiau plant oedran ysgol gynradd. Cyndyn oedd y cynghorwyr lleol i sicrhau ein bod yn cael defnydd o'u hadeilad hwy er mwyn hwyluso pethau. Doedd dim llawer o gydymdeimlad â'r awydd i ehangu ond fe lwyddwyd i'w darbwyllo.

Roedd Ysgol Ynys-lwyd wedi cychwyn ym 1949 fel un o'r ysgolion cyfrwng Cymraeg cyntaf. Roedd pobl fel Lilian Davies a'r Parch. Jacob Davies ymhlith eraill wedi bod yn ymgyrchu'n galed i sefydlu un yn Aberdâr ac fe'i hagorwyd yn fuan ar ôl agor ysgol yn Llanelli a thua'r un adeg ag yr agorwyd un ym Maesteg. Roedd hynny yng Nghwmdâr a rhannwyd yr adeilad gyda'r ysgol leol yno. Wedyn fe ddaeth hen ysgol uwchradd yn wag yng nghanol y cwm a symudwyd yr ysgol i adeilad cwbwl anaddas yno – reit ar y ffordd fawr, llawer o risiau a lleithder. Anaddas neu beidio, bu'r Ysgol Gymraeg yno am ddeugain mlynedd hyd nes cael adeilad newydd, 'nôl eto yng Nghwmdâr yn Ionawr 2003. A bod yn onest, dwi ddim yn cofio fod cyflwr yr ysgol wedi cael rhyw ddylanwad negyddol arnom ni'r plant. Roedd safon a brwdfrydedd yr athrawon yn fwy pwysig o lawer. Valmai Higgins oedd y brifathrawes pan oeddwn i yn yr ysgol. Dim ond unwaith y bu rhaid i mi fynd i'w gweld hi a hynny am sefyll o dan ddiferion dŵr yn yr iard am hanner awr nes mod i'n wlyb stecs. Os dwi'n cofio'n glir roedd hi'n ddigon teg wrth ddelio â'r mater; ces dywel ganddi a minnau'n crynu yn fy sgidiau yn disgwyl cael fy niarddel.

Does gen i ddim cof fod pethau wedi bod yn anodd arnom fel disgyblion. Roedd addysg Gymraeg wedi cael ei sefydlu ond fe gyfeirid at ddisgyblion yr Ysgol Gymraeg fel 'Welsh Cakes' o hyd. Yn ein stryd ni, fe fyddai fy mrawd a mi yn chwarae'n ddigon hapus gyda bechgyn a oedd yn mynychu Ysgol Caradog, yr ysgol gynradd leol, Ysgol yr Eglwys neu'r Ysgol Gatholig. Roeddem ni'n byw mewn ardal lle gellid cerdded yn hwylus i unrhyw un o'r pedair ysgol oedd ar gael. Roedd y cyfnod yn un hapus iawn er bod chwarae'n golygu chwarae drwy gyfrwng y Saesneg. Mewn cyfnod ychydig yn ddiweddarach roeddem yn byw yn ddigon agos i rai o ffrindiau ysgol fy mrawd i fedru cael cyfnodau o chwarae pêl-droed yn Gymraeg, er fod Dad yn dal i gwyno am ein gorddefnydd o Saesneg!

Y gŵyn yn lleol oedd taw plant o'r dosbarth canol oedd yn derbyn addysg yn yr Ysgol Gymraeg. Ar un adeg roedd sail i hynny ond erbyn fy nghyfnod i, o edrych yn ôl, roedd ystod gweddol eang o rieni ac ystod eang o blant o amrywiol alluoedd yn bresennol yn fy mlwyddyn i. Roeddem yn ymwybodol iawn taw iaith ysgol oedd Cymraeg, a taw Saesneg oedd iaith y byd y tu allan. Yr unig weithgaredd Cymraeg y tu allan i oriau ysgol oedd yr 'Aelwyd' bob nos Wener yng Nghanolfan yr Urdd. Fe barodd yr 'Aelwyd' am ddwy neu dair blynedd, os cofiaf yn iawn. Roedd fy mrawd a mi'n aelodau gweddol frwd o'r Sgowtiaid. Roedd tad efeilliaid yn nosbarth fy mrawd yn arweinydd y Sgowtiaid ond roedd dealltwriaeth bendant nad oeddem i gymryd rhan yn y Parêd Blynyddol ar ddydd Sant Siôr. Am gyfnod byr, buom yn mynychu gweithgareddau capel Cymraeg yn y dref ond er taw o'r Ysgol Gymraeg roedd y rhan fwyaf o'r plant yn dod, gymaint oedd awch pob capel am aelodau fel y tynnid i mewn blant o gefndir Saesneg hefyd a buan y collwyd y Gymraeg fel cyfrwng y clwb.

Y Gymraeg yn Fyw

Mor bell ag roedd sicrhau fod y Gymraeg yn iaith ehangach nag iaith ysgol yn y cwestiwn, roedd fy mrawd a minnau'n ffodus ein bod yn gallu ymweld yn lled gyson â Cheredigion lle roedd dad-cu yn cadw fferm Cwmllydan, rhyw filltir a hanner y tu allan i bentref Cribyn ynghanol y sir. Yno, roedd cymdeithas Gymreig a Chymraeg waeth i ble bynnag y byddem yn troi a byddai ymweliad â siop y pentref yn rhoi darlun o fywyd y bobol leol a oedd yn cyfathrebu'n naturiol drwy gyfrwng y Gymraeg. Clywem Gymraeg yn cael ei siarad ar strydoedd Llambed ac Aberaeron hefyd ac roedd y profiad yn fodd i ddeall ei bod yn bosib byw'n naturiol heb siarad gair o Saesneg o gwbwl. Erbyn hyn, mae hyd yn oed y pentrefi hynny yn llawn Saeson, a theuluoedd o Ganada, Y Ffindir, Yr Iseldiroedd a Gwlad Pwyl ond mae llawer ohonynt yn gwneud ymdrech arbennig i ddysgu'r iaith ac ymdoddi i'r gymdeithas leol sydd yn ddigon Cymreig o hyd.

Dwi'n meddwl fod gen i dri math o Gymraeg.

1. Cymraeg fy ffrindiau. Rhyw hanner Cymraeg a Saesneg. Y 'Wenglish' 'ma mae pobol yn sôn amdani. Dwi'n arbenigo yn y maes hwn.
2. Cymraeg fy nhad-cu a'r Gymraeg dwi'n siarad â fy nhad. Cymraeg gweddol gywir gyda slant gorllewinol. Mae fy ngwraig yn dal i chwerthin os yw hi'n clywed fy nhad-cu a mi'n siarad ar y ffôn. Un tro pan oedd Dafydd, fy mab, yn ddwy oed, dywedodd wrth ei fam nad oeddwn i'n siarad *Cymraeg* fel hi. 'Rwyt ti'n siarad Cymraeg a ma' Dadi'n siarad Cymrâg', meddai.
3. Cymraeg parchus. Dyma'r iaith fydda i'n siarad os dwi mewn trwbwl. Anghofia i fyth pan ges i fai ar gam un tro gan brifathro Rhydfelen. Fe drodd y sgwrs yn ddadl a'r geiriau mwya rhyfeddol yn llifo o fy nheg a dim syniad gen i o le roedden nhw'n dod.

Yn y cymoedd, roedd yn rhaid dethol a dysgu pwy oedd yn medru'r Gymraeg. Tybiem taw Saesneg oedd iaith pawb ar y stryd ar wahân i ni, athrawon ysgol a nifer fach iawn o'n cydnabod. Mewn awyrgylch o'r fath, anodd oedd gweld gwerth yn yr iaith pan oeddem yn weddol ifanc a rhyw synied taw 'siarad er mwyn plesio' a wnaem yn aml iawn. Roedd profiad ein cyfoedion o gartrefi hollol ddi-Gymraeg yn ganwaith gwaeth wrth gwrs ac mae'n rhyfeddod fod cynifer ohonynt wedi cadw'u Cymraeg er gwaethaf y cefndir ieithyddol Saesneg oedd o gwmpas, ac er gwaethaf ymdrech ambell lais gweddol uchel oedd yn dal i gyhoeddi taw anfantais fawr oedd dysgu dwy iaith ar yr un pryd. Syndod yw deall faint o bobl sydd o'r un farn heddiw. Clywais un fam yn esbonio nad oedd hi'n siarad Cymraeg â'i phlentyn am fod y tad yn ddi-Gymraeg; athrawes mewn ysgol gynradd Gymraeg oedd hon.

Pan aethom i Ysgol Gyfun Rhydfelen, gwelsom fod angen rhoi tipyn mwy o bwyslais ar siarad Cymraeg â'n cyfoedion ac os clywid chi'n siarad Saesneg fe allech fod mewn tipyn o drwbwl. Cofiaf athro yn dweud ar un adeg taw dewis siarad Saesneg oedd ffordd disgyblion Rhydfelen o gicio yn erbyn y tresi, yn hytrach na dewis ffyrdd mwy traddodiadol a welid mewn ysgolion eraill ar y pryd. Dwi'n ansicr o strategaeth gaeth Rhydfelen ar y pryd o wthio'r Gymraeg ac rwyf wedi clywed yr un peth gan nifer o'm cyd-ddisgyblion yn ddiweddar. Mae natur llefaru yn beth greddfol iawn a dwi'n ei chael hi'n anodd derbyn fod bai ar blant a oedd yn ansicr eu Cymraeg am siarad Saesneg o dro i dro. Ar y pryd roeddwn i'n cytuno â'r drefn, a siaredais i ddim gair o Saesneg â'm cyd-ddisgyblion am saith mlynedd y tu fewn, na thu allan i'r ysgol. Er mor anodd oedd hyn ar brydiau, rwy'n dal i amau y gellir cosbi'n rhy hallt am beidio siarad Cymraeg a hynny'n arwain at ddadrithiad pellach ynglŷn â'r iaith.

Roedd rhai o athrawon Rhydfelen er hynny'n ymdrechu'n daer i sefydlu'r Gymraeg yn dafod leferydd y plant. Roedd y Cwrs Haf a gynhelid yn ystod gwyliau'r haf yn gwrs preswyl a byddai nifer o athrawon yn rhoi pythefnos o wyliau i fyny er mwyn ei gynnal yn yr ysgol. Roedd yn hwyl anferth. Roedd yr ysgol wedi prynu hen ysgol Cwrtycadno yn sir Gaerfyrddin a byddai cyfle i blant yn eu tro fyw ymhlith y Cymry lleol. Roedd Sioeau Cerdd Rhydfelen yn enwog dros ardal eang a channoedd o blant yn cymryd rhan ynddynt. Roedd ymweliad blynyddol ag Eisteddfod yr Urdd yn hwyl hefyd, yn enwedig pan oeddem yn ennill – yn wir, anaml y byddem yn colli yr adeg honno!

Ysgol Gyfun Rhydfelen. *(Trwy garedigrwydd y Pennaeth)*

Yn yr ysgol honno y dechreuodd fy mrawd a minnau siarad Cymraeg yn naturiol â'n gilydd, er mawr ryddhad i'n rhieni. Yn y garej yn chwarae dartiau yr oeddem ni a gwnaethpwyd penderfyniad i siarad Cymraeg â'n gilydd. Mae'n dipyn o gamp i newid iaith siarad i Gymraeg pan ydych yn byw mewn cymdeithas sydd i bob pwrpas arall yn Saesneg ond fe drodd iaith lafar Aberdâr o fod yn 80 y cant yn Gymraeg ym 1902 i fod yn 80 y cant yn Saesneg ymhen rhyw saith deg o flynyddoedd. Mae ystadegau o'r fath yn gallu codi ofn arnoch.

Dim ond un anfantais fawr oedd i fod yn ddisgybl yn Ysgol Rhydfelen a hynny oedd y ffaith fod popeth yn mynd ymlaen ym Mhontypridd. Agorwyd Clwb y Bont ac yn ein harddegau cofiaf inni dyrru yno ar nos Sadwrn a nosweithiau o'r wythnos gan taw yno roeddem yn cyfarfod fel criw o'r ysgol. Anaml iawn erbyn hyn roeddem yn ymwneud â phethau lleol yn Aberdâr ac yn sicr doedd dim byd yno yn Gymraeg yn ein denu.

Erbyn hyn, mae ysgol gyfun ar gyrion Aberdâr ac rwy'n gobeithio fod mwy o gyfle i'r disgyblion i gymdeithasu a chael hwyl yn eu hardal enedigol ond ofnaf fod tipyn o ffordd i fynd cyn y gwelir hynny'n digwydd. Mae twf rhyfeddol yn nifer y rhai sy'n mynychu

Ysgolion Cymraeg yn y de-ddwyrain ond y mae perygl mawr y gellir colli hyd at hanner y nifer os nad oes cyfle iddynt wario eu hamser hamdden drwy gyfrwng y Gymraeg yn ystod amser ysgol ac, yn bwysicach, ar ôl gadael yr ysgol a dod o hyd i waith yn lleol. Y perygl o hyd yw fod llawer yn ymadael â'r cwm hwn, fel cymoedd eraill y de, ac yn ymsefydlu mewn mannau eraill lle mae'r Gymraeg yn iaith fyw iddynt. Efallai fod gan y Cynulliad gyfle i wneud llawer mwy dros gadw'r iaith yn fyw yng nghymoedd y de, nid ar lefel ysgolion yn unig ond ar lefel clybiau a gweithgareddau Cymraeg ar gyfer pobl yn eu hugeiniau a'u tri degau. Rhaid i mi gyfaddef fy mod i'n gorfod teithio i Gaerdydd o hyd er mwyn cymdeithasu yn Gymraeg a bach iawn yw'r cyfleusterau'n lleol ar gyfer unrhyw oedran ar ôl oedran ysgol.

Cofiaf yn dda am y tro cyntaf i mi ymadael â Chwm Cynon a mynd fel myfyriwr i'r brifysgol yn Kingston on Thames ac yna i Goleg Cerdd y Guildhall. Dyna pryd y sylweddolais y gwahaniaeth rhyngom ni yn y cymoedd a'r gweddill. Roedd pob unigolyn wedi dod â'i gefndir ganddo a rhyw gawl o ddiwylliant yn cael ei greu ohonom. Roedd pennaeth yr Adran Gerdd yn dod o Siapan ac yn hynod gefnogol i fyfyrwyr tramor a myfyrwyr nad oedd y Saesneg yn iaith gyntaf iddynt. Penderfynais fod gen innau hawl i gymryd fy nodiadau yn Gymraeg a chyflwyno fy nhraethawd ymchwil cyntaf ar ragoriaethau Cerdd Dant. 'Quaint' oedd y gair a ddefnyddiodd y tiwtor ar y pryd a chefais 'A' am fy nhrafferth. Rhaid imi gyfaddef cyn mynd ddim pellach nad wyf mewn unrhyw ffordd yn awdurdod ar Gerdd Dant ond dwi ddim yn meddwl fod y tiwtor chwaith.

Dyma'r cyfnod pan atgoffwyd ni fod chwarter y dynion o oedran gweithio yng Nghwm Cynon yn ddi-waith. Gwelais wahaniaeth mawr rhwng bwrlwm y de-ddwyrain a diffyg gobaith y cymoedd. Roedd yna ochr fwy tywyll i'r cymoedd hefyd gyda mwy a mwy o arwyddion dirywiad yn safon y siopau lleol a mwy yn dibynnu ar arian lles oddi wrth y Llywodraeth. Caewyd Siop y Co-op, dymchwelwyd adeilad mawr ynghanol y dref a'r unig bwll glo ar ôl oedd Pwll y Tŵr. Yn sgil y tlodi a'r anobaith mae effaith alcohol i'w weld hyd heddiw, mae cyffuriau'n llifo i mewn ac mae'r duedd i fyw heb barchu'r dref a'i thrigolion yn cynyddu. Erbyn hyn, mae llawer o bobol ifanc wedi gorfod ymadael â'r cymoedd i chwilio am waith ac anaml iawn y dychwel myfyrwyr o'r colegau gan nad oes gwaith addas ar eu cyfer. Mae hynny wedi creu bwlch a'r teimlad nad oedd y ddysgl mor wastad ag y dylai fod.

Rhyw hanner can mlynedd yn ôl a chyn hynny roedd y capeli Cymraeg yn chwarae rhan amlwg i gadw'r iaith Gymraeg yn fyw yn ardal Aberdâr. Roedd cryn hanner cant o gapeli bywiog a gweithgar ond erbyn hyn fe gaewyd dros ddeg ar hugain o gapeli Cymraeg, un ar ôl y llall, gan gynnwys un eglwys Gymraeg ei hiaith. Ar y safle honno fe geir canolfan ar gyfer yr henoed a hyd yn oed yno prin yw'r defnydd o'r Gymraeg.

Mae'r capeli Cymraeg eu hiaith bob un yn gwanychu a'u dylanwad yn lleihau. Hyd yn oed pan wneir ymdrech i gael sefydliadau crefyddol yr ardal i weithio gyda'i gilydd, mae digon o enghreifftiau wedi bod o osgoi gwahodd y capeli Cymraeg oherwydd fod hynny yn ei dro yn rhwystro uno. Gorfodwyd mudiad Diwrnod Gweddi Byd-eang y Merched i gynnal gwasanaeth Cymraeg ar wahân oherwydd fod yna anghytuno ar faint o Gymraeg y dylid ei ddefnyddio. Mewn rhai corneli o'r cwm fe geir gwrthwynebiad i'r Gymraeg o hyd er fod y sefyllfa'n llawer iachach ar draws y boblogaeth.

Mae pobol yn dal i siarad o hyd am gyngherddau a oedd yn cael eu hyrwyddo gan y gwahanol gapeli, i gyd bron yn cynnal eu gweithgareddau cerddorol eu hunain ac yn perfformio oratorio unwaith neu ddwy y flwyddyn. Erbyn hyn fe geir Côr Ebeneser yn Nhrecynon a Chôr Unedig Aberpennar – dau gôr a oedd yn arfer bod yn nhraddodiad yr oratorio. Yn ychwanegol, fe geir Côr Meibion Cwm-bach, Côr Merched Cymraeg a Chôr Plant yng Nghwmaman a Chôr Meibion ar waelod y cwm yn Abercynon. Ond mae'r cwm yn llawer mwy adnabyddus erbyn hyn am lwyddiant y 'Stereophonics' o ardal Cwmaman. Yn sgil hynny, sylwais fod pobol ifanc yn fwy balch o'u cwm. Dyna sydd ar goll yn y cwm efallai; dim digon i fod yn browd ohono.

Yng nghyfnod ysgol uwchradd a chyfnod coleg fe sefydlais i a'm brawd a Richard Laszlo, fand a gyrhaeddodd y Siartiau Cymraeg am sbel fach. Cawsom lawer o hwyl yn mynd i wahanol fannau yng Nghymru, creu tair neu bedair record gan Gwmni Fflach yn Aberteifi a theithio gyda'r holl offer ar draws y wlad er mawr ofid i'n rhieni. Ein bwriad oedd creu adloniant yn Gymraeg ar gyfer pobl ifanc ac roedd S4C yn gefnogol i grwpiau o'r fath ar y pryd ac yn hybu eu

'Ail Gyfnod'.

hymdrechion drwy raglenni megis *Fideo 9* a *Y Bocs*. Roedd dwsinau o blant fy mlwyddyn i yn gwylio *Fideo 9* ar y pryd. Wn i ddim faint o danio ar yr ysbryd Cymreig wnaethon ni ond fe gawson ni ddigon o hwyl a gwneud llawer o ffrindiau ar hyd y ffordd. Er inni deithio dros rannau helaeth o Gymru i berfformio dros gyfnod o bum mlynedd, dwi ddim yn cofio inni chwarae yng Nghwm Cynon gymaint ag unwaith.

Tyfiant y Boblogaeth

Mae'n debyg taw ardal Aberdâr yw un o'r ardaloedd sy'n tyfu gyflymaf o ran poblogaeth yn sir Rhondda Cynon Taf. Er hynny, prin iawn yw'r enghreifftiau o unigolion a theuluoedd Cymraeg yn symud i mewn. Bellach fe ddaw mwy a mwy o Loegr i brynu tai yma oherwydd eu bod yn llawer rhatach yn yr ardaloedd hyn. Gellir cael tai sylweddol yma am tua deugain mil o bunnoedd tra bod tai tebyg yng Nghaerdydd o leiaf deirgwaith y pris. Dydy hi ddim yn amhosib teithio i Gaerdydd yn ddyddiol ac mae mwy a mwy o'r trigolion yn gwneud hynny – datblygiad sydd yn ei dro yn cael effaith andwyol ar fywyd cymdeithasol yr ardal oherwydd nad oes amser wedyn i wneud llawer gyda'r hwyr. Mae gogledd y cwm yn gyfleus i ffordd Blaenau'r Cymoedd a'r A470, a gellir teithio'n hawdd i Gaerdydd, Abertawe, Y Fenni neu i ardal Aberhonddu. Dwi o'r farn y bydd mwy a mwy yn ymgartrefu yn y cwm yn y blynyddoedd sydd i ddod. Rhaid imi ofyn ai oherwydd prisiau tai yr ydw i'n byw yma heddiw? Dwi'n byw mewn hen ficerdy hyfryd a byddwn yn lwcus i gael tŷ teras a thair ystafell wely ynddo yng Nghaerdydd am yr un pris.

Un gŵyn a glywir yn feunyddiol yw ei bod yn anodd dechrau gweithgaredd mewn unrhyw iaith yn yr ardal oherwydd diffyg diddordeb pobol iau. Er hynny, rhaid nodi fod Côr Merched Cymraeg o dros ddeugain o leisiau wedi ei sefydlu yma'n ddiweddar a bod

Aberdâr. *(Patricia Aithie)*

sefydliadau fel Menter Iaith Rhondda Cynon Taf yn llwyddo i dreiddio i mewn a chael ymateb o rai cyfeiriadau, er mai araf yw'r ymateb hwnnw. Mae hyd yn oed y Clwb Rygbi lleol, sy'n boblogaidd iawn, yn cael trafferth i ddenu digon o bobol sy'n fodlon derbyn y cyfrifoldeb o weinyddu a rhedeg y Clwb.

O'r herwydd, y mae'n anodd iawn i bobol ifanc gael yr amrywiaeth o weithgareddau sydd o ddiddordeb iddynt. Rhaid canolbwyntio'n galed iawn i gael digon o weithgareddau yn lleol er mwyn osgoi mynd i Gaerdydd, lle ceir rhywbeth ar gyfer pawb a lle gellir defnyddio'r Gymraeg yn unig. Dyw'r sefyllfa honno ddim yn bod yn y cymoedd ac mae angen help ariannol i sicrhau fod modd ei chreu. Amcangyfrifir fod yma saith mil o siaradwyr Cymrag yn y cwm, ond dyw'r rhwydwaith a allai ein tynnu at ein gilydd ddim yn bod eto.

Clochdar

Un peth yr wyf i'n bersonol ynghlwm ag e yw'r papur bro. *Clochdar* yw ei enw ac fe'i sefydlwyd 'nôl ym 1988. Roedd ystadegau'r Cyfrifiad ym 1991 yn dweud fod tua saith mil o bobol yn siarad Cymraeg yng Nghwm Cynon, felly dylai fod yma ddigon i gynnal papur bro yn weddol rwydd. Roedd gan y Rhondda ac ardal Pontypridd eu Papurau Bro nhw yn barod ac fe aed ati i weld faint o ddiddordeb oedd yng Nghwm Cynon. Awgrymwyd yr enw *Clochdar*. Mae iddo ystyr deublyg – clochdar a chloch Dâr.

Fe gymerais i ddiddordeb yn y papur pan ddaeth yn bosib i'w baratoi ar gyfrifiadur a chan fy mod yn treulio tipyn o amser yn gweithio gyda chyfrifiaduron ymddiriedwyd y gwaith o osod a threfnu i mi. Cyn hynny, wrth gwrs, fe gaed pobol yn ymgasglu i ludio'r colofnau yn eu lle – proses flinderus ac anniben. Rhaid cyfaddef ei bod yn anodd ar brydiau i gael digon o ddeunydd ar gyfer rhifyn pob mis, yn enwedig deunydd sy'n bodloni ystod eang o ddiddordebau ac oedran. Ceisir cynnwys newyddion o'r pentrefi, o'r ysgolion Cymraeg, gan fudiadau fel y Fenter Iaith a hefyd ambell ysgrif ar arddio, chwaraeon a defnyddiau ar gyfer plant.

Yn wahanol i ardaloedd fel Caerdydd a hyd yn oed Pontypridd, bach iawn yw nifer y bobol sy'n symud o ardaloedd Cymraeg i Gwm Cynon. Y duedd yw teithio i fyny'r cwm i weithio ac yna fynd yn ôl eto. O'r herwydd mae'r nifer sy'n ddigon hyderus i ysgrifennu yn Gymraeg yn llawer llai a rhaid dibynnu ar nifer fach iawn o bobol er mwyn cadw'r papur i fynd. Er hynny, llwyddwyd i gyhoeddi'n weddol reolaidd ers pedair blynedd ar ddeg ac mae'r papur bro yn fodd i lawer iawn gael cyfle i ddarllen Cymraeg yn rheolaidd a llawer ohonynt yn cael yr unig gyfle i wneud hynny. Felly, pan fyddwn yn teimlo weithiau fod y baich yn drwm, fe gofiwn am y bwlch a fyddai pe na chyhoeddid y papur o gwbwl.

Ar hyn o bryd, pen uchaf y cwm sy'n cyfrannu a derbyn y papur gan mwyaf, yn enwedig ardaloedd fel y Rhigos, Hirwaun, Trecynon, Llwydcoed, Aberaman, Abercwmboi, Cwm-bach, Aber-nant a'r dref. Mae cyfle i ehangu i gyfeiriad gwaelod y cwm i ardaloedd Aberpennar, Penrhiw-ceiber ac Abercynon. Diddorol yw canfod fod pen uchaf y cwm yn dal i fod yn fwy Cymraeg nag ardal fel Aberpennar, er bod nifer y rhai sy'n danfon eu plant i'r ysgolion Cymraeg rywbeth yn debyg o bob ardal gydag ambell bentref o hyd yn dal yn deyrngar i'w hysgol gynradd leol.

Yn ddiau, ysbryd Cymreig sy'n teyrnasu yng Nghwm Cynon, fel yng nghymoedd eraill y de-ddwyrain. Mae peth tystiolaeth fod rhai teuluoedd o wledydd eraill yn dechrau prynu tai yma oherwydd eu bod yn dal yn rhad ond dyw'r effaith ddim i'w weld hyd yn hyn. Er taw i Gaerdydd mae'r dynfa, mae digon o atyniadau'n lleol ar gyfer y rhan fwyaf o bobol gan gynnwys canolfan hamdden, meysydd chwaraeon, pwll nofio a chanolfannau ar gyfer ieuenctid yn y dref. Mae yma ganolfan siopa ddeniadol a rhywfaint o ddiwylliant yn y Coliseum, Trecynon ac yng Nghwmaman lle mae dwy theatr fodern ac eang. Mae'r Theatr Fach yn cynhyrchu dramâu ac mae parc hardd ar ochr y dref a pharc gwledig uwchben y dref sy'n rhoi digon o gyfle i gerdded a mwynhau awyr iach. Ac mae amgueddfa newydd agor i'n hatgoffa am y bywyd a fu yn y cwm gynt.

Serch hynny, prin yw'r defnydd o'r Gymraeg yn unrhyw un o'r sefydliadau hyn, ar wahân i'r sefydliadau a weinyddir gan y Cyngor, a cheir y teimlad nad yw bod yn falch o'u Cymreictod wedi cydio yn ddigon tynn hyd yma. Mae Menter Iaith Rhondda Cynon Taf wedi agor dwy swyddfa yn y dref bellach a gwneir ymdrech i geiso sefydlu gweithgareddau mwy Cymreig eu naws. Ond mae tipyn o ffordd i fynd eto.

Un ffactor sy'n rhwystro hyn i raddau yw taw cyfres o bentrefi a threfi yw Cwm Cynon ac mae'r teimlad o fod yn perthyn i bentref fel Cwmaman, Hirwaun neu Abercwmboi yn gryfach na'r teimlad o berthyn i gymuned y cwm. Gyda rhywfaint o fewnfudo'n digwydd, pwy a ŵyr na chawn ymdeimlad cryfach o fod yn perthyn i Gwm Cynon ac fe allai hynny gryfhau safle'r Gymraeg ar yr un pryd. Rhaid i bob un ohonom ymdrechu.

Dysgodd yr oes a fu lawer inni am weithgareddau buddiol ym myd diwylliant, addysg a chwaraeon. Cawsom arloeswyr balch eu hymdrech ym myd y gân. Bu yma feirdd a oedd yn byw i farddoni a llenydda a gwleidyddion a oedd yn gwthio'r cwch i'r dwfn ac yn cael cefnogaeth y werin leol. Does dim rheswm pam na ellir ailgynnau'r fflam. Yng Nghaerdydd, un o'r canolfannau mwyaf poblogaidd sy'n tynnu pobol ifanc iddi yw Canolfan y Chapter. Yno rhoir cyfle i flasu diwylliant o bob math mewn adeilad sy'n hwyluso cymdeithasu cyffyrddus a diogel mewn man canolog a chyfleus. Mae yno sinema, bar, theatr, man arddangos a bwyty, a'r cyfan yn cael ei redeg a'i ariannu gan y Cyngor lleol. Er nad canolfan uniaith Gymraeg yw'r 'Chapter', eto mae'n rhoi cyfle i weithgareddau Cymraeg gydredeg â gweithgareddau Saesneg. Dyma sydd ei angen mewn tref fel Aberdâr. Fe fyddai'n wahanol i'r hyn y gellir ei gynnig yn y Coliseum neu yn Neuadd Cwmaman. Yr hyn sydd ei angen yw gweledigaeth ac ychydig o ysbryd antur a dealltwriaeth o'r hyn mae pobol ifanc yn ei chwennych, ac rwy'n siŵr fod yna ddigon yn sychedu amdano.

Gyda'r Gymraeg yn fwy cyffredin ar wefusau'r plant, cefnogaeth i bobol ifanc ddefnyddio'r Gymraeg yn eu horiau hamdden ac yn eu gwaith, cyfle i bobol hŷn ddeall fod defnyddio'r Gymraeg yn fuddiol, a digon o ddosbarthiadau yn dysgu'r iaith i bob oedran, fe geir haul ar fryn eto cyn bo hir. Yn sicr, mae'r ewyllys yn llawer mwy bywiog a'r arfer o ladd ar y Gymraeg yn llawer llai amlwg bellach. Fy ngobaith i, yn yr hir dymor, yw y gallaf fyw bywyd trwy'r Gymraeg yng Nghwm Cynon fel yr wyf yn ei wneud yn fy ngwaith yn barod.

Nid byw yma am fod tai yn rhad yr ydw i, ac nid am fod saith mil o bobol yn siarad Cymraeg yma, ond am na fedrwn ddychmygu byw yn unlle arall – ar wahân i Gaerdydd efallai!

Gyda llaw – pwmpen yw 'pumpkin'.

Cwm Llynfi

CERI ANWEN JAMES

Wrth sôn am ei magwraeth yng Nghwm Llynfi, soniodd Norah Isaac am y teimlad cynnar yn y Caerau ei bod '. . . hi a'i brawd yn 'Welshies' bach yng nghanol eu cyfoedion'.[1]

Yn ystod y 1920au yr oedd hynny, cyn dyfodiad unrhyw ysgol Gymraeg i sicrhau addysg i Gymry Cymraeg yr ardal drwy gyfrwng eu mamiaith. Dri chwarter canrif yn ddiweddarach rydym wedi dathlu hanner canmlwyddiant yr ysgol gynradd Gymraeg ym Maesteg, ond mae'r teimlad hwnnw o ddiffyg perthyn yn parhau hyd heddiw ymhlith disgyblion y cwm.

Afraid dweud fod rhagluniaeth ar brydiau yn creu patrymau hynod gymhleth fel bod unigolion ar drugaredd pob math o ddylanwadau diddorol a phellgyrhaeddol. Ar yr un pryd, mae atgofion a phrofiadau bore oes yn mynnu lle hefyd mewn unrhyw raglen bersonol o ran gyrfa a gweledigaeth. Ymhen rhai blynyddoedd, roedd Norah Isaac yn un a fu'n ceisio gwneud iawn yn hanes plant eraill am yr hyn a oedd ar goll yn ei magwraeth hi a'i brawd yn y Caerau. Dan ddylanwad Syr Ifan ab Owen Edwards, daeth Norah Isaac yn brifathrawes ar yr Ysgol Gynradd Gymraeg gyntaf yn Aberystwyth cyn symud yn ddiweddarach i Goleg y Barri. Ac eto, er mai mewn cymuned arall y gwireddwyd ei breuddwyd hi, roedd dylanwad Syr Ifan yn y man yn mynd i ad-dalu'r gymwynas a wnaed gan yr athrawes alltud a ddysgasai werth iaith a diwylliant yn ei dyffryn genedigol, cyn gadael y Caerau i dderbyn addysg prifysgol.

Ryw hanner canrif cyn gweld unrhyw ddarpariaeth addysgol Gymraeg yn ardal Maesteg, bu O. M. Edwards yn ymweld â phentref Llangynwyd; cofnodir ei hanes yn cyrraedd gorsaf Llangynwyd Isaf ac yn ymlwybro i fyny'r bryn i'r pentref uwchlaw ar fore gaeafol braf. Ei nod oedd cwrdd â Cadrawd (T. C. Evans) a fu'n cyfrannu erthyglau i rai o gyfnodolion Owen Edwards ac a oedd yn gryn awdurdod ar hanes a thraddodiadau ei gynefin. Cafodd dywysydd wrth ei fodd a manteisiodd Owen Edwards ar y cyfle mewn ysgrif ddiweddarach i olrhain hanes rhai o enwogion yr ardal a fu'n destun sgwrs rhyngddo a Cadrawd. Mewn cyfnod pan fyddai ysgolion, i raddau helaeth, yn anwybyddu hanes a diwylliant Cymru a'r iaith, gwelodd Owen Edwards yr angen am ddiwygiad addysgol a gwelodd werth cyfraniad arbennig haneswyr lleol fel Cadrawd. Fel hanesydd proffesiynol a golygydd, bu'n cefnogi a hybu ysgolheictod di-goleg a bu ei gefnogaeth o'r pwys mwyaf. Ond er gwaethaf ymdrechion cynharach addysgwyr megis Owen Edwards, ymddengys fod sefyllfa'r Gymraeg yng Nghwm Llynfi erbyn diwedd pedwar degau'r ganrif yn peri pryder i gefnogwyr yr iaith. Roedd cyfundrefn addysg hollol Saesneg ei phwyslais wedi gadael ei hôl ac roedd perygl fod cymdeithas y capel a fu'n cynnal yr iaith am flynyddoedd lawer yn dechrau colli gafael ar drwch y boblogaeth. Y gofid bellach oedd bod cenhedlaeth newydd o blant yn codi na allai ddilyn oedfaon Cymraeg. Roedd y sefyllfa yn wir her i holl gefnogwyr yr iaith ac yn arbennig i gapelwyr Cymraeg eu hiaith.

Sefydlwyd 'Pwyllgor yr Ysgol Gymraeg, Maesteg', cam hynod bwysig yn hanes yr iaith yn y cwm, a hynod ddiddorol ac arwyddocaol yw cofnodion y cyfarfod a gynhaliwyd ddydd Iau, 17 Chwefror 1949. Roedd Norah Isaac wedi gadael ei chartref yn y Caerau i gefnogi'r achos yn Aberystwyth; bellach dyma'r rhod wedi troi. 'Cawsom y fraint,' meddai'r cofnodion, 'o ennill diddordeb Syr

Dosbarth o blant yn 1954.
(Fy nhad yw'r olaf ond un ar y dde yn y cefn).

Ifan ab Owen Edwards yn ein hymdrech, a bu'n garedig yn dod i lawr i drafod rhai materion gyda ni.' Hanner canrif ar ôl i'w dad gefnogi Cadrawd mewn dull mor garedig ac ymarferol er mwyn hybu astudiaeth o hanes lleol, dyma Syr Ifan, y mab, y tro hwn yn ymweld â'r cwm er mwyn cynnig cyngor ar bwnc a oedd mor dyngedfennol bwysig. Mewn sefyllfa o'r fath, mae derbyn sêl bendith a chefnogaeth allanol gan unigolion o statws a gweledigaeth mor hanfodol bwysig er mwyn creu diddordeb a sicrhau cefnogaeth. Yn ddiau, dyma fan cychwyn ymgyrch a oedd i effeithio mewn dull sylfaenol iawn, ar statws yr iaith yn y cwm, ac ar batrymau addysgol am genedlaethau i ddod. 'Siaradodd Syr Ifan,' meddai'r cofnodion ymhellach, 'gan awgrymu ffordd i ni ymlwybro yn y dyfodol.' Cyfeirir yn naturiol at Ysgol Lluest yn Aberystwyth a'i awgrym oedd y dylid 'agor ysgol breifat dros dro, hyd nes yr agorid ysgol o dan y Bwrdd Addysg'. Dyna ddechrau ymgyrchu, felly, ar gyfer agor ysgol Gymraeg yn y cwm, datblygiad a fyddai'n fodd i atal y dirywiad ieithyddol a welid yn cyflym ledaenu ymhlith cenhedlaeth newydd o bobl ifainc nad oedd ganddynt unrhyw gysylltiad â'r iaith Gymraeg.

Mae cyfnod o ymgyrchu a chenhadu'n dueddol o greu ei fomentwm ei hun a gall hynny, wrth gwrs, olygu anwybyddu anfanteision a gwendidau'r sefyllfa yn ei hanfod. Pan fabwysiadwyd yr ysgol Gymraeg gan yr Awdurdod Addysg, peth naturiol oedd sôn am fuddugoliaeth ac am wawr newydd yn hanes addysg Gymraeg. Y gwir amdani, fodd bynnag, oedd mai cam cyntaf oedd gweld sefydlu ysgol gynradd Gymraeg yn Nantyffyllon ger Maesteg, a bod rhaid i'r genhedlaeth gyntaf o ddisgyblion symud ymlaen i dderbyn addysg uwchradd drwy gyfrwng y Saesneg, a dilyn gwersi ail-iaith yn y Gymraeg, ar wahân i'r cyfnodau hynny pan fyddai modd i athrawon cefnogol glustnodi amser ychwanegol gwirfoddol i ddarparu gwaith ychwanegol. Yn hwyrach, pan sefydlwyd ysgolion uwchradd Cymraeg o'r diwedd, bu disgyblion Cwm Llynfi yn arbennig o anlwcus wrth orfod teithio ymhell o'u cynefin i dderbyn addysg cyfrwng Cymraeg. O ganlyniad, ychydig o gyfle a gafodd plant Cwm Llynfi erioed i gymdeithasu â chyd-ddisgyblion ar ôl oriau ysgol ac ychydig o gyfle i gyfathrebu yn Gymraeg.

Ar y llaw arall, pan sefydlwyd yr ysgol Gymraeg yn wreiddiol, gwnaethpwyd ymgais deg i greu cymuned Gymraeg o fewn y cwm drwy gyfrwng cyfres o weithgareddau penodol, drwy gyfrwng Eisteddfod Gŵyl Dewi wedi'i threfnu gan Tŷ'r Cymry (Cymdeithas Gymraeg y Cwm), eisteddfodau mewn capeli, cymanfaoedd canu, nosweithiau llawen a chyngherddau. Pan nad oedd y teledu wedi cydio, a phan oedd capeli'r cwm gymaint yn fwy llewyrchus, roedd cynnal gwahanol weithgareddau yn llai o her wrth fod llawer mwy o gefnogaeth gymunedol i bob math o weithgaredd. Erbyn hyn bu trai ar bob math o weithgaredd cymdeithasol yn y ddwy iaith, a hynny mewn cyd-destunau crefyddol a seciwlar. Yr eironi bellach yw bod addysg uwchradd ar gael drwy gyfrwng y Gymraeg ond bod yr amrywiaeth gyfoethog o weithgareddau cymdeithasol wedi peidio â bod i raddau helaeth. Cydnabod hynny sydd wedi sbarduno sefydlu'r gwahanol fentrau iaith mewn nifer o ardaloedd, o sylweddoli nad oedd modd i ddisgyblion yr ysgolion Cymraeg gymdeithasu drwy gyfrwng y Gymraeg. Natur yr her sydd wedi newid wrth fod amodau cymdeithasol yn peri i gefnogwyr yr iaith ystyried tactegau newydd ac er mai Cwm Llynfi sydd dan ystyriaeth mae'n amlwg ddigon mai'r un yw'r her mewn cynifer o gymunedau ledled de Cymru.

Ysgol Gynradd Gymraeg Cynwyd Sant, wedi'i lleoli bellach yn nhref Maesteg, yw cartref addysg Gymraeg yn y cwm erbyn hyn. Mae'r ysgol yn fôr o Gymreictod a phrofa'r disgyblion gwricwlwm eang ac amrywiol drwy gyfrwng y Gymraeg. Lleolir yr ysgol mewn hen adeilad a etifeddwyd wedi i Ysgol Gyfun Maesteg, yr ysgol Saesneg leol, sicrhau estyniad newydd sbon i'w safle yn Llangynwyd. Adeilad ail-law, felly, fel a geir yn hanes cynifer o ysgolion Cymraeg y de-ddwyrain, ond rhaid cyfaddef, am unwaith, fod hwn yn gartref sylweddol a braf i addysg gynradd Gymraeg y cwm. Wedi cyrraedd pen eu taith drwy'r ysgol gynradd, mae disgyblion Ysgol Cynwyd Sant yn mynd yn eu blaenau i Ysgol Gyfun Llanhari lle cânt barhau ag addysg Gymraeg gyflawn. Ar hyd y blynyddoedd, mae disgyblion uwchradd Cwm Llynfi wedi eu cynnwys yn nalgylchoedd gwahanol ysgolion uwchradd. Yn y dyddiau cynnar teithient i Ysgol Gyfun Rhydfelen, taith o ryw ddwyawr y dydd ar y bws. Yn ddiweddarach fe'u hanfonid i Ystalyfera, taith a oedd gyhyd, ond er 1974 mae'r daith yn llai, a chaiff y disgyblion eu hebrwng ar fws i Lanhari, allan o gwm eu mebyd, heibio i Ben-y-bont ar Ogwr ac i'r ffin rhwng blaenau a bro Morgannwg. Mewn gwirionedd, mae'r daith hir i

Ysgol Gynradd Cynwyd Sant, Maesteg, heddiw.

sicrhau addysg uwchradd Gymraeg i bobl ifainc Cwm Llynfi wedi bod yn faen tramgwydd erioed. Mawr yw'r edrych ymlaen at agor Ysgol Gyfun Gymraeg yn y cwm ym mis Medi 2005, pan fydd disgyblion Cwm Llynfi, o'r diwedd, yn medru treulio mwy o amser yn eu gwelyau bob bore.

Treuliais brynhawn yn holi pobl ifainc Cwm Llynfi, disgyblion chweched dosbarth yn Llanhari, am bob math o agweddau ar eu bywydau er mwyn rhoi blas cyfoes ar y pwt hwn. Dychwelai testun eu taith fws i'r ysgol drachefn fel *leitmotiv* neu thema gyson i'n sgwrs. Amcangyfrifai un o'r merched ei bod yn treulio bron i fis o'i bywyd bob blwyddyn ar y bws yn cyrraedd Llanhari, ac roedd yn argyhoeddedig y byddai hi wedi gwneud gwell defnydd o'i hamser pe na byddai ei rhieni wedi penderfynu ar addysg Gymraeg iddi. Roedd y mwyafrif o'r criw yn anghytuno'n llwyr â hi, ac roeddent yn argyhoeddedig ei bod hi'n werth codi'n blygeiniol i dderbyn yr addysg ar ddiwedd y daith fws. Credant fod dyfodol mwy llewyrchus o'u blaenau hwy na'u cyfoedion sy'n derbyn addysg Saesneg yn y cwm. Ystyriai rhai ohonynt fod y daith ddyddiol y tu hwnt i'r cwm yn rhoi iddynt weledigaeth ehangach ar fywyd gan eu bod yn cymysgu gyda disgyblion o ddalgylch ehangach a mwy amrywiol ei natur. Ond, ar yr un pryd, a dyma ddychwelyd at sylw Norah Isaac ar ddechrau'r erthygl hon, dywedodd ambell un fod y ffaith nad oeddent yn derbyn eu haddysg ym Maesteg yn gwneud iddynt deimlo fel allanolion yn eu cymunedau eu hunain. Byddai'r siwrnai i'r ysgol Saesneg yn Llangynwyd wedi eu galluogi i adnabod mwy o bobl ifainc o'r un oedran o fewn y cwm.

Oherwydd lleoliad Llanhari mewn bro a chymuned wahanol, cymuned ac iddi ei hetifeddiaeth a'i hanes lleol ei hunan, mentrais grybwyll efallai nad oedd y disgyblion wedi eu trwytho yn yr hanes lleol sy'n benodol i Gwm Llynfi, a bod hyn, o bosibl, yn ychwanegu at yr ymdeimlad o ddiffyg perthyn i'w cymuned gynhenid. Hyd yn hyn, roedd y criw wedi bod yn lled dawel a chyndyn i ymateb, ond yn sydyn, agorwyd y llifddorau. Mynnwyd gan y disgyblion fod hanes yr ardal ynghlwm wrth yr iaith Gymraeg. Y Gymraeg, meddent, oedd yr allwedd i hanes a diwylliant yng Nghymru, ac roedd yr addysg yn Llanhari wedi cynnig yr allwedd hon iddynt. Teimlent na fyddai addysg cyfrwng Saesneg wedi medru eu goleuo o gwbl ar hanes a thraddodiad eu cynefin, er gwaethaf lleoliad yr ysgol Saesneg o fewn eu milltir sgwâr. Wrth i'r sgwrs fynd yn ei blaen, canfuwyd fod un o'r bechgyn yn byw mewn stryd yn Llangynwyd o'r enw Heol Wil

Cofio Wil Hopcyn?
Mab enwocaf Llangynwyd.

Hopcyn. Holais y bachgen am darddiad enw'r stryd, ond nid oedd ganddo'r syniad lleiaf am y gŵr a fenthycodd ei enw i'r stryd. 'Mae wedi marw?' oedd yr agosaf a ddaethpwyd at awdur *Bugeilio'r Gwenith Gwyn* ac un o brif gymeriadau chwedl enwocaf Cwm Llynfi. Wrth ryddhau gwybodaeth am Wil Hopcyn fesul tipyn, ni wawriodd unrhyw oleuni ar wynebau'r disgyblion nes i fi ddechrau canu llinell gyntaf y gân enwog. Roedd y gân – neu'r alaw, o leiaf – yn gyfarwydd ond nid oeddent wedi sylweddoli fod cysylltiad rhyngddi a'r ardal, y chwedl, y stryd na'r gofgolofn arbennig yng nghanol Llangynwyd.

Mae addysg uwchradd yn Llanhari wedi cynnig i genedlaethau o ddisgyblion werthoedd cadarn am Gymru a Chymreictod, am berthyn a chenedl, a'r ymdeimlad o fod yn rhan o frwydr yr iaith mewn ardal lle roedd nifer yn credu fod y frwydr wedi ei hen golli. Mae'r ysgol wedi llwyddo i greu Cymry Cymraeg naturiol o lu o ddisgyblion lle nad oedd Cymraeg o gwbl ar yr aelwyd. Mae wedi darparu addysg gyflawn Gymraeg ar draws holl ystod y cwricwlwm gan gynnwys mathemateg a gwyddoniaeth, yn wahanol i nifer o ardaloedd sy'n naturiol 'Gymreiciach' ond heb yr un argyhoeddiad ei bod yn bosibl gwneud 'Popeth yn Gymraeg'. Fel sy'n arferol gydag ysgolion Cymraeg y de-ddwyrain, mae'r mwyafrif helaeth o ddisgyblion Llanhari'n derbyn eu haddysg y tu hwnt i'w milltir sgwâr. Yn wir, pan oeddwn i'n ddisgybl yno, rhyw chwech allan o dros fil o ddisgyblion a allai gerdded i'r ysgol. O gopa Cwm Llynfi i Gorneli a Phorthcawl, o Donyrefail i Donysguboriau, mae'r dalgylch yn eang ac yn cynnwys sawl milltir sgwâr amrywiol a diddorol. Mae'n anorfod na fydd modd cwmpasu hanesion a threftadaeth yr holl ardaloedd ym maes llafur yr ysgol, ond mewn gwirionedd ychydig iawn a ddysgwyd am filltir sgwâr yr un ohonom.

Yn ystod fy amser yn Llanhari, ymwelais â llefydd amrywiol dan arweiniad caredig athrawon ymroddedig. Gwelais Dŷ'r Ysgol, Cae'r Gors, Bethesda Caradog Prichard a cherrig beddau W. J. Gruffydd, T. H. Parry-Williams a David Lloyd George. Bûm yn ffodus i ddysgu am rai o ffigurau mawr ein cenedl yn yr ugeinfed ganrif. Ond, mae i ddalgylch yr ysgol ei stôr o enwogion, a'i hanesion a'i chwedlau yn ogystal. Fodd bynnag, ni fûm ar gyfyl Cefn Ydfa, na Thŷ Sgêr, na chartref y Doctor William Price. Ni ddysgais ychwaith am Iolo

Morganwg a'i antics amrywiol nac am frwydrau lleol a chaethiwo Edward II yng nghastell Llantrisant. Ni welais mo'r Fari Lwyd na dysgu'r caneuon traddodiadol sy'n rhan annatod o ddathliadau traddodiadol y Calan yn yr ardal. Yn wir, dysgais ambell driban Morgannwg – a gorfod ysgrifennu un fel gwaith cartref rywdro, ond prin oedd y dysgu am draddodiadau ein milltiroedd sgwâr ni ym mlaenau a bro Morgannwg. Nid yw'n rhyfedd, felly, nad oedd disgyblion Cwm Llynfi'n deall arwyddocâd byw yn Heol Wil Hopcyn. Edrychir ymlaen yn fawr at agor drysau ysgol uwchradd Gymraeg gyntaf Cwm Llynfi a'r gobaith yw y bydd yn deffro ymwybyddiaeth disgyblion Cwm Llynfi o'u hetifeddiaeth leol, yn ogystal ag etifeddiaeth eu cenedl, o Fedi 2005 ymlaen.

Wrth holi'r disgyblion am eu gobeithion wrth edrych ymlaen at eu harholiadau safon uwch a thu hwnt, nid oedd y mwyafrif ohonynt yn rhag-weld dychwelyd i Gwm Llynfi wedi iddynt gwblhau eu cyrsiau coleg. Ystyrient fod digon o waith yn y cwm, ond ei fod yn waith syml, ac nad oedd swyddi priodol ar gael i'r rheini a oedd wedi derbyn addysg drwy gyfrwng y Gymraeg ac addysg coleg wedi hynny. Bron y gellir dweud eu bod yn ystyried eu haddysg fel 'pasbort' unffordd allan o'r cwm. Pwysleisiai un ferch fod y cwm yn dirywio, ac nad oedd unrhyw ddatblygiad yno heblaw am erwau o dai a gâi eu hadeiladu ar hen dir fferm. Bron yn ddieithriad, roeddent yn rhag-weld symud i ffwrdd i'r coleg ac na fyddent yn dychwelyd i'r cwm wedi hynny. Eisoes, byddent yn troi eu golygon y tu hwnt i'r cwm ar benwythnosau ac yn mynd i Gaerdydd neu i Abertawe; hynny'n ddigon naturiol gan fod eu ffrindiau ysgol yn dod o ddalgylch eang iawn – rhai ar gyrion y brifddinas, fel y crybwyllwyd eisoes.

Wrth ymweld ag ysgol uwchradd Gymraeg yn un arall o gymoedd y de-ddwyrain yn ddiweddar, bu'r pennaeth yn sôn am ddalgylch ei ysgol. Esboniodd fod trawsdoriad mawr o ran cefndir y plant, a bod disgyblion tlotaf yr ysgol i gyd yn hanu o gopa'r cwm, a'r rheini o gartrefi mwy breintiedig yn dod o waelod y cwm. I'r pennaeth, roedd y sefyllfa'n hollol ddu a gwyn. Ac eto, mae peth gwirionedd cyffredinol yn hyn, am fod gwaelod nifer o'r cymoedd bellach yn faestrefi llewyrchus ger yr M4, tra bod pen uchaf y cymoedd yn aml iawn yn dioddef yn economaidd. Maent yn dioddef oherwydd eu lleoliad, yn anhygyrch a heb weld unrhyw ddatblygu o ran strwythurau'r ffyrdd a chysylltiadau trafnidiaeth gyhoeddus. Mae hynny, yn ei dro, yn arwain at ddiffyg buddsoddiad diwydiannol, ac ni cheir swyddi newydd i lenwi'r bwlch anferth a ddaeth yn sgil diflaniad diwydiant trwm y meysydd glo. Mae hyn wedi arwain at lefelau uchel o ddiweithdra, lefelau uwch na'r cyffredin o dorcyfraith, a phroblemau cymdeithasol megis cyffuriau. Mae'r patrwm i'w weld yng Nghwm Llynfi, fel mewn sawl cwm arall, gyda'r sefyllfa ar ben uchaf y cwm yn dipyn mwy difrifol na'r hyn a geir yn y gwaelodion. Mae agosrwydd at yr M4 yn ffactor allweddol i adeiladwyr tai, a hynny am y rhesymau a amlinellwyd uchod, ac yma, felly, yr adeiladir y maestrefi newydd. Mae Cwm Llynfi'n dilyn y patrwm cyffredin. Yn y blynyddoedd diweddar, adeiladwyd ystadau newydd o dai ar waelod Cwm Llynfi, ar hen gaeau fferm cyn cyrraedd Cwmfelin a Maesteg. Un o'r ystadau newydd ar gyrion Maesteg yw Parc Tynywaun, a gellir dychmygu'n ddigon hawdd na welir rhai o'r trigolion yn ymweld â chanol Maesteg ei hunan, er ei agosed. Mae'r mwyafrif o'r trigolion, mae'n siŵr, yn gweithio i lawr ym Mhen-y-bont ar Ogwr ac yn siopa yn y dref honno, ac yn yr amrywiaeth o siopau ar waelod y cwm ger cyffordd Sarn ar yr M4. Nid oes rheswm i drigolion Parc Tynywaun ystyried mynd i fyny'r cwm o gwbl pan fo'r ddarpariaeth i lawr y cwm gymaint yn fwy, yn fwy amrywiol ac yn fwy deniadol. Ystyrir symud i lawr, yn 'symud i fyny' yng nghyd-destun cymoedd de Cymru. Wrth ennill mwy o arian a chodi statws cymdeithasol, mae pobl yn symud i lawr y cymoedd tuag at ganolfannau poblog megis Caerdydd neu Abertawe. Eithriadau prin yw'r rheini sy'n symud i'r cyfeiriad arall.

Crybwyllwyd eisoes yr M4, a phwysigrwydd honedig byw yn agos at y briffordd honno sy'n cyfannu de Cymru. Mae'r M4 yn cyffwrdd â gwaelod bron pob un o gymoedd y de, gan beri iddynt fod yn gyfleus i Gaerdydd neu Abertawe. Mae'r rhan fwyaf o swyddi ar gyfer graddedigion wedi eu lleoli yng Nghaerdydd, a phobl ifainc, o ganlyniad, yn heidio i fyw bywyd y ddinas fawr. Fe allant, wrth gwrs, fyw yn y cymoedd, a theithio i Gaerdydd yn feunyddiol, ond prin yw'r rhai sy'n dewis gwneud hynny, er bod y niferoedd yn cynyddu, wrth i dai yng Nghaerdydd fynd yn fwy drud. Fodd bynnag, mae un garfan niferus o raddedigion, sef athrawon, yn gorfod gweithio ar hyd a lled y cymoedd, a ledled Cymru gyfan, gan fod angen llenwi swyddi mewn ysgolion mewn cymunedau o bob math. Diddorol yw darllen hysbysebion ar gyfer swyddi dysgu'r de-ddwyrain yn y *Western Mail.* Mae'r ysgolion a leolir mewn ardaloedd anffasiynol yn gorfod denu darpar ymgeiswyr drwy bwysleisio agosrwydd yr ysgol i'r M4 ac i Gaerdydd. Problem benodol i ysgolion uwchradd y cymoedd yw hon, a pho bellaf i fyny'r cwm y lleolir yr ysgol, lleiaf tebygol y bydd yr ysgol i ddenu athrawon heb ddygn ymdrech. 'Lleolir yr ysgol o fewn cyrraedd hwylus i'r M4, tua 20 munud o Gaerdydd' yw'r broliant yn aml iawn. Mae angen cwestiynu ambell dro pa mor gyflym y bydd angen gyrru er mwyn cwblhau'r teithiau hyn mewn ugain munud, neu ai teithio mewn hofrennydd yw'r bwriad? Yn sicr, ni ddisgwylir gweld yr athrawon a benodir yn ymdoddi i'r cymunedau hynny ble y byddant yn dysgu. Mae ysgolion yn derbyn yr anochel, y bydd eu staff newydd yn ymgartrefu yng Nghaerdydd ac yn teithio cryn bellter i'w hysgol.

Wrth sôn am bobl ifainc yn ymgartrefu yng Nghaerdydd, rwy'n cael y teimlad o dro i dro fod ymgyrchwyr yr iaith yn credu mai dim ond cymunedau yng Ngwynedd a Cheredigion sydd yn colli'u pobl ifainc fel hyn. Mae'r broblem cynddrwg, os nad yn waeth, mewn mannau yn y de-ddwyrain megis Cwm Llynfi. Oherwydd y pellter rhwng Pen Llŷn, dyweder, a Chaerdydd, mae rhai pobl ifainc yn treulio cyfnod yng Nghaerdydd cyn dychwelyd i'r gogledd rai blynyddoedd yn ddiweddarach i fod o fewn cyrraedd i'w teuluoedd a'u cynefin. Dim ond hanner awr mewn car yw'r daith i Gaerdydd, felly prin yw'r cymhelliant i bobl ifainc Cwm Llynfi ddychwelyd i fyw i'w cymuned. Gallant ymweld â'u teuluoedd yn ddidrafferth, gan wybod y byddant gartref mewn fawr o dro. Golyga hyn nad oes yr un ymdeimlad o fod wedi gadael cartref a chymuned pan nad yw'r cartref hwnnw ond hanner awr i ffwrdd.

Nid ffenomen ddiweddar yw gadael Cwm Llynfi, ychwaith. Mae ffrindiau ysgol fy rhieni'n ficrocosm o'r patrwm. Prin iawn yw'r rheini o blith eu cydnabod ym Maesteg a ddychwelodd i gwm eu mebyd wedi cyfnod yn y coleg. Maent wedi ymgartrefu ar wasgar yn Abertawe, Cas-gwent, Caerdydd, Llundain a Saudi Arabia i enwi ond rhai mannau. A hynny, felly, sydd i gyfrif pam yr ysgrifennir fy nghyfraniad i'r gyfrol hon gan un na chafodd ei geni na'i magu yng

Nghwm Llynfi. Mae Llantrisant wedi bod yn gyfforddus gyfleus i ni, fel teulu, fedru ymweld â pherthnasau ym Maesteg ar hyd y blynyddoedd, ac iddynt hwy fedru dod atom ni. Mae'r cysylltiad clòs yn parhau. Mae gwreiddiau Dad yn ddwfn yn y cwm, ac fe dreuliodd ran helaeth o'i fywyd yn astudio'r hanesion, y chwedlau a'r caneuon lleol. Oherwydd hyn, rwy'n teimlo weithiau nad yw Dad erioed wedi gadael 'Yr Hen Blwyf' er iddo fyw o'r cwm yn hwy nag y bu'n byw ynddo. Roedd y cyfleuster daearyddol bob amser wedi golygu nad oedd rheidrwydd mynd yn ôl i fyw yno. Roedd modd cael y gorau o'r ddau fyd – cartref cyfleus i bopeth ar y naill law ac ymweliadau cyson â Maesteg, a chan Faesteg ('mae Maesteg yn dod i ginio heddi', yw un ffordd o ddatgan bod fy mam-gu a fy nhad-cu'n ymweld â ni), ar y llaw arall. Gellir dadlau, wrth gwrs, nad yw'r un argyfwng yn perthyn i Gwm Llynfi a Phen Llŷn, a hynny oherwydd yr ystyriaethau ieithyddol. Yn sicr, gwahanol iawn yw'r sefyllfa yn y ddau le ac, ers blynyddoedd, iaith i'r genhedlaeth hŷn yw'r Gymraeg yng Nghwm Llynfi, a'r genhedlaeth honno'n diflannu. Gobeithir gweld newid mewn blynyddoedd i ddod, pan fydd Menter Bro Ogwr, menter iaith lled newydd, wedi ennill ei phlwyf yn yr ardal.

Er iddynt dderbyn tair blynedd ar ddeg o addysg Gymraeg, nid oedd pob un o griw y chweched yn hollol gyfforddus wrth sgwrsio yn y Gymraeg â mi, a daeth yn amlwg o'u trafodaeth nad oeddent yn siarad Cymraeg â'i gilydd o gwbl. Nid oedd esboniad ganddynt am hynny, ond yn ddigon arwyddocaol, roedd gwneud rhai pethau drwy gyfrwng y Gymraeg yn dod yn naturiol iddynt, megis codi arian o'r banc gyda cherdyn twll yn y wal, a llenwi ffurflenni wrth wneud cais am brawf gyrru. Canlyniad pwyso am statws i'r Gymraeg mewn meysydd swyddogol, gweinyddol a chyllidol sydd wedi galluogi'r disgyblion i fedru gwneud y pethau hyn drwy gyfrwng y Gymraeg. Roedd cenedlaethau'r gorffennol yng Nghwm Llynfi'n byw eu bywyd cymdeithasol drwy gyfrwng y Gymraeg, ond Saesneg oedd iaith popeth 'official'. Bellach, y gwrthwyneb sy'n wir, ac mae defnydd cymdeithasol pobl ifainc Cwm Llynfi o'r Gymraeg yn brin iawn, a'r cyfleon i ddefnyddio'r iaith heb fod yn niferus, er gwaethaf datblygiad y Gymraeg mewn meysydd eraill.

Er nad yw'r criw y siaradais â hwy yn bwriadu byw yng Nghwm Llynfi wedi iddynt adael y coleg, gellir dadlau nad yw hynny o reidrwydd yn golygu mai colli siaradwyr Cymraeg y mae'r cwm. Oblegid nid oedd nifer o'r disgyblion a holais yn sicr a fyddent yn siarad Cymraeg o gwbl yn y dyfodol, er eu bod, yn ddwy ar bymtheg oed, ac ar ddiwedd eu trydedd flwyddyn ar ddeg mewn addysg Gymraeg. Roedd rhai ohonynt yn dod o gartrefi hollol ddi-Gymraeg ac yn rhugl wedi eu taith addysgol drwy'r ysgol feithrin, Ysgol Cynwyd Sant a'u blynyddoedd yn Llanhari. Dim ond un o'r bechgyn a ddeuai o aelwyd Gymraeg. Roedd ei dad wedi derbyn ei addysg gynradd ym Maesteg, ac yn perthyn i'r garfan honno a dderbyniodd eu haddysg uwchradd yn Ystalyfera. Roedd y mwyafrif o'r criw yn dod o gartrefi lle roedd un rhiant yn medru'r Gymraeg, ond yn yr achosion hyn nid oedd yr iaith wedi ei throsglwyddo iddynt ar yr aelwyd. Roedd rhai ohonynt yn siarad Cymraeg 'weithiau' ar yr aelwyd, a hynny gan amlaf er mwyn cadw cyfrinach rhag y rhiant na fedrai'r iaith. Bu tipyn o drafod yn ddiweddar am ddiffyg trosglwyddiad yr iaith ar yr aelwyd fel un o'r peryglon mwyaf sydd yn wynebu'r Gymraeg heddiw, ac mae ymgyrchoedd megis 'Twf' bellach yn ceisio annog rhieni i ddefnyddio'r iaith fel mamiaith ar yr aelwyd. Roedd y sgwrs â'r disgyblion yn darlunio'r broblem yn glir. Wrth gwrs, mae addysg Gymraeg wedi sicrhau mai Cymry Cymraeg yw'r disgyblion hyn er na throsglwyddwyd yr iaith iddynt ar yr aelwyd, ond byddai'r broses dipyn yn hwylusach petai'r iaith wedi cael ei chyflwyno iddynt yn y cartref yn ogystal ag yn yr ysgol. O ystyried hyn, cofir mai'r diffyg trosglwyddo oedd yn gyfrifol am sefydlu ysgolion Cymraeg yn yr ardal hon ryw hanner canrif yn ôl. Yn Sir Forgannwg yr adeg honno, 42% o blant o aelwydydd Cymraeg yn unig a etifeddodd yr iaith. Lle roedd y tad yn unig yn siarad Cymraeg, dim ond 4% o blant a ddysgai siarad yr iaith ar yr aelwyd, a lle mai dim ond y fam a siaradai Gymraeg, dim ond 7% o blant a siaradai'r iaith. Wrth gyflwyno'r ystadegau hyn, dywed Iorwerth Morgan yn ei erthygl yn y gyfrol *Gorau Arf*, '. . . yn y pen draw methiant rhieni Cymraeg i fagu eu plant yn Gymry Cymraeg yn yr ardaloedd Seisnigaidd oedd wrth wraidd sefydlu'r ysgolion.'[2]

Pan ddaeth ysgol Gymraeg i fod ym Maesteg, deg ar hugain o blant a fynychai'r ysgol honno yn y dyddiau cynnar, ac o'r fesen honno y daeth Ysgol Gynradd Tyderwen, fel y galwyd yr ysgol o'r 1960au ymlaen, nes ei hailenwi'n Ysgol Cynwyd Sant adeg ei symud i'w safle bresennol. Heddiw, mae 295 yn derbyn eu haddysg yn yr ysgol, ac ymhen blwyddyn bydd y niferoedd yn codi i 314. Sefydlwyd uned feithrin newydd yn ddiweddar, ac mae arwyddion cynnar yn dangos eisoes fod mwy o ddarpar rieni'n dangos diddordeb mewn addysg gynradd Gymraeg i'w plant wedi iddynt glywed am y bwriad i sefydlu ysgol gyfun Gymraeg yn y cwm cyn hir. Ar hyd y blynyddoedd, mae'r daith hir wedi llesteirio nifer o rieni rhag dewis addysg Gymraeg i'w plant, ond mae'r patrwm hwnnw, gobeithio, ar fin dod i ben yng Nghwm Llynfi. Cyn hir, perthyn i'r gorffennol y bydd sôn am bobl ifainc Cwm Llynfi yn teithio ryw 10,000 o filltiroedd yn flynyddol i Ysgol Rhydfelen.

O drafod amser hamdden, nid oedd y cyfryngau Cymraeg yn chwarae rôl ym mywydau beunyddiol y bobl ifainc a holais ychwaith. Ni wrandawai'r un ohonynt ar Radio Cymru, ac ychydig iawn ohonynt a wyliai S4C yn gyson. Hwyrach mai adlewyrchiad ar ddarpariaeth dila ein sianel hoff yw hyn, yn hytrach na diffyg ar ran y disgyblion. Y rhaglenni prin a oedd yn taro deuddeg oedd *Sgorio*, *Y Clwb Rygbi* a *Pam fi Duw?* Ystyrient mai *Pam fi Duw?* oedd yr unig raglen erioed iddynt ei gweld ar S4C lle y medrent uniaethu â natur ac ieithwedd y cymeriadau. Go brin fod y sylw hwn yn annisgwyl, gyda chynifer o'r cyfresi diweddar ar S4C yn cael eu gosod yn y gogledd, gydag actorion â thafodieithoedd cryfion sy'n medru bod yn anodd eu deall i bobl mewn mannau eraill yng Nghymru.

Wrth symud ymlaen at wahanol gymdeithasau yng Nghwm Llynfi, nid oedd un o'r disgyblion wedi clywed am Gymdeithas Tŷ'r Cymry, cymdeithas Gymraeg sydd yn cynnal cyfarfodydd misol ym Maesteg, a hynny ers blynyddoedd maith. Nid yw hynny'n syndod. Rwyf wedi mynychu ambell gyfarfod ar hyd y blynyddoedd gyda fy mam-gu a'm tad-cu, ac ar yr achlysuron hynny, fi yw'r person ieuengaf o tua thrigain mlynedd! Mae fy nhad-cu, druan ohono, yn Llywydd unwaith eto, ac yntau dros ei bedwar ugain, a hynny am nad oes unrhyw un arall am dderbyn y cyfrifoldeb. Mae'r gymdeithas wedi dibynnu ar ymroddiad criw bach ers blynyddoedd mawr, ond mae'r niferoedd yn prysur grebachu. Hysbysebir y cyfarfodydd yn *Yr Hogwr*, ond wrth grybwyll papur bro'r ardal, doedd rhai o'r criw heb glywed amdano, eraill ddim yn gwybod ble i gael gafael arno ac yn sicr neb yn ei ddarllen yn gyson. Sonnir yn gyson am y genhedlaeth newydd ddi-

Capel Tabor.

hid, sy'n byw yn eu hoes electronig ddigymdeithas ddigyfraniad, a digon posibl fod rhai o'r dadleuon hyn yn dal dŵr. Fodd bynnag, mae darllen *Yr Hogwr* fel camu'n ôl i'r oes o'r blaen a does ryfedd nad yw'r disgyblion dwy ar bymtheg oed hyn yn ddarllenwyr selog.

Mae rhifynnau'r blynyddoedd diwethaf wedi bod yn llawn dathliadau priodas aur a diemwnt, a phen-blwyddi'n bedwar ugain, neu'n hŷn, ac yn llawn teyrngedau coffa i bobl yr ardal. Nid wyf yn anghytuno â chydnabod y rhai a wnaeth gyfraniad enfawr dros yr ardal dros gyfnod maith, ond pan fo un deyrnged ar ôl y llall yn newyddion tudalen flaen fis ar ôl mis, ni lwydda *Yr Hogwr* i gyfleu dim o fwrlwm ac asbri Cymreictod y cwm. Ni lwyddir i bwysleisio perthnasedd yr iaith heddiw yn y cwm, ac nid oes sylw teilwng i weithgareddau pobl ifainc. Gwn ei bod yn frwydr ym mhob cwr o Gymru i sicrhau erthyglau a chyfraniadau i bapurau bro, ac na ellir ond cyhoeddi'r erthyglau a ddaw i law. Mae criw *Yr Hogwr* wedi ymlafnio ers dros ddeng mlynedd i gyhoeddi newyddion ardal Ogwr yn fisol yn y Gymraeg ac mae ein dyled yn fawr iddynt. Wrth gwrs, nid yw *Yr Hogwr* yn gwneud dim mwy na dim llai na dilyn y patrwm penodol a geir mewn gormod o bapurau bro ledled Cymru, sef adrodd hanesion y mae pawb yn gwybod yn rhy dda amdanynt eisoes. Mewn darlith ddeifiol i'r Academi Gymreig ym Mae Caerdydd fis Ebrill 2001, bu Dylan Iorwerth yn cloriannu'r tueddiadau mewn papurau bro, gan esbonio fod criw penodol o fenywod yn mynd i gyfarfod Merched y Wawr, ac felly'n gwybod yn iawn pwy fu'n annerch, pwy oedd yn gyfrifol am wneud y te a'r teisennau, pwy wnaeth y diolchiadau a phwy enillodd y raffl. Fodd bynnag, bydd yr un criw a oedd yn bresennol yn dal i ddarllen adroddiad y papur bro, fel petai gweld y cwbl mewn print yn rhoi dilysrwydd ychwanegol i'r digwyddiad, ac yn cadarnhau i'r peth ddigwydd go iawn! Nid yw'r patrwm yn *Yr Hogwr* yn amrywio o'r patrwm ledled Cymru, ac mae'r digwyddiadau'n tueddu i ganolbwyntio ar weithgareddau rhyw oes a fu. Caiff gweithgarwch y capeli le teilwng yn *Yr Hogwr*, yn gwrdd y chwiorydd ac yn ddydd gweddi, ond nid oedd na chapel nac eglwys yn rhan o fywyd y bobl ifainc a holwyd. Mae'r enwadau wedi bod yn annibynnol ac yn gadarn ym Maesteg ar hyd y blynyddoedd, a cham mawr ymlaen oedd dechrau cynnal cyfarfodydd undebol yn ystod y blynyddoedd diwethaf, a hynny gan ei bod yn unfed awr ar ddeg ar yr achos. Mae gweld adeilad urddasol capel Tabor yn ddarlun truenus, gyda'i ffenestri wedi'u malu a choed a chwyn yn tyfu o amgylch y drws. Mae'n cynrychioli'r dirywiad a fu ym mywyd crefyddol y cwm ers dyddiau ei anterth ar ddechrau'r 1900au.

Pan gyhoeddwyd arolwg gan Uned Ymchwil Arolygon Gwledig (Prifysgol Cymru Aberystwyth) yn 1988, tynnwyd sylw at nifer o agweddau a fyddai'n rhwym o ddylanwadu ar ddyfodol yr iaith. Canolbwyntiwyd ar y genhedlaeth iau, gan ddosbarthu holiaduron mewn nifer benodedig o ysgolion uwchradd er mwyn ceisio darganfod natur y cyd-destunau lle defnyddid yr iaith Gymraeg gan ddisgyblion y de-ddwyrain. Roedd Llanhari'n un o'r ysgolion a gymerodd ran yn yr arolwg, ynghyd â Rhydfelen a Glantaf. Cwynion cyfarwydd a glywyd: methiant disgyblion i ddefnyddio'r iaith yn gymdeithasol wedi oriau ysgol, 'gwendid cymharol y cartref o ran cydgyfnerthu'r iaith',[3] a diffyg ffydd ar ran rhai rhieni ym mhwysigrwydd a pherthnasedd yr iaith. Roedd hi'n hen stori gyfarwydd. Ar y llaw arall, nodwyd bod nifer o rieni wedi ymdrechu i ddysgu'r iaith ac roedd tystiolaeth 'fod llawer o'r plant yn mynychu clybiau a chymdeithasau, lle siaredir Cymraeg yn rheolaidd'.[4]

Sonnir, felly, am nifer helaeth o ffactorau sy'n effeithio ar y defnydd a wneir o'r iaith ac wrth dynnu casgliadau yr awgrym yw 'bod yna ddiffyg unrhyw ffocws pendant, rhywbeth a ddarparwyd gynt gan y capel, a'r ymdrechion addysgol felly yn mynd ar wasgar pan adewir y cyfryw amgylchedd arbennig hwnnw'.[5] Yr un yw'r her wedi troad y mileniwm yng Nghwm Llynfi ac yng nghymoedd eraill y de-ddwyrain fel ei gilydd.

Cafwyd ymateb digon gonest gan y disgyblion a holwyd a'u hymateb yn awgrymu nad yw'r iaith yn cael ei harfer yn yr holl gyd-destunau a fyddai'n plesio pawb ac a fyddai'n sicrhau dyfodol llewyrchus i'r iaith ymhlith y genhedlaeth iau. Ond gellid synhwyro yr un pryd fod yna barch diamheuol at yr iaith ac ymdeimlad ei bod yn bwysig i'r to ifanc, am wahanol resymau, arddel yr iaith. Ni cheisir awgrymu fod ardal Cwm Llynfi'n wahanol i'r norm am mai'r un yw'r sefyllfa a'r un yw'r her ledled y de, ond fe geir llwyddiannau, ac achos i fod yn obeithiol. Wrth baratoi hyn o lith, y profiad mwyaf cadarnhaol a chalonogol oedd cael cwrdd â Samantha, un o weinyddesau meithrin Ysgol Cynwyd Sant, merch o gartref di-

Gymraeg ym Maesteg, a chynnyrch yr ysgol lle y mae hi nawr yn gweithio. Aeth ymlaen i dderbyn ei haddysg y tu hwnt i'r cwm yn Llanhari. Bellach, mae hi mewn swydd sy'n caniatáu iddi weithio'n gyfan gwbl drwy gyfrwng y Gymraeg, a hynny yn ei milltir sgwâr. Mae hi'n fam i ddau o blant bach, a chan mai Cymraeg yw ei hiaith hi fel fam, mae hi wedi penderfynu mai Cymraeg fydd mamiaith ei phlant.

Ni fydd angen i blant Samantha adael y cwm i dderbyn eu haddysg uwchradd, oherwydd bydd sefydlu ysgol uwchradd Gymraeg yng Nghwm Llynfi yn ddatblygiad pwysig a hynny ryw hanner canrif wedi sefydlu ysgol gynradd Gymraeg ei chyfrwng yn yr ardal am y tro cyntaf. Yn y lle cyntaf, bydd gan y Gymraeg yng Nghwm Llynfi statws a phresenoldeb newydd; ar lefel hollol ymarferol ni fydd dim rhaid i'r disgyblion lleol godi mor blygeiniol anfodlon o'u gwelyau i wynebu taith ddyddiol mor hir, a bydd ymweliadau rhieni â'r ysgol gymaint yn hwylusach a didrafferth. Afraid dweud bod her yn wynebu personél yr ysgol hwythau. Bydd gwir angen arweiniad ac ysbrydoliaeth o'r newydd er mwyn ailennyn diddordeb mewn rhaglen o weithgareddau cyfrwng Cymraeg, rhaglen sydd wedi hen grebachu ac yn nwylo criw hynod deyrngar o gymwynaswyr sydd bellach yn perthyn i'r genhedlaeth hŷn. Y gobaith yw y bydd cydweithio call rhwng y sector cynradd, yr uwchradd a phob sefydliad Cymraeg arall yn yr ardal yn creu rhwydwaith o gysylltiadau newydd a fydd yn esgor ar gyfleoedd amrywiol i'r ifainc fwynhau cyfres o brofiadau allgyrsiol cyffrous a pherthnasol drwy gyfrwng yr iaith Gymraeg yng Nghwm Llynfi.

NODIADAU

[1] Hywel Teifi Edwards, 'Norah Isaac: Merch o'r Caerau' yn Hywel Teifi Edwards (gol.), *Llynfi ac Afan, Garw ac Ogwr* (Llandysul, 1998), 14–5

[2] Iorwerth Morgan, 'Dechreuadau'r Ysgolion Cymraeg' yn Iolo Wyn Williams (gol.), *Gorau Arf: Hanes Sefydlu Ysgolion Cymraeg 1939–2000* (Talybont, 2002), 27

[3] John Aitchison a Harold Carter, *Yr Iaith Gymraeg yn Ardal Caerdydd: Arolwg o Blant Ysgol a'u Rhieni: Monograff RSRU, Rhif 1* (Aberystwyth, 1988) 16

[4]Ibid., 26

[5] Ibid., 30

Fy magwraeth ym Mro Ogwr

MARI GEORGE

Symudodd fy rhieni, Keith a Hefina George, i Ben-y-bont ar Ogwr ar ôl iddynt briodi yn 1970 a chael gwaith fel athrawon yn yr ardal. Cam dewr iawn iddynt oedd dod i fyw yn y dre gan fod gwreiddiau'r ddau wedi eu lleoli mewn ardaloedd cwbwl Gymraeg; teulu Mam yn dod o'r Allt-wen a Chraig-cefn-parc a 'nhad yn dod o Lan-saint, ger Cydweli lle mae fy mam-gu yn byw o hyd. Roeddent, wrth gwrs, mewn cwmni da, oherwydd roedd nifer fawr o gyplau wedi dilyn yr un trywydd ac yn benderfynol o arwain eu bywydau, neu rannau helaeth o'u bywydau, drwy'r Gymraeg a hybu Cymreictod yr ardal. Fe'm ganwyd i yn 1973 a 'mrawd Rhys yn 1976. Buom yn byw am dair blynedd ym Mhen-coed cyn symud i'r dre ac yna eto i 13, The Retreat, lle mae fy rhieni yn byw o hyd.

Ar y bore Llun cyntaf ym Medi, 1977, y dechreuais yn nosbarth derbyn Ysgol Gynradd Gymraeg Pen-y-bont, fy nghoesau'n crynu a fy mag i bron yr un seis â mi. Pam Jones oedd fy athrawes a Maisey Williams oedd y brifathrawes. Mae gennyf atgofion melys iawn am y chwe blynedd a dreuliais yno, lle deuthum o dan ddylanwad sawl athro egnïol ac ysbrydoledig iawn. Gosodwyd seiliau i'm creadigrwydd yno gan i ni gael ein hannog yn ifanc iawn i arlunio, gwnïo, ysgrifennu straeon a cherddi, a pherfformio – boed yn ganu mewn côr, yn ddawns greadigol neu'n adrodd; hyn oll yn ogystal â'r addysg academaidd dda iawn a dderbyniais.

Fy more cyntaf.

Rwyf i wedi gweld beth yw brwydro i gadw iaith. Mae Pen-y-bont ar Ogwr yn syrthio rhwng dwy ddinas – Abertawe a Chaerdydd. Mae hi felly wedi ei chael hi'n anodd i gynnal ei Chymreictod gan ei bod yng nghysgod y ddwy ddinas a llawer o bobl ifanc yn dewis byw yn y naill neu'r llall am wahanol resymau. Serch hynny, mi gefais i a nifer o blant tebyg i mi fagwraeth hollol ddwyieithog. Cymraeg oedd iaith yr aelwyd a Saesneg oedd iaith gyffredinol y dre, fel rheol. Roedd modd gwneud llawer iawn yn y Gymraeg os oeddech yn dewis gwneud hynny ond roedd yn gofyn am ymdrech barhaus. Gwelid yr ymdrech hon yn feunyddiol yn nyfalbarhad yr athrawon i hyrwyddo'r iaith yn yr ystafell ddosbarth, ar yr iard ac ar ôl oriau ysgol. Eto, ni chefais erioed y teimlad fod yr iaith yn cael ei gorfodi arnom nac ychwaith ein bod yn byw bywydau artiffisial. Hyd yn oed i'r rhai nad oedd y Gymraeg yn famiaith iddynt, roedd yn iaith fyw ac yn iaith chwarae, diolch i gefnogaeth yr ysgol. Roedd pleser i'w gael yn y ddwy iaith.

Roedd canu yn chwarae rhan bwysig iawn yn ein bywydau a theithiem i lawer eisteddfod a gŵyl gan gynnwys Eisteddfod y Glowyr ym Mhorthcawl. Un profiad cofiadwy oedd mynd i Landudno i gystadlu yn yr Ŵyl Gerdd Dant pan o'n i'n naw oed ac aros mewn llety am y tro cynta erioed ym Metws-y-coed. Buom hefyd yn cystadlu a chystadlu yn Eisteddfod yr Urdd yn flynyddol a cholli'n amlach na heb er gwaetha'r ymarferion lu.

Sefydlodd Ann Williams, athrawes yn yr ysgol gynradd, Barti Bro Ogwr – grŵp canu y tu allan i'r ysgol a oedd i olynu Merched y Fro, y côr menywod y bu fy mam yn aelod ohono. Roeddwn i a'm ffrindiau yn aelodau brwd ohono a chawsom gryn lwyddiant mewn sawl eisteddfod a thipyn o hwyl hefyd. Yn bersonol mi gefais yn ogystal, er pan oeddwn yn wyth oed, lawer iawn o bleser yn adrodd. Mam oedd fy athrawes a safwn hanner ffordd i fyny'r grisiau yn mynd trwy'r holl ddarnau barddoniaeth a'r geiriau fel melfed ar fy nhafod ac yn fy mhen. Cerddi fel 'Ysgerbwd Milwr' Gerallt Lloyd Owen a 'Dagrau'r Iesu' J. Eirian Davies. Mae rhai o'r darnau hynny ar fy nghof o hyd ac efallai mai'r ffaith i mi gael fy nhrwytho ynddynt mor ifanc sy'n gyfrifol am fy hoffter hyd heddiw o sŵn a phatrwm geiriau.

Ann Williams ac Ann Roberts Jones a'm hysbrydolodd i ddatblygu fy sgiliau ysgrifennu creadigol, gan iddynt ein hannog yn y dosbarth i

Parti Bro Ogwr. Fi sy'n dweud nad yw Cymru ar werth.

greu straeon a lluniau yn seiliedig ar y Mabinogi a hen chwedlau Cymraeg eraill. Roeddent hefyd yn ein hatgoffa'n gyson o ba mor bwysig oedd hi i siarad Cymraeg a chael ymwybyddiaeth o hanes tywysogion a brenhinoedd Cymru. Roedd yr iaith a'i diwylliant yn ein dwylo ni. Fe'n harweiniwyd ni i ddarllen gymaint â phosib o lyfrau Cymraeg a chefais fwynhad yn pori drwy'r 'Llewod' a 'Criw Crawiau', *Wrth Draed y Meirw* a *Gwaed ar y Dagrau* ymysg llu o lyfrau eraill yn Gymraeg a Saesneg. Roedd geiriau wrth fy modd ac fe'm hysbrydolwyd i ygrifennu straeon a cherddi. Parhaodd y diddordeb hwnnw trwy gydol fy nyddiau ysgol tan i mi ennill Medal Lenyddiaeth a Chadair yr Urdd yn 1994 a 1996.

Golygai nos Sadwrn un peth i mi pan oeddwn yn blentyn, sef dysgu adnod a hynny yn erbyn fy ewyllys bob tro. Tra sychai fy ngwallt o flaen y tân, porai Mam trwy'r Beibl a nodi'r llinellau hollbwysig ar ddarn o bapur, papur a fyddai'n frwnt ac wedi'i grychu gan chwys nerfau cledr fy llaw erbyn diwedd y bore wedyn. Roeddwn wastad yn casáu dweud adnod. Doedd cael stamp yn fawr o abwyd ond ar ôl mentro i bulpud Capel Annibynwyr y Tabernacl, roeddwn wastad yn falch i mi fagu digon o hyder. Cyn y bregeth byddem yn cael dianc i'r Ysgol Sul. Ac am y deng munud cyntaf, tra rhannem newyddion a chreu direidi allan o glyw'r athrawon, llifai'r Gymraeg yr un mor rhwydd ag y troellai'r deg ceiniogau lu ar y byrddau.

Roedd pwyslais mawr ar berfformio yn y capel yn ogystal â'r ysgol. Bob Nadolig aem i ganu carolau yng nghartre'r hen bobl a darllen yn y gwasanaeth plygain ar Noswyl y Nadolig. Cynhaliem sioeau a dramâu yn y capel yn gyson adeg gwasanaeth y plant. Y cof cyntaf sydd gennyf o fod mewn drama oedd actio angel pan oeddwn yn bedair oed. Wrth i'm sgiliau actio wella cefais ddyrchafiad i ran un o'r bugeiliaid ac yna yn ddeg oed, ar ôl hir ddisgwyl, roeddwn wrth fy modd o gael cynnig rhan Mair, gydag Owain Stanford yn Joseff pwdlyd iawn wrth fy ymyl! Roedd cymanfa ganu'r capeli Cymraeg yn digwydd bob Sul y Pasg a threuliem fisoedd yn ymarfer y caneuon yn y festri fach dan arweinyddiaeth Mrs Margaret Harries a fu'n amyneddgar wrthym i gyd am flynyddoedd yn ei rôl fel prifathrawes yr Ysgol Sul tan iddi ymddeol yn 1991. Roedd y gymanfa, yn ogystal â bod yn ddathliad o'r Pasg, yn garreg filltir rhwng y gaeaf a'r gwanwyn i mi. Dyma pryd y dechreuai'r tywydd newid a dyma pryd y byddwn i a 'mrawd yn cael dillad newydd, ysgafn – rhyddhad ar ôl siwmperi tyn y gaeaf. Byddai'r prynhawn cyfan o ganu llon i gyfeiliant organ ac ymuno â llond capel o bobl o gapeli eraill y dre hefyd yn rhyddhad ar ôl yr ymarferion hir, rhwystredig yn mynd dros yr un nodau, drosodd a throsodd, ar biano a oedd allan o diwn.

Aethom i Lanelwedd un tro i weld yr Esgob Desmond Tutu yn siarad a chefais y pleser o gael ei lofnod. Buom yn frwd iawn hefyd i godi arian at elusennau. Roeddem yn ymuno ag Ysgolion Sul eraill i gymryd rhan mewn cwisiau, chwaraeon a dramâu. Yn 1988 trefnwyd taith gerdded o'r Bont-faen i Ben-y-bont a phryd o fwyd i bawb yn nhafarn y Golden Mile yng Nghorntwn ar ei diwedd hi. Codwyd tipyn o arian ac yn fwy na hynny cafwyd hwyl a hynny yn Gymraeg. Mae dyn yn cael braw o weld y lluniau a sylweddoli mor ifanc mae pawb yn edrych.

Y Parchedig Ron Williams oedd gweinidog y Tabernacl yr adeg honno ac olynwyd ef gan y Parchedig Wyn Evans. Chwalwyd yr adeilad hyfryd yn stryd Dwnrafon ac ail-leolwyd y capel yn 1989 mewn adeilad modern. Cymerodd y Parchedig Robin Samuel yr awenau ac erbyn hyn mae'r lle yn ei anterth ac yn fwy llewyrchus nag y bu ers blynyddoedd. Daeth ef â chwa o awyr iach i'r capel. Er mai

Ysgol Sul y Tabernacl ar daith gerdded noddedig o'r Bont-faen i Ben-y-bont.

yn anaml iawn yr wyf yn mynychu'r capel erbyn heddiw, rwyf yn diolch i Mam a Dad am ddyfalbarhau i'm hannog i fynychu'r lle.

Cymraeg oedd iaith yr aelwyd wrth gwrs ac roedd hynny'n wir am nifer o deuluoedd ond doedd yr iaith ddim yn ffynnu'n naturiol yn y dre. Y sefydliadau a'r gweithgareddau a grëwyd oedd yn sicrhau bod yr iaith yn cael ei defnyddio a rhywun yn tueddu i deimlo dyletswydd i'w mynychu a'u cefnogi am nad oeddent i'w cymryd yn ganiataol. Ar wahân i'r capel, prin yw'r canolfannau Cymraeg eraill yn y dre ond mae cnewyllyn bach o Gymry Cymraeg egnïol a brwd yn eu cynnal am eu bod yn bwysig iddynt. Pan ymwelodd yr Eisteddfod Genedlaethol â'r ardal yn 1998 cafwyd prawf amlwg o hynny yng ngwaith caled a dyfalbarhaus pobl o bob oed wrth iddynt wneud eu gorau glas i sicrhau llwyddiant a chydnabyddiaeth i'r dre a'r cyffiniau. Mae Siop yr Hen Bont wedi bod fel gem ar ganol hen bont gerrig y dre er 1970 ac wedi ei chynnal gan griw o bobl gyda Jennice Jones yn bennaf cyfrifol tan i Delyth Haf Kenny ei phrynu'n ddiweddar a'i moderneiddio.

Agorwyd Clwb Brynmenyn yn 1985 a daeth hwnnw'n ganolfan hwylus i gynnal nosweithiau o adloniant a chwisiau lu yn ogystal â'r eisteddfod gadeiriol fechan a gynhaliwyd am rai blynyddoedd pan fyddai'r diweddar W. Rhys Nicholas yn chwarae rhan flaenllaw. Roedd agor y clwb yn ddechrau caseg eira o Gymreictod yn yr ardal oherwydd yn 1987 sefydlwyd *Yr Hogwr*, papur bro Ogwr. Penodwyd Dafydd Ieuan Jones yn gadeirydd y bwrdd gweinyddol a W. Rhys Nicholas a John Brace yn olygyddion. Mae'r papur yn dibynnu ar griw bach o gyfranwyr a gwirfoddolwyr ond hyd yn hyn mae'n dal i fynd o nerth i nerth. Yr un criw bach o bobl a fu'n cefnogi Clwb Brynmenyn a'r *Hogwr* sy'n mynychu Clybiau Cinio'r dynion a'r merched, ac yn mwynhau nosweithiau difyr yng nghwmni siaradwyr gwadd. Mae fy nhad a'i ffrindiau'n aelodau brwd o hyd.

Dafliad carreg o'm cartref y mae Ysgol Gyfun Bryn-teg, sef un o ysgolion uwchradd Saesneg y dre. Mae i'r ysgol hon, hefyd, enw da iawn yn academaidd yn y fro gan fod nifer fawr o'i disgyblion yn mynd ymlaen i astudio yn Rhydychen a Chaergrawnt. Er na chymerai ond pum munud ar y mwyaf i 'mrawd Rhys a minnau gerdded yno drwy'r ardd gefn, ac er bod y rhan fwyaf o'n ffrindiau ni yn y stryd yn ei mynychu, nid felly y bu i ni. Bu'n rhaid i ni deithio am ddeugain

(Trwy garedigrwydd y Pennaeth)

munud ar hen fws crynedig, ddeuddeng milltir i ffwrdd i Ysgol Gyfun Llanhari – yr ysgol uwchradd Gymraeg agosaf. Ond er y chwydu aml ar y ffordd yno a'r dylyfu gên ar y ffordd adre, yn wir treuliais saith mlynedd hapus a chyffrous iawn yno rhwng 1984 ac 1991. Merfyn Griffiths oedd y prifathro yn ystod fy mhum mlynedd cyntaf yno ac yna daeth Peter Griffiths, un a oedd yn danllyd iawn dros hyrwyddo'r iaith a'r ysgol boed yn yr eisteddfodau neu ar y caeau rygbi.

Cefais gyfleoedd gwych i gymryd rhan mewn dramâu llwyfan, partïon dawnsio gwerin, ambell raglen deledu, cystadlaethau corawl a chyngherddau lu. Roedd y cyfleoedd a gawsom i fynd i wersyll yr Urdd yng Nglanllyn yn amhrisiadwy. Gwefr i mi oedd cwrdd â phobl yr un oed â mi oedd yn siarad Cymraeg â'i gilydd heb feddwl ddwywaith. Roeddwn yn eiddigeddus iawn gan nad oedden nhw'n gwerthfawrogi'r fraint o allu mynd i siopa a thalu am nwyddau yn Gymraeg. Am un wythnos yn y flwyddyn yn unig yr oedd criw Llanhari yn medru chwarae gêmau, cymdeithasu, mwynhau disgos – popeth yn Gymraeg a hynny heb ei orfodi arnom. Roeddwn wrth fy modd a gwnes lawer i ffrind yno yn ogystal â chael profiadau bythgofiadwy.

Treuliais i a 'mrawd sawl haf yng nghartrefi'r ddwy fam-gu yn yr Allt-wen a Llan-saint. Teimlaf yn aml mai yn y mannau hynny y mae fy ngwir wreiddiau. Heb i ni sylweddoli, roedd ein perthnasau yn plannu diwylliant Cymraeg ynom ac yn ein cyfoethogi fel pobl. Fe'm trwythwyd mewn darnau mân o dafodiaith a sylweddolais nad Mam a Dad oedd yr unig rai a oedd yn siarad iaith a oedd yn wahanol i iaith y dosbarth. Roedd y ddwy fam-gu yn cynnig cyfoeth o wybodaeth i ni mewn ffyrdd gwahanol iawn. Mam-gu Allt-wen yn un o saith o blant ac wedi symud tŷ sawl gwaith i wahanol ardaloedd o Gymru, gan fod fy nhad-cu yn weinidog gyda'r Annibynwyr. Roedd gan Mam-gu synnwyr digrifwch da iawn ac roedd wrth ei bodd yn ein diddanu â straeon am y gorffennol. Mam-gu Llan-saint wedyn wedi byw yn yr ardal erioed a chanddi stôr o hanes teuluol diddorol. Roedd ei mam wedi esgor arni ar draeth Glanyfferi tra oedd yn casglu cocos i'w gwerthu ym marchnad Caerfyrddin. Roedd fy nhad-cu yn storïwr da iawn ac yn ein dysgu am draddodiadau'r pentre. Roedd hi'n arferiad i ni dreulio'r Calan gyda nhw a mynd o dŷ i dŷ i ganu am galennig. Mae dylanwad yr ardaloedd hardd hynny a'r bobl gyfeillgar wedi bod yn gryf iawn arnaf ac wedi darparu llawer o ddeunydd barddoniaeth a drama i mi.

Roedd gennym fel teulu, wrth gwrs, gyfeillion yn y dre a oedd yn Gymry Cymraeg a di-Gymraeg. Heidiai'r Cymry Cymraeg yn naturiol at Gymry Cymraeg eraill a threuliwyd sawl noswaith yn nhai'n gilydd. Cynhaliai Siân, Howard, Owen ac Elin noswaith gymdeithasol ar noson Guto Ffowc pan fyddai pawb yn ymgynnull yno am fyrger a diod yn ogystal â gwylio'r tân gwyllt. Gwnaem yr un peth ar noswyl y Nadolig – pawb yn ymlacio a rhannu straeon am sut y bydden nhw'n treulio dydd Nadolig.

Mae gaeaf 1982 wedi aros yn fy nghof. Hwnnw oedd gaea'r eira mawr. Anghofiaf i fyth yr eiliad y daeth fy nhad i'm deffro a dweud nad oedd modd mynd i'r ysgol am fod yr hewl a'r wal yn un, a'r car o'r golwg yn y dreif. Agoron ni ddrws y ffrynt a chael siâp y drws mewn ia yn syrthio mewn dros y carped. Ar ôl clirio'r llwybr ryw ychydig a gwisgo tri phâr o sanau aethom i alw am Owen ac Elin, plant Siân a Howard, a llusgo'r sled a adeiladodd Dad lawr i Gaeau'r Bont Newydd at yr allt serth a threulio'r diwrnod yn gwibio i lawr y mynydd – a Dad yn mwynhau'n fwy na ni! Sbort yn rhad ac am ddim! Roedd wastad ymdeimlad cryf o gymuned glòs ymhlith y Cymry Cymraeg.

Dylanwad anferth ar fy mhlentyndod oedd teledu Cymraeg. Darlledid *Yr Awr Fawr* ar fore Sul ddechrau'r wyth degau. 'Châi Mam byth drafferth i'n deffro ni i fynd i'r capel wedi hynny. Roeddwn wrth fy modd gydag Emyr Wyn a Slim a hanes Breian Loyd Jones yn Siop Siafins. Yn Eisteddfod Genedlaethol Machynlleth yn 1981 cefais y wefr fwyaf yn y byd o gwrdd ag Emyr Wyn. Mae gennyf hefyd ryw frith gof o'r bwrlwm gwleidyddol a oedd ynghlwm â sefydlu S4C ond i blentyn wyth oed y rhaglenni oedd yn bwysig. Rwy'n cofio'r cyffro wrth ddisgwyl am y noson fawr honno yn 1982, mi yn naw oed a 'mrawd yn chwech, ar ôl y pytiau o raglenni Cymraeg a oedd gynt ar HTV a'r BBC, yn cael y wefr o wylio un rhaglen ar ôl y llall heb orfod newid y sianel.

Cefais blentyndod breintiedig oherwydd sicrhaodd fy rhieni ein bod yn gwneud y gorau o bob cyfle a ddôi heibio. Er mai merch tre ydwyf, teimlaf fod cefn gwlad a glan y môr wedi chwarae rhan amlwg iawn yn fy mhlentyndod gan ein bod wedi gwerthfawrogi'r ardal hardd o gwmpas tref Pen-y-bont. Sawl tro y buom fel teulu, pan fyddai'r tywydd yn braf, yn cerdded dros y twyni tywod ym Merthyr Mawr gan gario padell ffrïo yn y gwres tanbaid a gwobr o ffa pob a selsig ar ddiwedd y daith hir. Byddem hefyd yn mynd am bicnic dan glogwyni traeth Nash Point gyda Heulwen, Tyssul, Aled a Hywel. Pan fyddem yn cael diwrnodau o haul aem fel teulu i draeth Rest Bay ac Aberogwr am y dydd a llosgi'n grimp a galw am ddiod sydyn yn nhafarn y Water Mill ar y ffordd adre. Weithiau aem am bryd o fwyd yn nhafarn y Pelican a mentro croesi'r cerrig sarn ar draws afon Ogwr ger castell Ogwr. Roedd Dad wastad yn sicrhau ein bod yn gwybod hanes a chwedlau'r ardal er eu bod bryd hynny'n mynd i mewn trwy un glust ac allan drwy'r llall!

Fy nhad a esboniodd i mi beth oedd arwyddocâd y cerrig gorsedd yng nghaeau'r Bont Newydd a sut y bu'n rhaid i Wil Ifan, yr archdderwydd a oedd yn weinidog ym Mhen-y-bont ar y pryd, gyhoeddi'r eisteddfod ddwy waith yn 1939 a 1948 gan i'r rhyfel ddifetha'r cynlluniau y tro cyntaf. Roedd gen i ddiddordeb mawr yn hyn ac roeddwn yn methu â dychmygu'r fath nifer o Gymry Cymraeg yn troedio'n parc ni – parc a oedd yn lle criced a phêl-droed yn ystod fy hanes i. Parhaodd y diddordeb yn Wil Ifan ac yn 1995 mi astudiais

Pabell Ysgol Gyfun Llanhari yn Eisteddfod Genedlaethol Pen-y-bont ar Ogwr, 1998.

(Trwy garedigrwydd y Pennaeth)

am radd MA ar fywyd a gwaith y bardd, gan fwynhau'r profiad yn fawr. Yn 1998 gwireddwyd y darlun o'r Cymry Cymraeg yn troedio caeau Pen-y-bont pan ymwelodd yr Eisteddfod Genedlaethol â'r ardal unwaith eto. Y tro hwn caeau coleg Pen-coed a gafodd y fraint honno. Gymaint oedd fy malchder nes i mi ysgrifennu cerdd i gofnodi'r profiad ar gyfer cyfres 'Talwrn y Beirdd' ar Radio Cymru.

Doedd hi ddim yn hawdd bod yn Gymraes Gymraeg ym Mhen-y-bont o ran fy mherthynas â phlant o ysgolion eraill. Roedd hi'n anodd ac yn annaturiol gorfod dibynnu ar rieni i fynd â mi i Ben-tyrch a Llantrisant i gwrdd â'm ffrindiau a oedd yn byw ym mhegwn eithaf dalgylch yr ysgol. Roedd y plant yn yr un stryd â mi'n mynychu'r ysgol Saesneg ac yn galw enwau arnom ni'r Cymry Cymraeg am ein bod mewn dillad brethyn streipiog ac yn dal bws i'r ysgol yn lle cerdded! Ffolineb plentynnaidd oedd hynny a daethom yn ffrindiau yn y diwedd a gweld bod sbri yn ddi-iaith. Weithiau roeddem mor wahanol ond weithiau roeddem mor glòs â'r streipiau du a choch ar y brethyn. Yn wir, roedd hi'n fantais cael dwy set o ffrindiau, ffrindiau ysgol a ffrindiau'r dre. Serch hynny, roedd egluro'n byd cyfrin ni o ddiwylliant Cymraeg o hyd ac o hyd a derbyn, yn yr un modd, eu cefndir hwythau, yn gallu bod yn straen. Weithiau doedd dim modd byrhau'r pellter rhyngom heb fradychu'n Cymreictod. Yn wir, fe wnaeth rhai o'm ffrindiau adael Llanhari a mynd i'r ysgol Saesneg gan eu bod yn meddwl bod man gwyn man draw. Roedd arnynt gywilydd bod yn Gymry Cymraeg ac roeddent yn gwrthryfela. Roedd hynny'n drueni. Ond eto, gyda chynifer o ddylanwadau Saesneg ac Americanaidd y byd teledu yn llywio cerddoriaeth a chylchgronau pwy allai feio plant am weld y Gymraeg fel rhywbeth anffasiynol. Roedd angen bod yn gryf i weld bod y ddwy iaith a'r ddau ddiwylliant yn gallu byw law yn llaw.

Rwyf bellach yn byw ac yn gweithio yng Nghaerdydd ond yn dal yn aelod o gapel Pen-y-bont ar Ogwr ac yn mynd yno i weld fy rhieni yn aml iawn. Rwy'n teimlo fy mod i'n rhagrithreg wrth ddatgan fy mod eisiau i'r iaith ffynnu ym Mro Ogwr ac eto rwy'n cefnu ar yr ardal am fy mod am achub ar y cyfle i brofi bywyd y brifddinas. Dyna a wnaeth nifer fawr o bobl ifanc yr wyf yn eu hadnabod ers fy mhlentyndod. Ond y mae rhai wedi aros yno wrth gwrs gan gynnwys fy ffrind gorau, Ceri, a fy mrawd. Yn ôl Cyfrifiad 1991 mae 10.3% o boblogaeth y dre yn siarad Cymraeg. Mae hynny'n gymharol galonogol. Rwyf yn dal i deimlo, er yr ymdrech i gynnal yr iaith, nad oes digon i bobl ifanc ei wneud yno. Serch hynny, mae gen i gariad mawr iawn at fy ardal enedigol ac rwy'n siŵr y byddaf yn mynd yn ôl yno i fyw ryw ddiwrnod a gobeithio y caiff fy mhlant i fagwraeth mor ddiddorol a chyfoethog ag a gefais i.

Rwy'n ymfalchïo yn y ffaith fod gen i ddwy iaith a 'mod i'n parchu diwylliant fy ngwlad oherwydd hynny. Roedd y daith feunyddiol i Ysgol Gyfun Llanhari yn werth pob eiliad o salwch teithio ac rwy'n diolch o galon i'm rhieni am wneud yr ymdrech galed honno dros addysg Gymraeg. Heb yr addysg honno, mae'n anodd gen i gredu y byddai fy niddordeb ysol yn y Gymraeg a'i llenyddiaeth wedi para hyd heddiw.

Tua'r Goleuni

JENI SMALLWOOD

I'r teithiwr cyffredin ddechrau'r ugeinfed ganrif, mae'n siŵr bod yngan yr enw 'Cwm Rhymni' yn ysgogi delweddau o lethrau cul dan fantell lwyd o lwch y gweithfeydd glo a haearn, wedi eu haddurno'n ddi-drefn gan resi o dai teras. Darlun o frwydr y dosbarth gweithiol yn erbyn tlodi economaidd enbyd. Yn sicr, byddai nifer yn dadlau mai dyma'r cwm mwyaf distadl o holl gymoedd y de, yn enwedig i'r rhai hynny sy'n byw y tu allan i Gymru. Mae'n siŵr na fyddai'r darlun diriaethol hwn ymhell iawn o'r gwirionedd, ond o godi'r fantell lwyd ymddangosai darlun o weithgaredd byrlymus a brwydro diddiwedd er mwyn achub yr iaith Gymraeg yng nghymoedd y de.

Sefydlogi, cadarnhau ac ymestyn ei defnydd yn y gymdeithas fu hanes naw canrif a hanner cyntaf y Gymraeg dros Gymru gyfan. Ond ar ddechrau'r unfed ganrif ar bymtheg, gwawriodd cyfnod newydd yn ei hanes, cyfnod o newid a brwydro dros ei thynged hir dymor, os nad dros ei bodolaeth. Cadarnhaodd 'cymal iaith' Deddfau Uno 1536–42 mai'r Saesneg fyddai unig iaith llysoedd Cymru ac na châi'r sawl a ddefnyddiai'r Gymraeg unrhyw swydd gyhoeddus yn nhiriogaethau'r Brenin.[1] Beth bynnag oedd bwriad y cymal hwn, ac mae rhai haneswyr yn anghytuno ynghylch ei bwrpas yn y ddeddf, cafodd yn ddiau effaith niweidiol ar yr iaith Gymraeg, trwy ei hamddifadu o unrhyw statws gwleidyddol yn ei gwlad ei hun a thrwy wneud yr iaith Saesneg yn atyniadol iawn ac yn wir yn anghenraid i'r boneddigion a'r sawl a geisiai gamu i fyd newydd y dinesydd Tuduraidd. Yn sgil twf diwydiant, masnach a bywyd trefol Cymru daeth y dosbarth canol hwythau i gredu nad oedd modd iddynt hwy na'u plant ddod ymlaen yn y byd heb wybodaeth o'r iaith Saesneg. Cynyddodd y galw felly am addysg Saesneg, a bychan iawn oedd nifer y Cymry a oedd yn ymserchu yn eu mamiaith, am mai'r Saesneg a deyrnasai ym myd y gyfraith, masnach, gweinyddiaeth, llywodraeth ac addysg. Roedd hyn yn sicr yn wir yng Nghwm Rhymni, oherwydd gan mai dyma un o'r cymoedd a oedd agosaf at glawdd Offa roedd y dylanwad negyddol ar ei gryfaf yma.

Yn anochel felly, nid ffynnu fu hanes addysg Gymraeg ledled y wlad ar hyd y bedwaredd ganrif ar bymtheg. Erbyn 1846 trodd y diddordeb mewn addysg yn gyffro a'i ganlyniad oedd archwiliad enwog 1847 i gyflwr addysg yng Nghymru, ac yn arbennig i'r cyfryngau a oedd ar gael i alluogi'r dosbarth gweithiol i ddysgu Saesneg. William Williams, Cymro a oedd yn un o aelodau seneddol Coventry, oedd yn gyfrifol am y cynnig a roddodd fod i'r Comisiwn a luniodd yr adroddiad sy'n cael ei adnabod bellach fel 'Brad y Llyfrau Gleision'. Creodd yr adroddiad hwn ddarlun tywyll iawn o'r gymdeithas Gymreig, gan bwysleisio'r gwahaniaeth mawr rhwng haenau uwch y gymdeithas a oedd erbyn hyn yn uniaith Saesneg, a'r haenau is uniaith Gymraeg. Er bod yng Nghymru nifer o ysgolion o safon, roedd y mwyafrif ohonynt yn anfoddhaol, a dim ond treian y plant rhwng pump a deng mlwydd oed a fynychai ysgol o gwbl. Ond nid manylion y feirniadaeth ar gyflwr addysg y wlad a frifodd y Cymry, ond y ffaith i'r Comisiynwyr awgrymu mai'r Gymraeg oedd yn gyfrifol am holl ffaeleddau'r system. Er gwaetha'r ffaith i'r 'Llyfrau Gleision' gael eu pardduo fel 'brad', parhaodd yr ysgolion uniaith Saesneg ac yn wir aethpwyd ati'n fwy egnïol i ehangu eu rhwydwaith. Roedd yn rhaid i'r Cymry ddangos i wleidyddion Lloegr eu bod nhw o ddifrif ynglŷn â gwella safon addysg yn y wlad. Yn syml, roedd y Gymraeg yn iawn yn y capel, ond Saesneg oedd iaith cynnydd, ac oherwydd ei statws uwch a'r ddelwedd ffafriol a roed iddi, daeth siarad Saesneg mewn nifer cynyddol o sefyllfaoedd yn nodwedd ffasiynol ar y rhai a gawsai addysg. Er i R. O. Jones awgrymu na chafodd cyfundrefn y bedwaredd ganrif ar bymtheg effaith addysgol drawiadol ar drwch poblogaeth Cymru, mae'n sicr iddi adael ei hôl yn ddwfn ar feddwl, ewyllys ac ymagwedd y Cymry, drwy ddyrchafu'r Saesneg a chreu delwedd wael o'r Gymraeg.[2]

Parhaodd y gred hon tan ganol yr ugeinfed ganrif, ac yn anffodus cwympodd fy nghyndeidiau i fagl y gred gyffredin hon ym mhŵer anffaeledig yr iaith Saesneg. Symudodd teulu fy nhad-cu ar ochr fy mam o Flaenau Ffestiniog i fyw yn Nelson ar ddechrau'r ugeinfed ganrif a chwilio am waith ym mhyllau glo yr ardal. Yn ôl y disgwyl, nid oeddent yn medru'r Saesneg o gwbl. Dim ond pan ddechreuodd fy nhad-cu yn yr ysgol leol yn bum mlwydd oed y cyfarfu ef â'r iaith Saesneg am y tro cyntaf. O'r diwrnod hwnnw ymlaen, gwnaed ymdrech fawr gan ei deulu i sicrhau y byddai cyn lleied o'r Gymraeg yn cael ei defnyddio ag oedd yn bosib. Gan fod y teulu'n gapelwyr o fri, dim ond ar ddydd Sul y caniateid iddo siarad yn Gymraeg. Erbyn genedigaeth fy mam tua chanol yr ugeinfed ganrif, ychydig iawn o Gymraeg a glywid yn yr ardal. Mae gan Mam atgofion prin o'r capel a'r Ysgol Sul yn cael eu cynnal yn Gymraeg. Ond ar ôl cenhedlaeth fy nhad-cu, nid oedd y strwythur cymdeithasol yn caniatáu i'r iaith Gymraeg gael ei throsglwyddo i'r genhedlaeth nesaf. Yr amgylchiadau hyn sy'n gyfrifol am sicrhau mai ychydig iawn o genhedlaeth fy mam sy'n medru'r Gymraeg yn yr ardal hon. Yn sgil y twf ym mhoblogrwydd yr iaith Saesneg, aeth y Gymraeg yn iaith y capel yn unig. Mae'n sicr bod Deddf Cyfieithu'r Beibl yn 1563 wedi lleihau effaith Deddfau Uno 1536 i ryw raddau wrth sicrhau y gallai'r Cymry grefydda yn eu mamiaith ar ôl cyfieithu'r Beibl i'r Gymraeg yn 1588, ond er gwaetha'r ymdrechion hyn, dyma ddechrau marwolaeth yr iaith Gymraeg yn yr ardal. Gan mai caffael yr iaith Saesneg oedd yr allwedd i lwyddiant trigolion y cyfnod hwn, dechreuodd cynulleidfaoedd y Sul ddirywio. Yn 1957 gorfodwyd cynulleidfaoedd yr Annibynwyr yng nghapel Penuel yn Nelson a chapel Mynydd Seion i uno, ac yn raddol diflannodd unrhyw elfen Gymraeg o'r gwasanaethau. Yn anffodus yr un fu tynged nifer helaeth o gapeli Cwm Rhymni yn ystod y cyfnod hwn.

Yn ffodus, fel y noda Geraint Jenkins, roedd cnewyllyn o bobl a honnai fod Duw wedi bendithio'r iaith Gymraeg a bod ganddo bwrpas arbennig ar ei chyfer.[3] Roedd hyn yn wir am drigolion Cwm Rhymni. Fel y gwelir yn hanes fy nghyndeidiau i, diffyg statws y Gymraeg ym myd addysg oedd un o'r rhesymau pwysicaf dros ddirywiad y Gymraeg yng nghymdeithasau Cymru. Dechreuodd adfywiad addysg Gymraeg yng Nghwm Rhymni ym mhen uchaf y cwm yn 1951, yn yr un modd ag y dechreuodd mewn nifer o ardaloedd eraill, gyda dosbarth Cymraeg gwirfoddol ar fore Sadwrn yn Ysgol Rhymni Uchaf. Y Parchg. Rhys Bowen ac eraill a fu'n gyfrifol am gynnal y dosbarthiadau hyn.[4] Parhaodd y trefniant hwn tan 1955 pan benderfynwyd cynnal dosbarth Cymraeg yn ysgol babanod Rhymni Ganol, a ddaeth i gael ei hadnabod fel Ysgol Gymraeg Rhymni. Tyfu a symud o un adeilad i adeilad arall fu hanes y dosbarthiadau hyn ac yn 1984 rhoddwyd adeilad safle isaf Ysgol Gyfun Rhymni i'r Ysgol

Gymraeg, gyda Mrs Heulwen Williams yn brifathrawes arni. Yn sgil y cynnwrf hwn ym mhen ucha'r cwm, dechreuodd trigolion ardaloedd deheuol y cwm fynnu darparu addysg Gymraeg i'w plant hwythau. Ar ôl brwydro di-ffael gan y ddiweddar Mrs Lily Richards ac eraill, sefydlwyd dosbarth babanod cyfrwng Cymraeg yn Ysgol y Gwyndy ym mhentref hanesyddol Caerffili yn 1961. Symud o un man i'r llall fu hanes yr ysgol hon hefyd, ond erbyn heddiw fe'i lleolir yn Senghennydd, ac fe'i hadwaenir fel Ysgol Ifor Bach, ar ôl y cymeriad hanesyddol Ifor Bach a fu'n dywysog ar Gantref Senghennydd yn ystod y ddeuddegfed ganrif. Golygai hyn fod Ysgol y Gwyndy yn wag a manteisiwyd ar hynny i sefydlu ail ysgol Gymraeg yn y dref yn 1970 dan ofal Mr Idwal Jones, brodor o Nelson ac un a fu'n gyfrifol am sicrhau bod pregeth Gymraeg i'w chlywed ar y Sul unwaith y mis yng nghapel Penuel, Nelson, tan ei farwolaeth ddisymwth yn 53 mlwydd oed yn 1977. Yn fuan, ymledodd y cynnwrf i ganol y cwm ac aed ati i gychwyn dosbarth gwirfoddol yn festri capel Hanbury Road, Bargoed, yn 1963. Cymaint fu'r diddordeb yn y dosbarthiadau hyn, fel y sefydlwyd Uned Gymraeg yn Ysgol Gynradd Gogledd Bargoed dan arweiniad Mrs Eirlys Thomas yn yr un flwyddyn. Erbyn heddiw adwaenir yr ysgol hon fel Ysgol Gilfach Fargoed. Parhau a wnaeth y brwydro, gyda rhieni ac athrawon yr ysgolion Cymraeg a oedd yn bod eisoes yn pwyso ar yr Awdurdod Addysg Lleol i sefydlu unedau Cymraeg ar hyd a lled y cwm. Sefydlwyd Uned Gymraeg Coed-y-brain yn 1977, ac uned ddwyieithog yn Ysgol Tir y Berth yn 1984. Fel y noda Michael Jones, erbyn 1984 roedd canran y plant a oedd yn mynychu ysgolion Cymraeg yn uwch yng Nghwm Rhymni nag ydoedd yn sir Forgannwg yn gyffredinol, ac mewn dau bentref, Abertridwr a Senghennydd, roedd yn agos i chwarter y plant yn mynychu ysgolion Cymraeg yr ardal.[5] Ym Medi, 1993, gwireddwyd breuddwyd yr ymgyrchwyr hyn pan agorwyd Ysgol Bro Allta yn Ystrad Mynach dan ofal Mr Dafydd Idris Edwards, ac Ysgol y Castell yng Nghaerffili yn 1995, dan ofal y diweddar Mrs Meinir Llywelyn. Yn sgil dyfodiad Ysgol Bro Allta y llwyddwyd i ddarparu addysg Gymraeg i drigolion Nelson yng Nghwm Rhymni am y tro cyntaf. Pan ddechreuais i fy ngyrfa ysgol yn 1983, i Ysgol Gymraeg Rhyd-y-grug ym Mynwent y Crynwyr yr oedd plant Nelson yn mynd. O'r ysgol hon, roedd y disgyblion yn mynd i Ysgol Gyfun Cwm Rhymni, neu Rydfelen. Wrth gwrs, erbyn heddiw, bwydo'r Ysgol Gyfun Gymraeg gyntaf i'w hagor mewn adeilad newydd, Ysgol Gyfun Rhyd-y-waun, a wna Ysgol Rhyd-y-grug.

Dechreuais fy nhaith ar lwybr addysg Gymraeg yn 1982 yn Ysgol Feithrin Treharris a gynhelid yn hen adeilad y pensiynwyr. Symudodd yr ysgol feithrin hon o adeilad tebyg yn Nelson yn y flwyddyn honno. Mae'n sicr fod datblygiad addysg gynnar trwy gyfrwng y Gymraeg yn hanfodol er mwyn sicrhau cyflenwad digonol o blant i'r ysgolion Cymraeg cynradd ac uwchradd yn yr ardal. Unwaith eto, brwydro dygn y werin a fu'n gyfrifol am sicrhau y fath ddarpariaeth yn yr ardal hon. Er Eisteddfod Genedlaethol Caerffili yn 1950 yr oedd tipyn o frwdfrydedd dros addysg feithrin yn y dre, ond ym mhen ucha'r cwm y plannwyd hedyn addysg feithrin Gymraeg yng Nghwm Rhymni yn 1955. Y bwriad oedd sicrhau cyflenwad digonol o blant cynradd i'r Ysgol Gynradd yn Rhymni. Gan nad oedd adeilad penodedig ganddynt yn y cyfnod hwn, cynhelid yr ysgol feithrin yng nghartref yr athrawes, Nansi Jones. Ond ni fu'n hir cyn i'r ysgol newydd gael cartref yn festri Seion, capel yr Annibynwyr, ac wedi hynny yn y Tabernacl, capel y Wesleaid. Fel yn achos y rhan fwyaf o'r ysgolion cyffelyb a sefydlwyd yn ystod y cyfnod hwn, rhieni'r Ysgol Gymraeg fu'n cynnal yr ysgol feithrin hon yn annibynnol ac yn wirfoddol nes iddi ymuno â rhwydwaith cenedlaethol y Mudiad Ysgolion Meithrin yn 1980. Erbyn heddiw mae 26 o ysgolion meithrin ac 21 o gylchoedd 'Ti a fi' yn sicrhau bod babanod Cwm Rhymni yn gallu dechrau ar addysg Gymraeg yn eu blynyddoedd cynnar.

Y cam nesaf ar fy nhaith oedd i Ysgol Gymraeg Rhyd-y-grug ym Mynwent y Crynwyr. Sefydlwyd hon yn 1976 i wasanaethu rhan ddeheuol rhanbarth Merthyr. Erbyn y cyfnod hwn, roedd gen i afael weddol sicr ar yr iaith Gymraeg, gan fy mod yn cael peth cyfle i siarad yr iaith ar yr aelwyd. Yn fuan wedi cychwyn yn yr ysgol hon, dechreuais brofi a mwynhau yr hyn a oedd gan yr Urdd i gynnig i blant ifanc yn yr ardal. Ar y pryd, prin roeddwn yn gwerthfawrogi'r cyfle hwn i gymdeithasu yn y Gymraeg y tu allan i oriau'r ysgol. Ond yn ddi-ffael, fe fyddem bob nos Iau wrthi'n ddyfal am oriau yn chwarae gêmau, yn ymarfer ar gyfer eisteddfodau, yn cymdeithasu yn Gymraeg yn naturiol – ac yn gwneud hynny, heb feddwl, y tu allan i

Ysgol Gynradd Gymraeg Rhyd-y-grug.

oriau'r ysgol. Mae fy rhieni yn dweud hyd heddiw mor braf oedd hi i glywed fy mrawd a mi yn sgwrsio'n wirfoddol yn y Gymraeg yng nghefn y car ar y ffordd adref o'r Aelwyd.

Yn anffodus i lawer, roeddem yn dal i fod o fewn muriau'r ysgol, ac felly roedd y Gymraeg yn dal i fod yn 'iaith yr ysgol' yn unig er ein bod y tu allan i oriau'r ysgol. Newidiai hynny unwaith yn ystod y flwyddyn, bob blwyddyn. Yn ystod wythnos y Sulgwyn fe fyddem yn cyrraedd uchafbwynt ein hymarferion dyfal a'n cystadlu brwd gydol y flwyddyn yn Eisteddfod yr Urdd. Mae'n sicr mai trwy Eisteddfod yr Urdd yn unig y câi nifer o blant yr ardal y cyfle i siarad Cymraeg y tu allan i furiau'r ysgol am wythnos gyfan, ac yn wir i ymweld â rhannau eraill o Gymru. Yn eironig ddigon, roedd nifer fawr ohonom wedi bod ar wyliau i wledydd tramor pell ond heb fod yn bellach i'r gogledd na Llambed, ac roeddwn i yn sicr yn un o'r garfan honno. Does dim syndod felly mai'r profiad mwyaf syfrdanol a gefais i oedd teithio i Ddyffryn Nantlle ar gyfer Eisteddfod yr Urdd yn 1990. Roedd pedair ohonom yn aros gyda theulu hynod groesawgar am dri diwrnod, ac mae gen i atgofion hapus iawn o'r diwrnodau hynny. Roeddwn i a fy nghyd-gystadleuwyr wedi'n syfrdanu fod y teulu hwn yn siarad Cymraeg bob dydd, trwy'r dydd. Roeddwn i wedi bod yn ffodus iawn i glywed y Gymraeg ar yr aelwyd ambell waith, ond roedd y sefyllfa hon yn gwbl newydd ac anghyfarwydd i'r gweddill.

Rwy'n cofio aros ar ddihun y noson gyntaf oherwydd trafodaeth ddifyr iawn ynglŷn â sut yr oeddem ni'n mynd i ymdopi â siarad Cymraeg trwy'r amser, heb sôn am ddeall eu tafodiaith hynod. Erbyn heddiw, mae'n anodd dirnad pa mor ddieithr oedd y sefyllfa i ni. Y ffaith a greodd fwyaf o siarad oedd fod yr ieuengaf o'r ddau blentyn, a oedd yn bum mlwydd oed, prin yn medru'r Saesneg o gwbl. Rwy'n cofio'r olwg chwilfrydig, ddyrys ar wyneb y ferch wrth iddi wrando arnom ni'n siarad â'n rhieni ar y ffôn yn Saesneg, fel pe baem yn siarad â rhyw greadur o blaned arall. Wrth i'r hynaf siarad â'i ffrindiau ar y teleffôn, roedd yn siarad yn Gymraeg yn hollol naturiol, heb ymyrraeth ei rieni. Yn hollol wrthgyferbyniol i'n sefyllfa ni, fe gawsom gyfle i brofi amgylchiadau lle roedd siarad Cymraeg yn 'cŵl'. Ni chlywsom yr un gair o Saesneg yn ystod y tri diwrnod hyn ac mae'n amlwg fod hynny wedi gwneud argraff ddofn arnom ni. Roedd wythnos y Sulgwyn, felly, yn darparu cyfle i ni ddefnyddio'r Gymraeg yn gymdeithasol y tu allan i'r ysgol ac i flasu peth ar ddiwylliant gwahanol rannau o Gymru. Am y tro cyntaf yn ein bywydau roedd y Saesneg yn ddiwerth a chawsom flas ar ddiwylliant a ffordd o fyw lle roedd hi'n dderbyniol, ac yn wir yn ddisgwyliedig, i ni siarad yn Gymraeg ym mhob sefyllfa y tu allan i'r ysgol.

Yn 1987 bûm yn ddigon ffodus i gael estyn yr un croeso i deulu o'r gogledd yn ein cartref ni pan gynhaliwyd Eisteddfod yr Urdd ym Merthyr. Cymryd rhan yn y ddawns flodau yn unig yr oeddwn i y flwyddyn honno, gan fy mod wedi cael cam yn y gystadleuaeth llefaru, neu adrodd fel yr oedd hi bryd hynny, yn yr Eisteddfod Sir!

Adeilad newydd Ysgol Gyfun Gymraeg Cwm Rhymni, a agorwyd ym mis Medi 2002.

Noson y Sioeau Cerdd i ddathlu agor Ysgol Gyfun newydd Cwm Rhymni, 2002.

Serch hynny, mae'r ymdeimlad o Gymreictod ac o berthyn i gymuned Gymreig a oedd yn bresennol yn yr ardal yn ystod yr wythnos honno, yn fyw iawn yn fy nghof hyd heddiw. Does dim amheuaeth felly ein bod ni'n gwbl ddyledus i Syr Ifan ab Owen Edwards am sefydlu mudiad mor ddylanwadol, ac mae'n sicr bod dylanwad yr Urdd yn drwm iawn ar blant yr ardal hon o hyd. Yn eu hachos hwy a phlant nifer o ardaloedd eraill mae'n siŵr, i'r mudiad hwn y mae'r diolch am sicrhau fod yna gyfleoedd i'r ifanc ddefnyddio'r Gymraeg yn eu bywydau cymdeithasol, ac am ddarparu cyfleoedd i blant o gartrefi di-Gymraeg flasu bywyd yn y cymunedau Cymraeg.

Ar ddiwedd fy nghyfnod hapus yn yr ysgol fechan hon yng nghrombil pentref Mynwent y Crynwyr y camais i fyd yr ysgol gyfun. Yn sgil y twf aruthrol a fu yn narpariaeth addysg gynradd Gymraeg yng Nghwm Rhymni yn ystod ail hanner yr ugeinfed ganrif, cynyddodd y galw am ysgol gyfun Gymraeg a fyddai'n ateb gofyn plant y cwm a oedd yn gorfod teithio i Ysgol Gyfun Rhydfelen ym Mhontypridd. Ar ôl cryn wrthwynebiad gan y trigolion lleol, agorwyd Ysgol Gyfun Cwm Rhymni ym Medi 1981. I safle'r Ysgol Isaf yn Aberbargoed yr es i yn ddisgybl un ar ddeg mlwydd oed yn 1990. Fel adeiladau pob ysgol Gymraeg a sefydlwyd yn ystod y cyfnod cyffrous hwn, hen adeiladau Ysgol Gyfun Saesneg Bedwellte oedd cartref yr Ysgol Isaf. Yr Ysgol Isaf oedd cartref Blynyddoedd 7 ac 8, a safle'r Ysgol Uchaf ar ochr arall y dyffryn ym Margoed oedd cartref Blynyddoedd 9–13. Yr adeiladau diffygiol hyn oedd fy nghartref nes i mi adael yr ysgol yn ddeunaw mlwydd oed i barhau â'm haddysg ym Mhrifysgol Abertawe. Roedd eu cyflwr yn warthus, ac fe'u beirniadwyd yn llym gan Arolygwyr Ei Mawrhydi yn eu hadroddiad yn dilyn arolygiad o'r ysgol yn 1987. Fel canlyniad, sefydlwyd Pwyllgor Datblygu'r Ysgol gyda'r nod o sicrhau adeiladau newydd. Ers y diwrnod y'i sefydlwyd, bu'n ymgyrchu'n ddwys i ddwyn pwysau ar yr Awdurdod Addysg Lleol a'r llywodraeth ganolog i gydnabod yr angen am adeiladau newydd. Un mlynedd ar hugain ar ôl agor yr ysgol am y tro cyntaf, a phymtheng mlynedd ar ôl sefydlu'r Pwyllgor, agorwyd adeiladau newydd sbon i'r ysgol ym mhentref cyfagos Ffleur de Lys, ym mis Medi, 2002. Er gwaethaf cyflwr yr adeiladau, llwyddodd yr ysgol trwy gyfrwng tîm o staff gweithgar ac ymrwymedig i ddarparu addysg cyfrwng Cymraeg o safon uchel, a chreu awyrgylch Gymreig i nifer helaeth o blant yr ardal, a'r rhan fwyaf o'r rheini o gartrefi hollol ddi-Gymraeg. Ym mis Medi, 2002, dechreuodd Ysgol Gyfun Cwm Rhymni ar bennod newydd yn ei hanes mewn adeiladau modern newydd sbon a adeiladwyd i'r pwrpas. Er mwyn ffarwelio â'r hen adeiladau a dathlu agoriad yr ysgol newydd, cynhaliwyd noson o sioeau cerdd ym mis Gorffennaf. Roedd yn gyfle i gyn-ddisgyblion, a oedd wedi cymryd rhan yn y sioeau cerdd a berfformiwyd gan yr ysgol yn y gorffennol, i ddangos eu doniau unwaith yn rhagor. Braf oedd gweld nifer o wynebau sy'n gyfarwydd i ni bellach ym myd y cyfryngau.

Yn anffodus, dirywio a wnaeth dylanwad yr Urdd arnaf yn ystod fy mlynyddoedd yn yr ysgol gyfun. Yn syml, roeddwn â'm bryd ar 'bethau eraill' fel pob disgybl yn ei arddegau. Wedi dweud hyn, mae'r sefyllfa yn ysgolion cyfun yr ardal yn bur wahanol erbyn hyn. Camp fawr yr Urdd oedd sylweddoli bod disgyblion o'r oedran hwn yn gyffredinol yn colli diddordeb yn y gweithgareddau a oedd yn boblogaidd tu hwnt yn y sector cynradd, a mynd ati i sefydlu mudiad yr 'Urddaholics' yn arbennig ar gyfer disgyblion rhwng 16 a 25 mlwydd oed. Yn sicr, wrth ymweld ag ysgolion cyfun yr ardal braf oedd gweld fod dylanwad yr adain hon o'r mudiad yn drwm iawn

Taith yr 'Urddaholics' i Wlad Pwyl, Ebrill 2001.

ymysg eu disgyblion. Ym mis Ebrill, 2001, trefnwyd taith i Legnica yng Ngwlad Pwyl i aelodau'r 'Urddaholics' yn y rhan hon o Gymru. Ar fore'r 4ydd o Ebrill roedd pawb yn brysur yn llwytho bws mini Gwersyll Llangrannog ar gyfer y daith ugain awr i Legnica. Ar ôl wythnosau o godi arian, dros £4,000 i gyd, roeddent yn barod i gychwyn ar eu taith i gartref plant yn Legnica. Eu bwriad, yn syml, oedd mynd allan i aros mewn cartref i 67 o blant amddifad gyda'r bwriad o gymdeithasu, gwneud ffrindiau newydd a gwneud ychydig o waith â'r £4,000 a godwyd. Roedd gan y cartref ddecpunt y mis i ddilladu, bwydo ac addysgu'r plant, ac felly roeddent yn ddiolchgar iawn am y gwaith a wnaed gan y disgyblion yn ystod y cyfnod byr hwn. Cyn hir roedd trigolion y cartref wedi dysgu criw yr 'Urddaholics' i gyfri yn eu hiaith, dweud helô, shwmai, nos da, diolch ac yn y blaen, a'r 'Urddaholics' hwythau wedi dysgu peth Cymraeg i'r plant.

Erbyn heddiw felly, nid codi ymwybyddiaeth ieuenctid Cymru o gymdeithasau Cymreig y wlad hon yn unig a wna'r Urdd, ond cynnig cyfleoedd iddynt werthfawrogi ein sefyllfa ni yng Nghymru trwy ymweld, a rhoi cymorth, i'r gwledydd hynny sy'n llai ffodus. Nid oes modd gorbwysleisio cyfraniad y mudiad hwn ar hyd y blynyddoedd i dwf y Gymraeg yn y rhan hon o Gymru, trwy ddarparu'n gyson weithgareddau cyffrous a diddorol sy'n ennyn diddordeb ieuenctid yr ardal. Mae hyn i gyd yn rhoi cyfle i ddisgyblion, y rhan helaethaf ohonynt yn dod o gartrefi uniaith Saesneg, i ddefnyddio'r Gymraeg y tu allan i furiau'r ysgol.

I blentyn a fagwyd yn Nelson, yn ail blentyn i deulu heb ond un rhiant yn medru'r Gymraeg, doedd yr iaith ddim yn chwarae rhan amlwg iawn yn ein bywydau y tu allan i'r ysgol. Ac fel yr awgryma Gareth Pierce, roedd y Gymraeg i raddau helaeth iawn yn iaith yr ysgol yn unig i ni, fel i'r mwyafrif o blant yr ardal.[6] Mae nifer yn awgrymu mai canlyniad annisgwyl i'r twf aruthrol yn y galw am addysg Gymraeg yn ystod y cyfnod hwn, oedd y ffaith bod y mwyafrif o'r plant a dderbyniai'r addysg honno yn ystyried y Gymraeg yn iaith y sefydliadau academaidd yn unig. Mae'n sicr bod hyn yn wir, yn arbennig yn yr ardaloedd lle roedd y Gymraeg ar ei gwannaf yn gymdeithasol. Ar ein haelwyd ni, fe fyddem yn siarad â Dad yn Gymraeg, ac fe fyddai Mam yn medru deall, ond yn anffodus Saesneg oedd iaith ein chwarae a'n cymdeithasu y tu allan i'r ysgol, er mawr siom i'n rhieni. Roedd gan y Gymraeg ryw ddelwedd academaidd, ac felly'n syml doedd hi ddim yn 'cŵl' i siarad yn Gymraeg y tu allan i'r ysgol. Tra oedd y Gymraeg yn ffynnu o fewn muriau'r sefydliadau hyn, roedd ei sefyllfa gymdeithasol yn peri pryder. Y cam nesaf yn y broses o adfywio'r Gymraeg oedd sicrhau bod digon o gyfleon i ddefnyddio'r iaith yn y gymdeithas. Soniwyd eisoes am waith parhaus mudiad ieuenctid yr Urdd yn y maes hwn trwy gyfrwng yr aelwydydd a'r clybiau CIC. Mae'n sicr bod sefydlu a datblygu Mentrau Iaith yn yr ardal hefyd wedi llwyddo i hybu defnydd a chodi statws y Gymraeg yn y gymdeithas. Sefydlwyd Menter Iaith Bwrdeistref Sirol Caerffili i wasanaethu Cwm Rhymni. Dim ond ychydig o ddylanwad a gafodd mudiadau tebyg ar fy ngyrfa i yn yr ysgol, ond erbyn heddiw mae Menter Iaith Caerffili yn ffynnu ac yn ddylanwadol iawn wrth ddarparu nifer o gyfleoedd i ddefnyddio'r Gymraeg yn y gymuned. Yn ogystal, maent yn weithgar iawn yn annog trigolion di-Gymraeg yr ardal i ddysgu'r iaith trwy gynnal dosbarthiadau i oedolion ar hyd a lled y cwm.

Fel y soniwyd eisoes, ni ellir dadgysylltu crefydd oddi wrth y ffordd Gymreig o fyw, ac yn sicr er gwaetha'r dirywiad cyffredinol ym maint cynulleidfaoedd y Sul dros y ganrif ddiwethaf, mae crefydd hyd heddiw yn darparu cyfleoedd i blant Cwm Rhymni glywed a defnyddio'r iaith Gymraeg. Mynychu Ysgol Sul ddwyieithog ym Mhenuel, Nelson, a wnes i. Dim ond ychydig o blant a oedd yn medru'r Gymraeg a fynychai'r Ysgol Sul hon, ond fe fyddai'r athrawon yn ymdrechu'n galed er mwyn sicrhau bod rhan o weithgareddau'r capel yn Gymraeg. Yn anffodus nid oes plant sy'n siarad Cymraeg yn mynychu'r Ysgol Sul hon bellach, er bod ganddi tua phymtheg o aelodau teyrngar nad ydynt yn medru'r Gymraeg. Gwahanol iawn fu hanes capel Bethel yng Nghaerffili. Fel y noda Eyron Thomas, tybiai llawer mai yr hen gapel mawreddog a saif yn Heol Nantgarw oedd y capel harddaf yng Nghaerffili.[7] Ond yn 1984 bu'n rhaid i aelodau Bethel wynebu'r ffaith fod yna wendidau mawr yn eu hadeilad. Ar ôl ymdrechion diflino'r aelodau i godi arian, dymchwelwyd Bethel yn Hydref 1990. Ymunodd aelodau'r capel ag aelodau capel Tonyfelin yng Nghaerffili tan 1992, pan gwblhawyd y gwaith o ailadeiladu Bethel. Adeilad modern a lle ynddo i ryw gant o bobl yw'r adeilad newydd, ac erbyn 1994 roedd y festri hefyd yn barod. Ar ôl dymchwel yr adeiladau llwyddodd yr athrawes, Mrs

Bethel, capel yr Annibynwyr yng Nghaerffili, ar ôl ei ailagor yn 1992.

Eirlys Morgan, i ddiogelu hunaniaeth Ysgol Sul Bethel y tu fewn i Ysgol Sul Tonyfelin pan oedd y ddwy gynulleidfa'n cydaddoli. Braf, felly, oedd gweld criw bach o saith aelod yr Ysgol Sul yn dychwelyd i'w cartref ym mis Medi, 1994. Roedd y twf a fu yn nifer aelodau'r Ysgol Sul yn y blynyddoedd dilynol y tu hwnt i bob disgwyl. A braf iawn yw nodi bod gan yr Ysgol Sul o leiaf 50 o aelodau erbyn heddiw, camp yn wir wrth ystyried tueddiadau'r oes, a'r dirywiad cyffredinol yng nghynulleidfaoedd y capeli. Yn sicr ni ellir dibrisio cyfraniad y Parchg. Denzil John yn y maes hwn. Dechreuodd yntau ar ei yrfa fel y gweinidog Cymraeg yng Nghaerffili yn 1978, ac mae ei ymdrechion i gynnal oedfaon y Sul yn Gymraeg yn wythnosol yng Nghaerffili wedi llwyddo i godi statws yr iaith yno. Erbyn heddiw mae'r Parchg. Denzil John yn olygydd papur bro y cwm hefyd, papur sydd wedi mabwysiadu arwyddair yr ysgol gyfun yn deitl arno – 'Tua'r Goleuni'.

Mae'n sicr mai un gweithgaredd unigryw sy'n peri i Ysgol Sul Bethel ffynnu yw'r Clwb Ieuenctid a gynhelir bob nos Iau yn y capel i blant sy'n mynychu'r ysgol gyfun. Mae'n ffaith bod y cyfnod o drosglwyddo o'r ysgol gynradd i'r ysgol gyfun yn un pan fydd llawer o'r aelodau'n pellhau oddi wrth y capel a'r Ysgol Sul, ac roedd hyn yn sicr yn wir yn fy achos i. Ond mae Eirian Thomas wedi bod wrthi'n ddyfal yng nghapel Bethel i geisio cadw'r ieuenctid yn yr Ysgol Sul trwy drefnu nosweithiau a gweithgareddau diddorol iddynt. Unwaith eto y bwriad yw rhoi cyfle iddynt gymdeithasu yn Gymraeg y tu allan i furiau'r ysgol, ac ni ellir gorbrisio gwerth a chyfraniad gweithgareddau o'r fath i dwf y Gymraeg yn y cwm hwn.

Fel ffrwyth y system addysg ddwyieithog, ac fel un sydd wedi teithio ar hyd ei llwybrau o'r ysgol feithrin i'r ysgol gyfun, dim ond wrth i'r daith honno ddod i ben y sylweddolais fy mod, mewn gwirionedd, wedi bod yn rhan o broses gymhleth, unigryw a chwyldroadol. Mae bod yn berson dwyieithog yng Nghwm Rhymni yn fraint yr wyf fi, a nifer helaeth o ddisgyblion cyffelyb mae'n siŵr, wedi ei chymryd yn llwyr ganiataol. Nid llwybr hawdd fu hanes adfywiad y Gymraeg yng Nghwm Rhymni, a heb os mae modd dadlau mai'r werin fu ceidwaid yr iaith yma trwy eu brwydro diderfyn. Yn ffodus ddigon, perthyn i'r gorffennol y mae'r 'Welsh Not' a 'Brad y Llyfrau Gleision'. Rydym yn y broses o wrthdroi'r symudiad i ddysgu yn unig trwy gyfrwng y Saesneg a ddatblygodd yng nghyfnod y Tuduriaid ac a gyrhaeddodd uchafbwynt gyda dyfodiad y 'Welsh Not', yn ogystal â dileu'r cysyniad fod y Saesneg yn angenrheidiol i unrhyw un sydd am lwyddo. Yn eironig ddigon, erbyn heddiw mae tuedd i ystyried y gallu i siarad Cymraeg yn rhinwedd sy'n arwain at fwy o gyfleoedd i'r unigolyn. Serch hynny, mae'n amlwg nad oes modd i addysg ddwyieithog yn unig gynnal y broses o gyfnewid iaith. Dim ond drwy sicrhau dwyieithrwydd yn yr ysgolion ynghyd â dwyieithrwydd ar lefel y gymdeithas y llwyddir i lawn adfer yr iaith Gymraeg. Ac mae'n debyg mai dyma'r her ddeublyg sydd bellach yn wynebu'r iaith Gymraeg ym mhob rhan o Gymru, boed yng nghymoedd y de neu ym mherfeddion cymdeithasau'r gogledd, sef parhau i sicrhau bod plant yn cael y cyfle i ddysgu'r Gymraeg mewn ysgol ddwyieithog, a sicrhau bod cyfleon digonol ar gael iddynt ddefnyddio'r iaith yn y gymuned yn ogystal.

Wrth i ni gamu i'r milflwydd nesaf, gwahanol iawn ydy'r darlun o Gymreictod yng Nghwm Rhymni i'r darlun a gafwyd ar ddechrau'r ugeinfed ganrif. Yn sgil twf aruthrol addysg Gymraeg yn y cwm, ynghyd â'r nifer helaeth o gyfleoedd a gynigir gan fudiadau cenedlaethol a lleol i ddefnyddio'r iaith yn gymdeithasol, mae'n siŵr y gellid awgrymu erbyn heddiw bod y Gymraeg, i raddau helaeth, yn ffynnu yn y rhan hon o Gymru. Yn sicr, mae ymweliadau Eisteddfod Genedlaethol yr Urdd ag Islwyn yn 1997 a'r Eisteddfod Genedlaethol â Chwm Rhymni yn 1990 wedi hybu'r mudiad o blaid yr iaith Gymraeg yn yr ardal hon. Er gwaetha'r tlodi cymdeithasol enbyd sy'n bod o hyd yng Nghwm Rhymni, mae cyfoeth diwylliannol Cymreig y trigolion wedi llwyddo i flaguro. Mae'r iaith yn prysur ddiosg ei chlogyn o anffafriaeth, ac yn gwneud ei hunan yn fwy atyniadol i ieuenctid y cwm.

'Ni ddychwel ddoe,
Ymlaen fo'r nod
Tua'r Goleuni.'

NODIADAU

[1] Gweler *The Statutes of Wales* I. Bowen, 1908:87 a ddyfynnir yn R.O.Jones, *Hir Oes i'r Iaith* (Llandysul, 1997), 138.

[2] R.O. Jones, *op.cit.*, 287.

[3] G.H. Jenkins, 'Y Gymraeg mewn Addysg: Darlun Hanesyddol', yn Merfyn Griffiths (gol.), *Addysg Gymraeg – Casgliad o Ysgrifau* (CBAC, 1986), 5–9.

[4] Lily Richards a Ben Jones, 'Ysgolion Cymraeg Cwm Rhymni – 2000 Erbyn 2000' yn Iolo Wyn Williams (gol.), *Gorau Arf – Hanes Sefydlu Ysgolion Cymraeg 1939–2000* (Gwasg Y Lolfa, 2002), 74–80.

[5] Michael Jones, 'Morgannwg Ganol – Pair Dadeni Addysg Gymraeg', yn *Gorau Arf – Hanes Sefydlu Ysgolion Cymraeg 1939–2000*, 50–63.

[6] Gareth Pierce, *Nabod Cwm Rhymni* (Llandysul, 1990).

[7] Eyron Thomas, 'Bethel Caerffili', yn Eifion Powell (gol.), *Undeb yr Annibynwyr Cymraeg – Llawlyfr Ymwelwyr, ynghyd â Braslun o Hanes Diweddar yr Eglwysi sydd yn gwahodd* (Undeb yr Annibynwyr Cymraeg, 2002), 29–38.

Cwm Gwendraeth[1]

GETHIN RHYS

Gwlad y Pyramidiau oedd Cwm Gwendraeth i Aneirin Talfan Davies wrth iddo grwydro sir Gâr hanner canrif yn ôl.[2]

> Gellwch deithio am filltiroedd ar hyd dyffryn Gwendraeth heb weled golwg ar dip glo na gêr pwll; a phan ddowch o hyd i un o'r tipiau hyn cewch fod meysydd gwyrddlas yn ei amgylchynu, ac fe welwch ar ddiwrnod o haf, fel y gwelais i droeon, gaeau gwenith yn ymdonni yn yr awel dan ei gysgod.

Apêl Cwm Gwendraeth i Aneirin Talfan Davies oedd presenoldeb annisgwyl y bywyd gwledig yng nghanol ardal lofaol gyda'i phyllau, ei rheilffyrdd a'i gwastraff glo. Mae'r cyferbyniad rhwng y Gymru ddiwydiannol a'r Gymru wledig yn thema yng ngwaith llenorion a haneswyr fel ei gilydd. I Gwenallt roedd siroedd Morgannwg a Chaerfyrddin yn symbolau o'r cyferbyniad hwn yn ei brofiad personol ond i bobl Cwm Gwendraeth ni ellid gwahanu'r ddau fyd mor hawdd. Yr hyn a wnâi'r cwm yn wahanol i gymoedd diwydiannol eraill y de oedd parhad y tirlun a'r bywyd gwledig yng nghanol y pyllau, y gamlas a'r rheilffordd, a'r pentrefi mawrion.

Mae'r enw 'Cwm Gwendraeth' yn gamarweiniol gan fod dwy afon, sef y Gwendraeth Fawr a'r Gwendraeth Fach. Wrth syllu o ben Mynydd Llangyndeyrn, gwelir y ddau ddyffryn yn rhedeg gyfochor â'i gilydd tua'r de-orllewin. Nid oes tref yn y cwm nac un ganolfan ganolog. Barn bersonol yw terfyniadau daearyddol y cwm. Er fod y Gwendraeth Fach yn llifo heibio i Gastell Cydweli ar ei thaith i'r môr mae'n anodd ystyried tref Normanaidd ganoloesol fel rhan o'r cwm. Ar y llaw arall nid yw Pen-y-groes yn nyffryn y Gwendraeth Fawr ond eto mae'n perthyn i'r cwm. Efallai mai Cross Hands yw pentref mwyaf adnabyddus y cwm i ddieithriaid, a hynny am eu bod yn fwy tebygol o deithio trwyddo. Pa ryfedd felly mai ofer yw egluro wrth ddieithryn mai Cwm Gwendraeth yw eich cartref – rhaid iddynt fodloni ar yr wybodaeth niwlog ei fod yn rhywle rhwng Caerfyrddin,

Llanelli ac Abertawe. Ar yr wyneb, enw'r afonydd yn unig sy'n cysylltu pentrefi'r ddau ddyffryn, Porth-y-rhyd a'r Tymbl, Llangyndeyrn a Phontyberem, Pontantwn a Phont-iets. Eto maent i gyd yn rhan o Gwm Gwendraeth, a hynny oherwydd patrwm cymdeithas yn y cwm.

Wrth geisio dadansoddi sefyllfa Cwm Gwendraeth ar ddechrau canrif newydd, ni ellir osgoi'r ffaith fod seiliau'r cwm yn yr ugeinfed ganrif wedi diflannu neu'n prysur ddadfeilio.[3] Glo oedd sylfaen y gymdeithas ac fe'i gwasanaethid gan gapeli, neuaddau adloniant a chlybiau chwaraeon. Diddymwyd y diwydiant a roes fod i bentrefi Cwm Gwendraeth Fawr yn eu ffurf bresennol, a chododd cenhedlaeth newydd nad ydynt yn cofio hyd yn oed y pyllau olaf yn y cwm. Er fod cloddio glo yn dyddio'n ôl i'r unfed ganrif ar bymtheg, o'r 1830au ymlaen y tyfodd y diwydiant.[4] Erbyn diwedd y bedwaredd ganrif ar bymtheg cafwyd marchnad i lo caled Cwm Gwendraeth ar gyfandir Ewrop, lle'i llosgid i gynhesu tai. Ymestynnai'r maes glo caled o Gwm Nedd i Gwm Gwendraeth. Cododd allforion glo caled Cymru o 1,676,128 tunnell yn 1885 i 4,778,114 tunnell erbyn 1913. Perchnogion unigol oedd i lawer o weithfeydd glo Cwm Gwendraeth tan y Rhyfel Mawr, ond yn yr 1920au prynwyd mwyafrif y pyllau gan 'Amalgamated Anthracite Collieries Ltd.', sef cwmni Syr Alfred Mond.[5] Gweithiwyd dros drigain o byllau a slantiau rhwng Pen-y-groes a Phen-bre dros gyfnod o amser, ac mae rhestr gyflawn ohonynt yng nghyfrol y diweddar K. C. Treharne, *Glofeydd Cwm Gwendraeth*.[6]

Wedi gwladoli'r diwydiant glo yn 1946 galwyd am lofa newydd yng Nghwm Gwendraeth gan fod yr hen lofeydd wedi dirywio ac yn gostus i'w gweithio. Cynhyrchwyd glo am y tro cyntaf yng Nghynheidre ym 1960 ac er mai'r bwriad oedd codi miliwn o dunelli'r flwyddyn am gan mlynedd, amharwyd ar y gwaith gan anawsterau daearegol a ffrwydriadau yn y wythïen. Caewyd Cynheidre ym 1989 pan oedd y lofa ar fin dechrau cloddio gwythïen mewn dull modern,[7] a'i chau a diswyddo cannoedd o lowyr a hynny'n ergyd farwol i'r diwydiant glo yng Nghwm Gwendraeth, er i lofa Cwmgwili barhau i gynhyrchu glo hyd Fawrth, 1992. Un posibilrwydd i lenwi'r bwlch a adawyd gan y pyllau glo fu datblygu glo brig, gan mai mewn ardaloedd lle mae'r wythïen lo yn codi i'r brig yn unig y mae modd gwneud hyn. Er ei fod yn cynnig cyflogaeth mae'r gost amgylcheddol yn sylweddol a hynny mewn oes sy'n rhoi pwys mawr ar ynni cynaladwy. Parhawyd i gloddio am lo brig yn Ffos Las, Trimsaran, ac ar hen safle glofa Mynydd Mawr am gyfnod, ond nid pawb oedd yn croesawu diwydiant tymor byr a beryglai iechyd a'r amgylchedd. Dinistriwyd chwe fferm pan ddatblygwyd Ffos Las. Yn Chwefror, 1992, cyflwynwyd deiseb uniaith Gymraeg ac arni 20,000 o enwau yn gwrthwynebu glo brig, ac yn ôl *Papur y Cwm* '[b]yddai llawer o bentrefi bach Cymraeg eu hiaith yng Nghwm Gwendraeth yn cael eu dinistrio am byth pe caniateid datblygu pellach yn yr ardal.'[8] Deuai glo brig â gwaith ond mae'r gost gymdeithasol yn ormod i'w derbyn, ac mae'n bur sicr na fydd lle amlwg i'r diwydiant glo yn nyfodol economaidd Cwm Gwendraeth.

Y dasg fawr bellach yw cynnal cymdeithas a seiliwyd ar y diwydiant glo trwy gyflogaeth o fath gwahanol. O ganlyniad i ddiflaniad y diwydiant glo roedd 16% o boblogaeth y cwm yn ddi-waith erbyn 1991.[9] Dangosodd ffigyrau diweddarach fod lefel diweithdra wedi codi i 20%, a bod diweithdra ymhlith yr ifanc yn nes at 30%.[10] Dengys economi Cwm Gwendraeth yn y naw degau arwyddion digamsyniol dirwasgiad gydag incwm isel, problemau iechyd, allfudo a phoblogaeth sy'n heneiddio. Sylwodd meddygon a gweithwyr cymdeithasol y cwm ar gynnydd mewn hunanladdiad, iselder ysbryd, torcyfraith, alcoholiaeth a chyffuriau, a phroblemau yn y cartref.[11] Problemau yw'r rhain sy'n gyffredin i holl gymoedd diwydiannol y de, ond mae gan Gwm Gwendraeth fanteision wrth geisio wynebu sefyllfa economaidd newydd. Un ohonynt yw agosrwydd canolfannau poblog Caerfyrddin, Llanelli ac Abertawe, sy'n galluogi rhai i aros yn y cwm er gwaethaf y prinder swyddi. Roedd un o bob tri yn gorfod teithio o'r cwm i weithio yn 1991 ac er fod sefyllfa o'r fath yn tanseilio'r economi hunangynhaliol a fodolai o'r blaen mae'n lleddfu allfudiad o'r cwm.[12] Bu adeg pan oedd y rheilffordd yn ganolog i economi Cwm Gwendraeth, a chludid glo Cynheidre ar reilffordd Llanelli a Mynydd Mawr. Rhedai rheilffordd o Borth Tywyn i Gwm-mawr, ac un arall o Gydweli i Fynyddygarreg. Bellach gellir dilyn llwybr rheilffordd Llanelli a Mynydd Mawr ar gefn beic ac mae economi'r cwm yn ddibynnol ar gysylltiadau ffyrdd. Croesi'r cwm a wna'r priffyrdd yn hytrach na hwyluso teithio ar hyd y cwm. Mae'r A484 o Lanelli i Gaerfyrddin yn croesi gwaelod Cwm

Gwendraeth ac mae ffordd ddeuol yr A48 yn mynd ar draws rhan ogleddol y cwm ar ei ffordd i Gaerfyrddin. Un o effeithiau patrwm yr heolydd yw fod cysylltiadau da rhwng dyffrynnoedd y Gwendraeth Fawr a'r Gwendraeth Fach. Dangosodd arolwg o bentref Bancffosfelen ym 1999 fod dros hanner y rhai a holwyd o'r farn fod llwybr y gwasanaeth bws yn dda neu'n rhesymol. Ugain y cant yn unig a gredai fod y llwybr yn anfoddhaol. Ar y llaw arall roedd dros hanner y rhai a holwyd yn meddu ar fwy nag un cerbyd, sy'n awgrymu fod trafnidiaeth breifat yn angenrheidiol i'r rhai sy'n gweithio.[13] Bu sôn am adeiladu priffordd ar hyd Cwm Gwendraeth Fawr, ond er y byddai cynllun o'r fath yn hwyluso teithio ar hyd y cwm ac yn gwasanaethu parc diwydiannol Pont-henri, mae angen mwy na chysylltiadau trafnidiaeth er mwyn adfywio'r ecomoni, fel y dengys ymdrechion blaenorol.

Yr ymgais fwyaf i sicrhau dyfodol economaidd Cwm Gwendraeth oedd datblygiad Parc Busnes Cross Hands gan hen Gyngor Bwrdeistref Llanelli ar safle'r hen lofa.[14] Mae'r safle'n cynnwys siopau, unedau ar gyfer busnesau bychain, a ffatrïoedd diwydiant ysgafn. Am y tro cyntaf canolwyd nifer o wasanaethau'r cwm mewn un safle, a daeth nifer o'r siopau mawr yn gyrchfannau poblogaidd ar y penwythnosau. Bu pentrefi'r cwm yn gyd-ddibynnol, gyda gwasanaethau, busnesau a siopau gwahanol ym mhob pentref, a'r

Parc Busnes Cross Hands.

cyfan yn perthyn i'r ardal gyfan. Enghraifft o'r patrwm hwn yw Ysbyty'r Mynydd Mawr a arbedwyd rhag ei gau gan drigolion y cwm. Ymgais i ganoli yw Parc Busnes Cross Hands a hynny'n groes i batrwm dyffryn heb ei ganolbwynt naturiol. Nid yw'r patrwm gwasgaredig hwn heb ei fanteision gan i berygl gorddibyniaeth ar un cyflogwr gael ei amlygu'n yn ddiweddar pan gaewyd ffatrïoedd a symud y gwaith i wledydd tramor. Mae economi sy'n ddibynnol ar amrywiaeth o wahanol fusnesau yn aml yn llwyddo'n well i oresgyn dirwasgiad. Y ffaith syml, fodd bynnag, yw bod diflaniad y diwydiant glo wedi gadael bwlch na ellir ei lenwi heb gyflogwr sylweddol, ac mae Parc Busnes Cross Hands yn ddelfrydol gan fod ffordd ddeuol yr A48 yn hollti'r safle'n ddau. Gwaetha'r modd, mae erwau lawer yn parhau heb eu datblygu – enghraifft amlwg o'r diffyg buddsoddiad ym mhen gorllewinol yr M4. Cwmni prosesu bwyd yw un o'r cyflogwyr mwyaf ar y safle a gweledigaeth Cyngor Sir Gaerfyrddin yw datblygu'r math hwn o ddiwydiant ymhellach ar yr ochr orllewinol. Ni ellid dymuno gwell safle ar gyfer datblygu economaidd, ac oni ellir denu cyflogwyr i Barc Busnes Cross Hands nid yw'r rhagolygon yn ffafriol i Gwm Gwendraeth na gweddill y sir. Yn hytrach na chreu swyddi mewn ardaloedd fel Cwm Gwendraeth, tuedd gynyddol ers sefydlu'r Cynulliad yw allfudiad ieuenctid i Gaerdydd, lle y canolwyd mwyafrif llethol swyddi'r gwasanaeth sifil. Byddai Cross Hands yn safle penigamp ar gyfer un o adrannau'r Cynulliad, a byddai adleoli yn fodd cadarnhaol o adfywio ardal ddirwasgedig.

Ers diflaniad y diwydiant glo dros ddeng mlynedd yn ôl gwaethygodd sefyllfa diwydiant arall sy'n allweddol i'r Gymru wledig, sef amaethyddiaeth. Awgrymwyd eisoes fod i ffermio ran amlycach yng Nghwm Gwendraeth nag yng nghymoedd eraill y de. Amaethyddiaeth yw prif ddiwydiant dyffryn y Gwendraeth Fach heddiw, ynghyd â'r cwarrau calch ar lethrau Mynydd Llangyndeyrn. Ni fyddai hynny'n wir pe bai Corfforaeth Abertawe wedi cael eu ffordd yn yr 1960au a boddi Cwm Gwendraeth Fach er mwyn diwallu syched Abertawe. Rhwystrwyd eu hamcanion gan drigolion Llangyndeyrn a'r pwyllgor amddiffyn o dan arweiniad W. M. Rees a William Thomas.[15] Ffermio llaeth fu prif gynhaliaeth ffermydd y Gwendraeth Fach am gyfran helaeth o'r ugeinfed ganrif ac mae'n

Cofeb Brwydr Llangyndeyrn. *(Ann Gruffydd Rhys)*

parhau i fod felly er fod rhai ffermydd wedi arallgyfeirio'n llwyddiannus. Y newid mwyaf yng nghymdeithas Cwm Gwendraeth Fach yw lleihad y llefydd bach a chyflogaeth o fewn amaethyddiaeth. Yn wahanol i Gwm Gwendraeth Fawr, nid yw teithio'n ddyddiol i'r gwaith yn brofiad newydd yng Nghwm Gwendraeth Fach gan mai arfer cyffredin yn y blynyddoedd a fu oedd cyfuno gwaith y glöwr a'r amaethwr. Erys amaethyddiaeth yn sylfaen i gymdeithas ac economi Cwm Gwendraeth Fach, ond mewn un enghraifft amlwg gwneir defnydd pur wahanol o erwau lawer o dir, sef safle Plas Middleton. Agorwyd Gardd Fotanegol Genedlaethol Cymru yn 2002 ar y safle hwn rhwng Porth-y-rhyd a Llanarthne, o fewn tafliad carreg i Gwm Gwendraeth Fach. Tir amaethyddol fu parc y plas ers hanner canrif, ond y mae bellach yn atyniad twristaidd o bwys. Ym mhen arall y cwm ailddatblygwyd safleoedd dociau a gweithfeydd dur trwy agor Parc Arfordir y Mileniwm, rhwng aberoedd y Llwchwr ac afonydd y Gwendraeth, ac agorwyd llwybr beicio trwy Gwm Gwendraeth sy'n cysylltu'r ddau atyniad. Ar gyrion y cwm y mae'r safleoedd eu hunain, yn unol â phatrwm economaidd presennol y cwm.

Gall datblygiadau twristaidd fel y rhain gyfrannu at yr economi leol, ac y maent hefyd yn fodd i wella ansawdd bywyd y gymuned. Gall hefyd niweidio'r gymuned trwy i'r economi orfod addasu at anghenion ymwelwyr gan agor bwlch economaidd rhyngddynt a'r trigolion lleol. Nid yw Cwm Gwendraeth yn ardal dwristaidd ar hyn o bryd a byddai datblygiad twristiaeth yn gwneud y dasg o amddiffyn cymunedau'r cwm yn anos nag ydyw yn awr. Ar y llaw arall gallai twristiaeth leddfu peth ar y diweithdra presennol. Mae'r datblygiadau diweddar yn ein gorfodi i ailystyried perthynas twristiaeth â'r cwm. Amcangyfrifwyd y byddai Gardd Fotanegol Genedlaethol Cymru yn cyfrannu rhwng £2.5 a £4 miliwn y flwyddyn i'r economi leol, ond nid oes arwyddion o gynnydd economaidd yng Nghwm Gwendraeth hyd yn hyn. Canmolwyd yr Ardd am ei gwaith recriwtio lleol yn ystod y cyfnod cynnar, a chrëwyd rhyw gymaint o waith yn ystod y cyfnod adeiladu, ond dibynnai ar wirfoddolwyr i gyflawni dyletswyddau eraill. Nid yw wedi darparu cyflogaeth helaeth i bobl

Yr Ardd Fotaneg, Middleton. *(Trwy garedigrwydd Gardd Fotaneg Genedlaethol Cymru)*

leol er fod cyffordd newydd wedi'i hadeiladu ar y ffordd ddeuol er mwyn hwyluso mynediad iddi. Yn ôl un adroddiad, 'Mae'r Ardd Fotaneg yn cynnig cyfle i gyflwyno peth o'r berfeddwlad Gymreig i'r cysyniad o "dwristiaeth ddiwylliannol".' Yn ôl yr Ardd, 'mae'n golygu cael blas ar ffordd o fyw yr ardaloedd yr ymwelir â hwy'.[16] Perygl twristiaeth yw dinistrio'r 'ffordd o fyw' sy'n sail iddi. Mae enghreifftiau niferus yng Nghymru a thu hwnt o dwristiaeth yn achosi dinistr i gymdeithas ac i'r amgylchedd.

Arwydd o gyflwr economaidd y cwm yw'r ffaith ei fod yn rhan o ardal Amcan Un, ac felly'n teilyngu nawdd Ewropeaidd ar sail tlodi. Dechreuodd y cynllun Amcan Un yn y flwyddyn 2000 a bydd yn parhau am saith mlynedd. Bydd £1.2 biliwn o arian Ewropeaidd ar gael, er i bryderon gael eu mynegi ynglŷn ag arafwch y cynllun.[17] Honnwyd bod cynlluniau Amcan Un yn rhan allweddol o dwf economaidd Iwerddon yn y blynyddoedd diweddar. Er ei bod yn rhy gynnar i allu barnu beth fydd effaith y buddsoddiad yng Nghwm Gwendraeth, bydd yn anodd i'r cynlluniau a gynigiwyd wrthweithio dirywiad economaidd y cwm yn y blynyddoedd diweddar. Cynllun a fydd yn ehangu gwybodaeth a gwasanaeth ar gyfer yr ardal yw Canolfan Adnoddau Cymunedol Cwm Gwendraeth a leolir ym Mhontyberem o dan ofal Menter Cwm Gwendraeth. Mae'r ganolfan hon yn darparu adnoddau technoleg gwybodaeth, addysg gydol oes a gwybodaeth am swyddi a thai. Derbynnir arian Amcan Un gan Bartneriaeth Llanelli, Aman a Gwendraeth hefyd er mwyn ariannu prosiectau i gynghori mudiadau a sefydliadau ariannol a'u cynorthwyo i gael nawdd. Er nad ydynt yn cynnig llawer o swyddi uniongyrchol, mae'r cynlluniau hyn o fudd i'r cwm yn ei gyflwr dirwasgedig presennol. Cyfyngedig, fodd bynnag, fydd eu heffaith oni fyddant yn cynyddu cyflogaeth yn y cwm. Gall y ganolfan fod yn gymorth wrth ddatblygu busnesau a chyflogaeth yn yr ardal ac mae cynllun Cyngor Sir Gaerfyrddin i ddatblygu cyfleusterau hamdden Coetir Mynydd Mawr yn un i'w groesawu. Mae'n bosibl y bydd y cynlluniau Amcan Un yn sicrhau parhad Cwm Gwendraeth fel ardal ddymunol i fyw ynddi, tra bod y gweithlu'n gweithio yn rhywle arall.

Ni ellir gwahanu dyfodol economaidd y cwm oddi wrth y dyfodol ieithyddol a chymdeithasol er nad yw'r berthynas rhyngddynt yn un syml. Gall cryfder cymdeithasol fod yn fodd i wrthsefyll chwalfa economaidd, a gofynnwyd y cwestiynau hyn gan David Adamson a Stuart Jones mewn perthynas â chymoedd diwydiannol de Cymru.

> Can such communities survive the elimination of the traditional economic base? What are the most significant effects on the structure of such communities? What new cultural forms will emerge to enable residents to cope with and adapt to the transformation enforced by external economic change?[18]

Disgrifiwyd Cwm Gwendraeth fel ardal ffiniol rhwng y Gymru Gymraeg wledig, a'r Gymru ddiwydiannol, ryngwladol a alwyd gan Alfred Zimmern a chan haneswyr diweddarach yn 'American Wales'.[19] Gan fod datblygiad y diwydiant glo yn fwy graddol yn ardal y glo carreg nag yn y cymoedd dwyreiniol, ni lethwyd yr hen fywyd gwledig a datblygodd cymdeithas a oedd yn gyfuniad o'r diwydiannol a'r gwledig.[20] Dangosodd ysgrifau mewn cyfrolau yn y gyfres hon na ddiflannodd y diwylliant Cymraeg o fewn ffiniau tybiedig 'American Wales' ac mae cymuned Cwm Gwendraeth yn parhau i lynu wrth ei phriod iaith a'i diwylliant.

Yn ystod yr ugeinfed ganrif dirywiodd y Gymraeg ym maes glo'r de, gan ddilyn patrwm cyffredinol o gilio tua'r gorllewin. Ar un adeg Cwm Nedd oedd y 'ffin' ieithyddol, ond bellach mae'r iaith mewn perygl o ddiflannu fel iaith gymunedol yn Nyffryn Aman a Chwm Tawe. Cwm Gwendraeth yw'r cadarnle poblog olaf i'r Gymraeg yn ne Cymru, ond mae perygl mai yma y bydd y Gymraeg yn gwegian nesaf. Dyna bryder Cefin Campbell wrth i Fenter Cwm Gwendraeth gychwyn ar ei gwaith ym 1991: 'Ganrif yn ôl doedd cymoedd de-ddwyrain Cymru ddim yn annhebyg i'r hyn ydyw Cwm Gwendraeth heddiw . . . Ond daeth tro ar fyd ac mewn ffordd ddi-stŵr a diarwybod boddodd y llanw Saesneg y bywyd Cymraeg hwnnw gan adael gweddillion yn unig ar ôl.'[21] Wrth i'r Gymraeg gilio'n raddol o'r ardaloedd sydd i'r dwyrain i Gwm Gwendraeth, ynyswyd y cwm yn ieithyddol.

Trwy ymdrechion addysgol mae'r Gymraeg yn adennill peth tir ym Morgannwg. Hyd yn oed os nad yw'r Gymraeg yn ymestyn y tu hwnt i furiau'r dosbarth yn achos llawer o ddisgyblion ysgolion Cymraeg Morgannwg, mae eraill yn manteisio'n llawn ar y cyfle i ddysgu Cymraeg. Mae sefyllfa ieithyddol Cwm Gwendraeth yn freintiedig ar lawer cyfrif. Prin yw'r ardaloedd lle mae niferoedd a chanran y siaradwyr Cymraeg mor uchel. Cyfanswm poblogaeth Cwm Gwendraeth a oedd dros dair oed ym 1991 oedd 25,166 ac o'r rhain roedd 18,591 yn Gymry Cymraeg. Mae arolwg Colin Williams a Jeremy Evas o'r Gymraeg yng Nghwm Gwendraeth yn obeithiol ynglŷn â'i dyfodol. Sail yr arolwg oedd ymateb sampl o drigolion y cwm i gwestiynau'n ymwneud â'u defnydd o'r Gymraeg a'u hagwedd tuag ati. O'r rhai a holwyd roedd y Gymraeg yn famiaith i 81%, yn ail iaith i 12%, ac roedd 1% wedi ei dysgu yn oedolion. Roedd 94% o'r sampl felly yn gallu siarad Cymraeg. (Mae hyn gryn dipyn yn uwch na'r ffigyrau a gofnodwyd gan y Cyfrifiad ym 1981 (76%) ac 1991 (73%).) Holwyd y rhain ynglŷn â'u defnydd o'r Gymraeg ac ymhlith yr ymatebion yr oedd y canlynol. Byddai 43% yn siarad Cymraeg mewn siop yn yr ardal lle nad oeddynt yn adnabod y perchennog, ond ar y llaw arall byddai 32% o'r siaradwyr Cymraeg yn siarad Saesneg o dan yr un amgylchiadau. Byddai 39% yn siarad Cymraeg wrth gychwyn sgwrs ar y stryd â rhywun dieithr. Dengys y canlyniadau hyn fod y Gymraeg yn iaith gymunedol yng Nghwm Gwendraeth, ond eto roedd y ffaith bod 37% yn cychwyn sgwrs yn Saesneg yn awgrymu diffyg hyder neu ansicrwydd. Clywais un o drigolion y cwm yn dweud yn ymddiheurol nad oedd ganddo 'Gymraeg coleg', beth bynnag yw hwnnw. Wrth holi ynglŷn â'r defnydd o'r Gymraeg yn y gymuned cafwyd sylwadau amrywiol. Cred rhai fod y Gymraeg yn colli tir fel iaith gymdeithasol tra bod eraill yn sylwi ar gynnydd. Honiad cyffredin gan rai o drigolion y cwm yw eu bod yn gallu darllen ac ysgrifennu'n hwylusach yn y Saesneg na'r Gymraeg. Dyma enghraifft o ddiffyg hyder y mae modd ei newid trwy gyfrwng addysg yn y Gymraeg. Dangosodd arolwg Colin Williams a Jeremy Evas fod cefnogaeth gref i'r Gymraeg ymhlith trigolion y cwm. Byddai mwyafrif y rhai a holwyd yn defnyddio mwy o Gymraeg pe bai cyfle i wneud hynny, a chredai dros 80% y dylai gweithwyr y cyngor lleol sy'n delio â'r cyhoedd siarad Cymraeg.[22] Un o gasgliadau'r ymchwil yw fod natur ieithyddol Cwm Gwendraeth yn fwy hunangynhaliol na Dyffryn Aman a hynny'n rhannol oherwydd fod yr M4 yn caniatáu cymudo heb allfudo. Er hynny, awgrymwyd yn rhai o'r cyfweliadau fod y cyswllt cyfleus hwn yn dechrau denu newydd-ddyfodiaid i'r ardal.

Bu gostyngiad o 13% yn siaradwyr Cymraeg Mynyddygarreg yn yr 1980au ac yma ac yn Llan-non roedd 20% o'r boblogaeth wedi eu geni 'y tu allan i Gymru'. Os yw'r duedd yma wedi parhau mae'n debyg mai ym mhentrefi bach Cwm Gwendraeth y bydd effaith y mewnlifiad amlycaf. Nid yw Cwm Gwendraeth ymhlith yr ardaloedd a ddioddefodd y mewnlifiad mwyaf yn ystod yr ugain mlynedd a aeth heibio. Ni chafwyd cynnydd enfawr mewn ail gartrefi a thai haf chwaith. Dilyn patrwm cyffredinol ardaloedd diwydiannol a lled ddiwydiannol Cymru fu hanes Cwm Gwendraeth yn hyn o beth. Mewn ardaloedd gwledig y bu effaith y mewnlifiad amlycaf, ac nid yw effeithiau mewnlifiad i ardal gymharol boblog Cwm Gwendraeth i'w gweld mor amlwg, ond deuant i'r amlwg gyda'r blynyddoedd. Mae presenoldeb nifer helaeth o fewnfudwyr yn y cwm yn amlwg wrth grwydro siopau Parc Busnes Cross Hands, er enghraifft. Ni all ffordd ddeuol yr A48, datblygiadau twristaidd o amgylch y cwm, a gwelliannau amgylcheddol yn y cwm ond cynyddu apêl yr ardal i fewnfudwyr o Loegr. Nid yw Cwm Gwendraeth yn ardal a gysylltwyd â'r mewnlifiad yn y gorffennol, ond erbyn hyn mae'n amlwg na all y cwm ei osgoi. Mae'r cwm yn fwy atyniadol i newydd-ddyfodiaid bellach yn sgil gwelliannau trafnidiaeth a chynnydd twristiaeth. Adeiladwyd stadau tai yn rhai o'r pentrefi sy'n cynnwys canran uchel o fewnfudwyr, a mewnfudwyr bellach yw preswylwyr nifer o'r ffermydd bychain. Er y gall poblogaeth sylweddol Cwm Gwendraeth guddio maint y mewnlifiad i raddau, nid yw cryfder niferoedd y Cymry yn ddigon i atal dirywiad y Gymraeg fel iaith gymunedol, gan mai'r Saesneg fydd yn trechu wrth i gymuned droi o fod yn Gymraeg i fod yn ddwyieithog.

Nodwyd eisoes fod un o bob tri o'r rhai sydd mewn gwaith yn teithio o'r cwm yn ddyddiol. Gan fod canran y siaradwyr Cymraeg yn is yn yr ardaloedd cyfagos nag yn y cwm ei hun, mae'n annhebygol fod llawer o'r rhain yn cael cyfle i ddefnyddio'r Gymraeg yn y gweithle. Mae'n bwysicach fyth, felly, fod yr iaith yn cael ei chynnal yn y gweithle o fewn y cwm. Yn ôl ymchwil i'r Gymraeg yn y gweithle yng Nghwm Gwendraeth 'ymddengys fod y defnydd o'r Gymraeg ym myd busnes a masnach yn dibynnu ar gryfder y Gymraeg yn y gymdeithas yn hytrach nag unrhyw ymdrech fwriadol i'w defnyddio'.[23] Dangosodd yr ymchwil fod y Gymraeg yn fwy tebygol o gael ei defnyddio mewn gweithleoedd llai gan mai tuedd ffatrïoedd mwy yw denu gweithwyr o'r tu allan i'r cwm. Mae'n bur debyg fod y newid hwn yn gyfrifol am erydu'r defnydd o'r Gymraeg yn y gweithle. Gan mai Saesneg yw iaith y mwyafrif, gorfodir y Cymry i gydymffurfio a sefydlir y Saesneg yn iaith busnes a sgwrs amser cinio. Mae'r Gymraeg wedi parhau'n iaith fyw ymhlith busnesau a gweithleoedd y cwm heb bolisïau penodol i'w chefnogi. Dangosodd arolwg fod cefnogaeth gref ymhlith y trigolion i fwy o hysbysebu Cymraeg gan fusnesau'r cwm, gyda gostyngiad treth i'r busnesau sy'n hysbysebu yn Gymraeg. Byddai cynnydd yn nefnydd gweledol y Gymraeg yn cynyddu hyder yn yr iaith, ond ar y llaw arall rhaid bod yn wyliadwrus. Parhaodd y Gymraeg yn iaith fyw yng Nghwm Gwendraeth am genedlaethau heb ymyrraeth ffurfiol o'i phlaid. Yn wir roedd pob ymyrraeth swyddogol yn ei herbyn. Rhaid gwylio rhag i gynnydd yn statws swyddogol yr iaith guddio'r dirywiad yn ei defnydd naturiol. Y perygl yw fod y cyfrifoldeb dros yr iaith yn llithro oddi wrth drwch y siaradwyr at fudiadau a chyrff amrywiol. Gallai gorddibyniaeth ar ysgolion, mentrau iaith a'r llywodraeth am barhad y Gymraeg wrthweithio bwriad y cyrff hyn. Nid yw hyn yn golygu nad yw gwaith y rhain yn gwbl allweddol.

Newid pennaf y ddau ddegawd diwethaf o safbwynt y Gymraeg yng Nghwm Gwendraeth fu creu sefydliadau er mwyn gwarchod yr iaith. Agorwyd ysgol ddwyieithog a sefydlwyd menter iaith. Mewn cymoedd eraill gwelir datblygiadau o'r fath fel arwydd o dwf y Gymraeg yn yr ardal ond nid yn achos Cwm Gwendraeth gan fod y Gymraeg yma eisoes. Y Gymraeg yw iaith naturiol mwyafrif llethol ysgolion cynradd y cwm, sefyllfa wahanol i lawer o ardaloedd lle mae ysgolion penodedig Gymraeg. Tra erys y Gymraeg yn iaith naturiol i fwyafrif y disgyblion, bydd modd i siaradwyr Saesneg ddysgu Cymraeg trwy wersi ffurfiol a thrwy eu ffrindiau. Prin yw'r disgyblion sy'n gadael ysgol gynradd yn un ar ddeg oed heb fod yn ddwyieithog. Mae manteision amlwg i ysgolion pentrefol Cwm Gwendraeth o'u cymharu ag ysgolion Cymraeg swyddogol. Sicrheir y Gymraeg fel priod iaith pob agwedd o'r ysgol ac, o ganlyniad y pentref a'r gymuned. Dewis o ddwy ysgol uwchradd sydd gan fwyafrif disgyblion y cwm, un yn ysgol ddwyieithog sy'n cynnig mwyafrif llethol y pynciau drwy gyfrwng y Gymraeg, a'r llall sy'n gweithredu'n bennaf yn y Saesneg. Mae anghysondeb rhwng polisïau iaith addysg gynradd ac uwchradd felly, rhan o'r gred gyffredinol fod y Gymraeg yn iawn yn yr ysgol feithrin, ond yn ddewisol yn yr ysgol uwchradd ac absennol i raddau helaeth ym Mhrifysgol Cymru. Perygl cynyddol i'r Gymraeg yw tuedd rhieni sy'n Gymry i fagu eu plant yn Saesneg, gan adael yr ysgol i ofalu am y Gymraeg. Daw'r Gymraeg, felly, yn iaith addysg ac awdurdod yn yr ysgol, a'r Saesneg yn iaith naturiol rhai o'r disgyblion. Dyma un rheswm dros gynnydd y Saesneg fel cyfrwng cymdeithasu'r disgyblion. Mae'n bosibl, hefyd, fod cynnydd mewnfudwyr yn cyfrannu at y broblem. Mae apêl y cyfryngau Saesneg yn fwy nag erioed hefyd, problem nad yw'n gyfyngedig i Gwm Gwendraeth. Profiad cyffredin yw gwrando ar dair cenhedlaeth o'r un teulu yn sgwrsio: y fam-gu yn siarad Cymraeg â'r fam, hithau'n siarad Saesneg â'r plentyn, ac yntau yn ei dro yn siarad Cymraeg â'i fam-gu. Mae'n anodd gwybod ai dylanwad cyfoedion yn yr ysgol ynteu'r rhieni eu hunain sy'n bennaf cyfrifol am y sefyllfa. Yn ôl adroddiad 'Y Cynllun Ymchwil Cymunedol', '[mae'r] uned deuluol yn gweithio'n weddol effeithiol fel asiant trosglwyddo'r iaith yng Nghwm Gwendraeth'.[24] Cymharwyd Cwm Gwendraeth â

Swyddfa Menter Cwm Gwendraeth ym Mhontyberem.

(Trwy garedigrwydd Menter Cwm Gwendraeth)

Dyffryn Aman lle mae'r Gymraeg yn dirywio'n gynt, a gall cymhariaeth ag ardaloedd eraill greu darlun ffafriol o Gwm Gwendraeth. Ni ddylai hyn guddio'r ffaith y gall methiant i drosglwyddo'r Gymraeg o genhedlaeth i genhedlaeth danseilio datblygiadau, megis ym myd addysg.

Digwyddiad nodedig yn hanes diweddar Cwm Gwendraeth oedd croesawu Eisteddfod yr Urdd i'r cwm ym 1989. Trwy'r Eisteddfod daeth y cwm i sylw Cymru gyfan ond yn fwy arwyddocaol na hynny bu'n fodd i gychwyn Menter Cwm Gwendraeth, menter iaith gyntaf Cymru. Sylweddolwyd fod angen cynnal brwdfrydedd yr Eisteddfod er mwyn diogelu'r Gymraeg a'i diwylliant i'r dyfodol. Gobaith *Papur y Cwm* oedd y byddai'r Fenter 'yn gonglfaen i uno ac arwain cymunedau a chymdeithasau Cwm Gwendraeth'.[25] Erbyn hyn mae Menter Cwm Gwendraeth yn cynnal amrywiaeth o weithgareddau yn ei henw ei hun, yn cynnwys gweithdai artistig i ieuenctid, darpariaeth gofal plant, cwisiau pentref, a 'Gŵyl y Gwendraeth' a gynhelir bob mis Mai.[26] Llwyddodd y Fenter i gyflwyno'r Gymraeg mewn amryw weithgareddau hamdden a gynhelid gynt yn Saesneg, ac mae ehangu darpariaeth a chyfleoedd i siarad Cymraeg yn hanfodol i'w dyfodol.[27] Wrth sôn am yr hyn a gyflawnwyd gan y Fenter yn ystod y degawd a aeth heibio ers ei sefydlu, hawdd esgeuluso'r gweithgarwch a oedd yn y cwm cyn yr 1990au. Dau 'sefydliad' sy'n arddel Cwm Gwendraeth fel ardal eu gweithgarwch yw Cymdeithas Hanes Dyffrynnoedd Gwendraeth, a'r papur bro, *Papur y Cwm*. Sefydlwyd y gymdeithas hanes ym 1978 yn dilyn cynnal dosbarth hanes lleol llwyddiannus, ac mae'n parhau i gyfarfod unwaith y mis, pan gynhelir darlithiau a theithiau maes. Sefydlwyd *Papur y Cwm* ym 1981 a llwyddodd i werthu yn agos i 2,000 o gopïau y mis yn y blynyddoedd cynnar.[28]

Yn y gyfrol *Cwm Gwendraeth a Llanelli* yn y gyfres hon, trafodwyd cyfoeth diwylliannol y cwm yn ystod yr ugeinfed ganrif. Mewn ardal heb dref ganolog i ddenu perfformwyr o bell rhaid oedd creu diwylliant ac adloniant cynhenid. Cynrychiolir traddodiad cerddorol y cwm gan gorau megis Côr Meibion Mynydd Mawr a Chantorion y Rhyd, ac mae Seindorf Arian Crwbin yn llwyddo i feithrin nifer helaeth o offerynwyr ifanc o dan hyfforddiant eu harweinydd, Julian Jones. Yng nghanol y naw degau ailagorwyd neuadd Cross Hands ar ôl ofni y byddai'n rhaid ei dymchwel –

arwydd arall nad oes raid bwrw etifeddiaeth ddiwylliannol i'r gorffennol. Cofio'r gorffennol wnaeth ieuenctid Cwm Gwendraeth mewn cynyrchiadau cofiadwy yn ystod y blynyddoedd diwethaf. Ym 1989 cyflwynwyd sioe gerdd 'Jac Tŷ Isha' ganddynt adeg cynnal Eisteddfod Genedlaethol yr Urdd, ac arwydd o'i phoblogrwydd yw iddi ailymddangos ar lwyfan mewn cynhyrchiad gan Ysgol Gyfun Maes-yr-Yrfa bum mlynedd yn ddiweddarach. Carcharwyd Jac Tŷ Isha am ei ran yn nherfysgoedd Merched Beca ym 1843. Yn y sioe fe'i gwelwyd yn ymladd dros gyfiawnder i'w deulu a'i fro, ac er iddo gael ei ddal ni fu ei aberth yn ofer. Torri'r clwydi oedd dull arferol Beca o weithredu, ond eu cloi wnaeth ffermwyr Llangyndeyrn yn yr 1960au a llwyddo i atal bwriad Corfforaeth Abertawe i foddi Cwm Gwendraeth Fach. Cyflwynwyd y frwydr gan Gwmni Theatr Ieuenctid Menter Cwm Gwendraeth yn Neuadd Pontyberem, Hydref, 2002. Cyfansoddwyd y gerddoriaeth gan Emlyn Dole a'r geiriau gan Iwan Rhys, ac mae'r caneuon i'w clywed ar gryno-ddisg a recordiwyd adeg y cynhyrchiad. Dwy enghraifft yn unig yw'r rhain o weithgarwch diwylliannol ieuenctid Cwm Gwendraeth, ond fe'u nodwyd oherwydd eu bod yn clymu gorffennol y cwm â'r frwydr

'Pobol y Cwm'. *(Trwy garedigrwydd S4C)*

'Pobol y Cwm'. *(Trwy garedigrwydd S4C)*

anorffen i sicrhau parhad bywyd trigolion y cwm a'r sylfaen i'r bywyd hwnnw, sef y Gymraeg. Daeth Cwm Gwendraeth i amlygrwydd fel lleoliad pentref dychmygol Cwmderi yn yr opera sebon boblogaidd, *Pobol y Cwm*, dros y chwarter canrif a aeth heibio. Magwyd nifer o actorion *Pobol y Cwm* yng Nghwm Gwendraeth ei hun ac mae rhai'n parhau i fyw yma, ond cynhyrchir y rhaglen yng Nghaerdydd a phrin fod Cwm Gwendraeth wedi elwa o lwyddiant y rhaglen.

Agwedd bwysig arall o ddiwylliant y cwm yw'r maes chwarae – a rygbi yn benodol. Mae enwau'r maswyr rhyngwladol a ddaeth oddi yma yn anrhydeddus: Carwyn James, Barry John, Gareth Davies a Jonathan Davies. Bellach, tro'r mewnwr Dwayne Peel yw hi i barhau'r traddodiad yng nghrys coch Llanelli a Chymru. Ysgolion a chlybiau'r cwm fu'r feithrinfa i'r chwaraewyr hyn, ac er na fu proffesiynoldeb heb ei effeithiau niweidiol ar glybiau'r cwm maent yn parhau i feithrin chwaraewyr ifanc yn eu pentrefi. Bu clwb rygbi'r Tymbl yn rhan o'r gynghrair genedlaethol o'r dechrau yn 1990, ond profwyd tymhorau llwm wedi i'r gêm droi'n broffesiynol ym 1995. Ar y llaw arall, llwyddodd clwb rygbi Pontyberem i ennill dyrchafiad ar ôl dyrchafiad nes cyrraedd y gynghrair genedlaethol ym 1995, ac fe ysgrifennwyd hanes y clwb gan Arwel John mewn cyfrol sydd hefyd yn trafod bywyd diwylliannol ehangach Pontyberem yn yr ugeinfed ganrif. Efallai y byddai rhai yn synnu at nifer y clybiau pêl-droed yng Nghwm Gwendraeth ond yn ôl Walford Gealy y bêl gron oedd y gêm boblogaidd yn Nre-fach ei blentyndod, tra oedd rygbi yn tra-arglwyddiaethu yn y Tymbl, filltir neu ddwy i ffwrdd.[29] Prin yw'r pentrefi yn y cwm sy'n meddu ar dîm pêl-droed a rygbi. Rygbi yn unig sydd yng Nghefneithin, Pontyberem a Phont-iets, a phêl-droed yn unig fu ym Mhorth-y-rhyd ac sydd yn Nre-fach, Bancffosfelen a Phont-henri. Tra bod rhai clybiau rygbi yn y gynghrair genedlaethol wedi gallu denu chwaraewyr trwy gynnig abwyd ariannol, parhaodd clybiau Cwm Gwendraeth i feithrin chwaraewyr lleol er na chawsant lwyddiant mawr ar y cae yn ystod y blynyddoedd diwethaf. Gyda'r Undeb a'r clybiau mawr am aildrefnu'r gêm yng Nghymru efallai mai doeth fyddai dychwelyd at y drefn amatur yn y cynghreiriau is, er ei bod yn annhebygol y byddai clybiau'n pleidleisio o blaid cam o'r fath. Fel mewn sawl maes arall nodweddir chwaraeon yng Nghwm Gwendraeth gan amlder y clybiau. Efallai y byddai tîm rygbi unedig yn y cwm yn profi llwyddiant, ond byddai hynny ar draul difa gweithgarwch a chymdeithas y pentrefi unigol.

Dirywio fu hanes Cristnogaeth yng Nghymru yn yr ugeinfed ganrif ac ni ellir disgwyl i sefyllfa eglwysi Cwm Gwendraeth fod yn wahanol. Bu adfywiadau crefyddol yn ystod hanner cyntaf y ganrif, a'r pennaf oedd Diwygiad 1904–5. Un o ganlyniadau'r diwygiad yn ardaloedd glo carreg sir Gaerfyrddin fu sefydlu achosion newydd a elwid yn neuaddau efengylu. Erys tystiolaeth rhai ohonynt hyd heddiw. Digwyddiad a ddaeth â Chwm Gwendraeth i sylw ehangach oedd helynt Tom Nefyn yn yr 1920au, pan gorddwyd eglwys Ebeneser (M.C.), Y Tymbl, gan ei syniadau. Gadawodd carfan o'r eglwys i ffurfio achos Llain y Delyn, ond bellach dymchwelwyd capel Ebeneser ac mae Llain y Delyn yn adfeilio. Er y dirywiad mae gwaith yr efengyl yn mynd yn ei flaen, ac mae sefyllfa eglwysi'r cwm yn fwy cadarnhaol nag mewn sawl ardal arall, gyda rhai Ysgolion Sul llewyrchus. Penodwyd gweithiwr ieuenctid gan eglwysi Annibynnol y cwm er mwyn efengylu trwy gyfrwng clybiau plant yr Ysgolion Sul ac Undebau Cristnogol yr ysgolion. Yn ddiweddar defnyddiwyd Caffi

Cynnes, Pontyberem (sy'n cael ei redeg gan Fenter Cwm Gwendraeth), er mwyn creu cysylltiadau â ieuenctid y pentre. Nid yw'r gwaith anodd hwn yn cael ei hwyluso gan weithgareddau diwylliannol eraill sy'n tanseilio'r Ysgolion Sul, ac mewn clwb plant mewn ysgol gynradd un yn unig sydd o gefndir crefyddol ac yn meddu ar wybodaeth Feiblaidd, – sefyllfa a fyddai'n anodd ei dychmygu genhedlaeth neu ddwy yn ôl.[30]

Mae'n bwysig sylweddoli fod yr holl elfennau hyn yn rhan o batrwm diwylliannol y cwm. Bwriad Menter Cwm Gwendraeth yw hybu'r Gymraeg ym mhob gweithgarwch diwylliannol, gan fod perygl canolbwyntio'n llwyr ar sefydliadau sy'n gweithredu trwy'r Gymraeg ac anwybyddu'r hyn y gellir ei alw'n is-ddiwylliant, sef y clybiau, chwaraeon a'r tafarnau. Rhaid sicrhau cryfder y Gymraeg ym mhob agwedd o fywydau trigolion y cwm, ac ar y cyfan mae'r Fenter wedi llwyddo i newid agweddau at yr iaith. Rhaid sicrhau fod y Gymraeg yn cael y flaenoriaeth yng Nghwm Gwendraeth, ac nid yw dwyieithrwydd yn mynd i achub y Gymraeg. Mae'n air cyfleus i wleidyddion ond mewn gwirionedd ni all y Gymraeg a'r Saesneg gydfodoli o fewn un gymdeithas heb i'r naill neu'r llall orfod ildio. Mewn ardal lle mae tri chwarter y boblogaeth yn siarad Cymraeg mae dwyieithrwydd yn arwain at oruchafiaeth y Saesneg.[31]

Nid yw Cwm Gwendraeth yn bod ar y map gwleidyddol. Rhannwyd y cwm rhwng cynghorau dosbarth Caerfyrddin a Llanelli o fewn sir Dyfed rhwng 1974 ac 1996. Yr un yw'r sefyllfa gyda'r etholaethau seneddol. Mae rhannau gogleddol a gorllewinol y cwm yn etholaeth Dwyrain Caerfyrddin a Dinefwr a'r gweddill yn etholaeth Llanelli. Bu'r etholaeth hon yn gadarnle i'r Blaid Lafur ers cenedlaethau, tra bu hen etholaeth Caerfyrddin ym meddiant y Rhyddfrydwyr, Llafur a Phlaid Cymru er 1945. Carreg filltir yn hanes yr etholaeth oedd buddugoliaeth Plaid Cymru yn etholiadau'r Cynulliad yn 1999 pan etholwyd Helen Mary Jones, er i Denzil Davies lwyddo i ddal ei afael ar ei sedd seneddol yn Etholiad Cyffredinol 2001. Ymddengys fod gafael y Blaid Lafur ar ardaloedd diwydiannol yn llacio, a gellir ychwanegu llwyddiant Plaid Cymru mewn wardiau yng Nghwm Gwendraeth yn etholiadau llywodraeth leol 1999. Cred gyffredin ar un adeg oedd fod dyheadau cymdeithas ddiwydiannol a'r Blaid Lafur yn mynd law yn llaw, ond nid bellach. Nid yw arwyddocâd y newid hwn yn eglur eto.

Bu arolygon o'r Gymraeg yng Nghwm Gwendraeth yn bur obeithiol ynglŷn â'i dyfodol. Daeth Colin Williams a Jeremy Evas i'r casgliad fod 'cefnogaeth sylweddol a chref i'r Gymraeg', gyda'r mwyafrif am i'r Gymraeg gynyddu fel iaith gymunedol. Daethant i'r casgliad mai'r angen pennaf yw cynyddu'r cyfleoedd i ddefnyddio'r Gymraeg, ac yr oedd cefnogaeth frwd i Fenter Cwm Gwendraeth fel cyfrwng i gyflawni hyn. Dibynna cywirdeb arolwg o'r fath ar gysondeb rhwng atebion i holiadur ac arferion dyddiol yr ymatebwyr. Er mor obeithiol yw atebion cadarnhaol ac ewyllys da, nid ydynt yn mynd i atal dirywiad y Gymraeg yn y cwm. Mae'n anoddach i siaradwyr Cymraeg wrthsefyll grym y Saesneg ar iard yr ysgol, yn y gwaith, ar y stryd ac yn y cartref. Mae ymwybyddiaeth gryfach o bwysigrwydd y Gymraeg yng Nghwm Gwendraeth nag erioed, ond y perygl yw iddi golli ei naturioldeb a chael ei chyfyngu i sefydliadau a chymdeithasau o dan nawdd y Fenter. Mae'r Fenter yn ymwybodol o'r perygl hwn, a'i gweledigaeth yw trosglwyddo'r gweithgareddau hyn yn ôl i'r cymunedau.[32] Yn ôl Colin Williams, bydd Menter Cwm Gwendraeth yn llwyddo os gallant rwystro canran siaradwyr Cymraeg 1991, sef 75%, rhag cwympo ymhellach: 'Mae'r Fenter wedi creu sefydlogrwydd, yn hytrach na throi'r llif yn ôl.'[33] Go brin y byddai neb yn y cwm yn meddwl yn nhermau cynyddu canran y Cymry Cymraeg ar hyn o bryd. Byddai sefydlogrwydd yn gryn galondid, ond mae'n anodd credu na fydd Cyfrifiad 2001 yn dangos dirywiad, o gofio'r ffactorau a nodwyd yn yr ysgrif hon.

Rhoddai'r diwydiant glo unoliaeth i brofiad diwylliannol cymoedd de Cymru yn ail hanner y bedwaredd ganrif ar bymtheg a'r rhan helaethaf o'r ugeinfed ganrif. Datblygu yn sgil y diwydiant glo a wnaeth mwyafrif pentrefi Cwm Gwendraeth Fawr, ond bellach diflannodd sail economaidd eu bodolaeth. Nid oes raid i drigolion y cwm ofni'r hwter yn cyhoeddi trychineb yn y pwll, ac ni ddioddefwyd effeithiau llwch y glo gan y genhedlaeth iau. Nid yw trigolion y cwm am anghofio'u gorffennol fodd bynnag, a choffeir lladdedigion cyflafan glofa'r Coalbrook, 1852, gan gofeb ym Mhontyberem. Caewyd Cynheidre er 1989 a bellach mae cenhedlaeth o bobl ifanc yn y cwm heb gof personol o'r diwydiant glo. Yn ôl arbenigwyr iaith mae Cwm Gwendraeth yn ardal allweddol yn y frwydr i sicrhau dyfodol i gymunedau Cymraeg. Cam hanfodol yn y frwydr hon fydd cynnal hunaniaeth y cwm. Mae meithrin y cof hanesyddol yn hanfodol er mwyn sicrhau parhad y Gymraeg a'i diwylliant mewn cyfnod o newidiadau sylfaenol ym mhatrwm economaidd yr ardal. Cyfeiriwyd ar y dechrau at anwybodaeth nifer o Gymry am leoliad Cwm Gwendraeth. Heb feithrin hunaniaeth y cwm mae'n bosibl y bydd poblogaeth y cwm ei hun yn colli'r ymwybyddiaeth o berthyn i ardal ac iddi ei hanes a'i hetifeddiaeth unigryw. Cam pwysig felly oedd sefydlu Menter Cwm Gwendraeth, tua'r un pryd â diwedd y diwydiant glo, i ymdrechu i warchod yr etifeddiaeth. Blaenoriaeth y Fenter wrth ei sefydlu oedd ffyniant y Gymraeg ond sylweddolwyd yn fuan fod datblygu economi'r cwm yn mynd law yn llaw â diogelu'r iaith ac yn gwbl angenrheidiol i ddyfodol Cwm Gwendraeth. Anodd fydd sicrhau llewyrch ieithyddol os pery'r dirywiad economaidd ac wrth i bobl golli hyder yn eu dyfodol eu hunain a'u teuluoedd.[34] Wrth wynebu'r dyfodol yr un yw'r bygythiad i Gwm Gwendraeth ag i gymunedau eraill yng Nghymru sy'n wynebu argyfwng ieithyddol ac economaidd. Nid yw'n hawdd bod yn gadarnhaol mewn sefyllfa o'r fath, ond mae un peth yn sicr, sef nad yw trigolion Cwm Gwendraeth yn mynd i ildio ar chwarae bach.

NODIADAU

[1]Diolch i Dr Huw Walters, Llyfrgell Genedlaethol Cymru, Mr Hefin Jones, gweithiwr ieuenctid eglwysi Annibynnol Cwm Gwendraeth, a Mr Matthew Cox, Cross Hands, am eu cymorth wrth lunio'r ysgrif hon.

[2]Aneirin Talfan Davies, *Crwydro Sir Gâr* (Llandybïe,1955), 277–8. Mae paentiad trawiadol o'r pyramidiau ar glawr *Cwm Gwendraeth* yn y gyfres hon.

[3]Stephen W. Town, *After the Mines: changing employment in a South Wales Valley* (Caerdydd, 1978), 123. Dyffryn Aman yw testun y gyfrol ond mae ei thema hefyd yn berthnasol i ddirywiad economaidd Cwm Gwendraeth.

[4]Noel Gibbard, *Hanes Plwyf Llannon* (Llandysul, 1984), 98–9.

[5]Ioan Matthews, 'The World of the Anthracite Miner', yn *Llafur* 6, (1992), 96–7.

[6]K. C. Treharne, *Glofeydd Cwm Gwendraeth* (Llanelli, 1995), v–vi. Rhestrir 70 o byllau a slantiau ond esbonia'r awdur ei fod wedi hepgor eraill 'gan eu bod â chysylltiad â'r rhai sydd wedi eu henwi'.

[7]K.C.Treharne, *Glofeydd Cwm Gwendraeth,*197-204.

[8]*Papur y Cwm*, Mawrth 1992, 2.

[9]*Papur y Cwm*, Tachwedd 1991, 1.

[10]*Papur y Cwm*, Ebrill 1992, 2.

[11]*Ieuenctid yng Nghwm Gwendraeth – Y Ffordd Ymlaen* (Cross Hands, Menter Cwm Gwendraeth, 1996), 1.

[12]*Papur y Cwm*, Tachwedd 1991, 1.

[13]Adroddiad Arolwg Pentref Bancffosfelen (Fforwm Ardal Cyngor Cymuned Pontyberem, 1999).

[14]gweler D. Huw Owen, 'Colliery Settlement to Business Park: the changing landscape of Cross Hands,' yn *Amrywiaeth Llanelli* 6 (1991), 17–21.

[15]Robert Rhys, *Cloi'r Clwydi* (Cymdeithas Les Llangyndeyrn, 1983).

[16]Neil Cadwell a John Stonern, 'Eicon i Gymru Fodern – Gwireddu Budd yr Ardd Fotaneg Genedlaethol', *Sefydliad Materion Cymreig* (Caerdydd, 2001), 10, 12.

[17]*Western Mail*, 18 Ionawr 2003, 1.

[18]David Adamson a Stuart Jones, *The South Wales Valleys: Continuity and Change*, Prifysgol Morgannwg, Occasional Papers in the Regional Research Programme (Pontypridd, 1996).

[19]Ioan Matthews, 'The World of the Anthracite Miner', PhD., Prifysgol Cymru Caerdydd, 1995, 36.

[20]*Ibid.*,37, 42–3.

[21]*Papur y Cwm*, Gorffennaf 1991, 11.

[22]Colin Williams a Jeremy Evas, *Y Cynllun Ymchwil Cymunedol* (Caerdydd, Bwrdd yr Iaith Gymraeg, 1997), 14.

[23]Tracey Ann Morgan, 'Y Gymraeg yn y gweithle: astudiaeth o rôl yr iaith ym mhau gwaith a busnes yng Nghwm Gwendraeth', M.Phil., Prifysgol Cymru Abertawe, 1995, 112.

[24]Colin Williams a Jeremy Evas, *Y Cynllun Ymchwil Cymunedol*, 13.

[25]*Papur y Cwm*, Gorffennaf 1990, 1.

[26]Am ddadansoddiad manylach o'r gweithgareddau amrywiol a gynhelir gan y Fenter, gweler Cefin Campbell, 'Menter Cwm Gwendraeth: A Case-study in Community Language Planning' yn Colin H. Williams (gol.), *Language Revitalization, Policy and Planning in Wales* (Caerdydd, 2000), 268–85.

[27]Tracey Ann Morgan, 'Y Gymraeg yn y gweithle: astudiaeth o rôl yr iaith ym mhau gwaith a busnes yng Nghwm Gwendraeth', 8-9.

[28]*Papur y Cwm*, Mehefin 1981, 1.

[29]Walford Gealy, 'Cymoedd y Gwendraeth – O Fewn Cof, Fwy neu Lai' yn Hywel Teifi Edwards, (gol.), *Cwm Gwendraeth, Cyfres y Cymoedd* (Llandysul, 2000), 61.

[30]Diolch i Mr Hefin Jones, gweithiwr ieuenctid presennol yr Annibynwyr yn y cylch am beth o'r wybodaeth hon.

[31]gweler *Papur y Cwm*, Rhagfyr 1991, 8. Cyfweliad â Cefin Campbell sy'n ymdrin â'r testun hwn.

[32]Cefin Campbell, 'Menter Cwm Gwendraeth: A Case-study in Community Language Planning', 253–4.

[33]*Golwg*, 1 Tachwedd 2001, 8–9.

[34]*Ibid.*

Diwylliant o'r Diffeithwch

Iwan England

Fe'm ganed ym mhentref Aber-fan yn 1977: pentref sydd reit yng nghanol Cwm Taf, hanner ffordd rhwng Merthyr Tudful i'r gogledd a Mynwent y Crynwyr i'r de. Tair blynedd ar ôl i mi gael fy ngeni agorwyd Ysgol Rhyd-y-grug ym mhegwn deheuol y cwm, yr ail ysgol gynradd Gymraeg i agor yn yr ardal. Er fy mod i'n byw o fewn dalgylch Rhyd-y-grug, cefais fy mhrofiadau addysgiadol cyntaf yn

Aber-fan. *(Simmons Aerofilms)*

Ysgol Santes Tudful yng nghanol Merthyr, a hynny er nad oedd bws rhad ac am ddim i'm cludo'n yno'n ddyddiol. Oherwydd anacronistiaeth polisïau llywodraeth leol tuag at addysg Gymraeg, penderfynwyd y dylai dosbarth meithrin cyfrwng Saesneg barhau ar safle Rhyd-y-grug. Roedd prinder lle yn broblem enbyd yn yr adeilad ysgol traddodiadol hwn, ond roedd unigolion pwerus o fewn y Cyngor wedi gwneud eu penderfyniad a Rhyd-y-grug oedd yr unig ysgol gynradd Gymraeg i fod yn feithrinfa Saesneg.

Am sawl blwyddyn, felly, nid oedd dosbarth meithrin gan yr ysgol ac am gyfnodau hir yn ei hanes roedd yn rhaid cynnal gwersi yn y neuadd a cheisio gwasgu mwy o gabanau ar yr iard fechan. Bu'n rhaid i rieni a llywodraethwyr frwydro am flynyddoedd lawer er mwyn goresgyn y broblem ryfedd hon, ac yn wir ni chafwyd gwared ar y feithrinfa Saesneg tan fy mod ar fin symud i'r brifysgol. Roedd yr holl beth yn rhwystredigaeth enbyd i athrawon a oedd yn gorfod esbonio wrth rieni pam roedd eu plant yn cael eu dysgu mewn dosbarthiadau gorlawn, ac wrth ddarpar-rieni pam nad oedd yna le yn yr ysgol ar gyfer eu plant. Ond dyna fel roedd hi ar addysg trwy gyfrwng y Gymraeg ar y pryd. Fe ddylem ni fod yn ddiolchgar fod ysgol gennym o gwbl! Ateb fy rhieni i'r anhawster hwn oedd talu am fws i'm cludo bob dydd o Droed-y-rhiw (pentre cyfagos) i Ferthyr Tudful er mwyn i mi allu mynychu dosbarth meithrin Cymraeg – mantais nad oedd ar gael i fwyafrif fy nghyd-ddisgyblion ym mlwyddyn gyntaf Rhyd-y-grug.

Roedd sawl brwydr ynghlwm wrth benderfyniad fy rhieni i ddewis addysg trwy gyfrwng y Gymraeg i mi a'm brawd. Roedd y gyntaf o'r rhain ar lefel bersonol a theuluol. Fy nhad-cu, tad fy nhad, oedd yr unig aelod agos o'r teulu a fedrai'r Gymraeg yn naturiol. Roedd fy mam, yn groes i'r lli, wedi dysgu'r iaith yn rhugl yn yr ysgol ac roedd hynny wedi ysbrydoli fy nhad i ailafael yn yr iaith ac i wella'i Gymraeg. Roedd Tad-cu yn gallu siarad Cymraeg ag acen hyfryd Heolgerrig, un o ardaloedd llethrig tref Merthyr, ond ni welai hynny fel rhywbeth i ymfalchïo ynddo. Fe'i magwyd mewn cyfnod pan oedd yr iaith yn cael ei hystyried yn wendid, yn rhywbeth a fyddai'n dal rhywun yn ôl. Roedd y system wedi llwyddo i ddinistrio unrhyw hyder a gysylltai fy nhad-cu â'r iaith a'r diwylliant Cymraeg. O ganlyniad roedd yn osgoi siarad llawer o Gymraeg â fy mam. Roedd hi'n symboleiddio rhywun a allai siarad Cymraeg 'safonol', ac roedd ei Gymraeg ef yn 'wallus' ac yn 'sathredig' yn ei dyb ef. Soniai am 'Cymraeg Heolgerrig' fel petai'n iaith gwbl wahanol na fyddai gennym ni ryw lawer o ddiddordeb ynddi.

O'r holl neiniau a theidiau, Tad-cu oedd y mwyaf gwrthwynebus i benderfyniad fy rhieni i'n danfon ni i'r ysgol Gymraeg. 'Oedden nhw'n mynd i'n rhoi ni dan anfantais am weddill ein bywydau?' oedd y cwestiwn a blannwyd yng nghefn ei feddwl gan flynyddoedd o agweddau negatif at yr iaith. Yr eironi yn hyn oll oedd fod Tad-cu wedi elwa yn fwy na neb arall yn dilyn penderfyniad fy rhieni. Unwaith i ni ddechrau siarad Cymraeg ymfalchïai yn ein gallu ieithyddol, a rhyfeddai wrth i ni neidio o'r naill iaith i'r llall wrth siarad â gwahanol aelodau o'r teulu yn hollol ddiffwdan. Un o'r pethau cyntaf a wnaeth Tad-cu wedi iddo brynu peiriant casetiau newydd oedd fy recordio i'n adrodd 'Shep' yn Gymraeg a fy mrawd yn canu cân yr 'Enfys'. Wedi gwrando ar y tâp yn ddiweddar dw i'n synnu fy mod yn bum mlwydd oed yn gallu siarad Cymraeg ag acen Heolgerrig gref: acen sydd bron wedi marw erbyn hyn ac acen nad yw hi ddim yn swnio dim byd tebyg i'r hotsh-potsh *Rhydfeleinig* dw i'n ei siarad heddiw.

Nid fy rhieni oedd yr unig rai i frwydro yn dilyn eu penderfyniad i'n magu ni'n ddwyieithog. Roedd cyn lleied o blant Aber-fan yn mynychu Rhyd-y-grug pan es i yno yn y blynyddoedd cyntaf, fel roeddem ni'n gorfod teithio yno mewn tacsi. O'r herwydd roeddwn i'n cael fy ystyried yn dipyn o *freak* gan blant eraill y pentre. Roedd 'Welsh Cakes' yn derm oedd yn cael ei daflu ataf yn fygythiol byth a beunydd, yn ogystal â 'clychau bant' am ryw reswm. Dw i'n dal ddim yn deall pam fod cymaint o blant ardal Merthyr hyd heddiw'n meddwl fod 'clychau bant' yn derm sarhaus, term a fyddai'n peri dychryn ymysg y siaradwyr rhyfedd. Efallai ei fod yn strategaeth gan athrawon ail-iaith i ddysgu rhywbeth hollol ddiystyr i'r plant sy'n eu plagio am regfeydd traddodiadol Gymraeg. Efallai hefyd fod a wnelo prinder rhegfeydd yn y Gymraeg rhywbeth â'r bathu termau cyffrous yma ym Merthyr. Beth bynnag oedd y rheswm, bu'n rhaid i mi ddatblygu croen trwchus yn ifanc iawn wrth ddelio â rhegfeydd real a dychmygus rhai o blant yr ardal.

Erbyn i mi adael yr ysgol gynradd roedd dau fws mini anferthol yn

Ysgol Rhyd-y-waun.

cario plant o Aber-fan i Ryd-y-grug, ac ychydig yn ddiweddarach fe dyfodd yn llond *coach* o blant. Prin fod disgyblion heddiw'n cael eu hystyried yn *freaks* gan blant y pentre, gymaint yw eu nifer. Dyma symbol cryf o'r ffordd y mae addysg cyfrwng Cymraeg wedi cynyddu'n aruthrol yn ardal Merthyr Tudful. Mae'r ysgolion cynradd wedi bod ar fyrstio ers degawd a hanner, ac mae'r twf cynradd wedi datblygu'n dwf cyfun. Bellach dydy plant yr ardal ddim yn teithio tua'r de at Ysgol Gyfun Rhydfelen, yn hytrach mae'r bysus yn gyrru tua'r gogledd at ysgol newydd Rhyd-y-waun ger Hirwaun.

Tan i'r chwyldro addysgiadol gyrraedd Merthyr ar ddiwedd y saith degau, pocedi'n unig o Gymraeg oedd yng Nghwm Taf. Mae twf yr ysgolion yn nodweddiadol o batrwm newydd yn natblygiad diweddar yr iaith Gymraeg yn ardal Merthyr Tudful. Nid rhieni'n trosglwyddo iaith i'w plant sy'n gyfrifol am lwyddiant ieithyddol Merthyr, ond yn hytrach rhieni'n dewis i'w plant gael etifeddiaeth ieithyddol nad oedd ar gael iddyn nhw. Yr hyn sydd wedi effeithio ar dynged yr iaith ym Merthyr yn fwy na dim yw unigolion ar hyd a lled y cwm yn gwneud penderfyniad ymwybodol i gofleidio'r iaith. Mae'r ffactorau sy'n annog yr unigolion i wneud y penderfyniad yma yr un mor bwysig wrth gwrs, ac yn destament i ymroddiad nifer o unigolion a gweledigaeth ganddynt am ddyfodol yr iaith yn y cymoedd.

Anogwyd fy nhad-cu i wneud dewis ymwybodol yn erbyn yr iaith: ei thaflu i ffwrdd am ei bod yn beth eilradd ac i beidio â'i throsglwyddo i'r genhedlaeth nesaf. Anogwyd fy mam, a oedd o dras Gwyddelig, i ddysgu'r iaith ac i ymgymryd â diwylliant cynhenid Cymru gan athrawon ymroddgar. Sgil-effaith hyn oedd penderfyniad ymwybodol fy rhieni i'm magu i a'm brawd trwy gyfrwng y Gymraeg. O fewn cenhedlaeth roedd llawer o'r drwg a wnaethpwyd yn erbyn yr iaith wedi ei wrthdroi o fewn ein teulu ni.

Yn ystod cyfnod tyfiant aruthrol y system addysg Gymraeg ym Merthyr, gwelwyd cynnydd arall hefyd, y tro hwn yn nifer yr oedolion a oedd yn penderfynu dysgu'r iaith. Hwb sylweddol i'r perwyl hyn oedd dyfodiad Eisteddfod Genedlaethol yr Urdd yn 1987. Roedd bwrlwm anhygoel am flynyddoedd lawer cyn i'r ŵyl gyrraedd ac fe gafodd y digwyddiad ei hun effaith seicolegol-bositif ar nifer fawr o bobl y dre a'r ardal. I sawl rhiant, hwn oedd yr hwb yr oedd ei angen arnynt i ddanfon eu plant i'r ysgol Gymraeg, neu i ddysgu'r iaith eu hunain. I eraill na fyddai byth yn ynganu'r un gair o Gymraeg, doedd yr iaith erioed wedi bod mor real a gweladwy iddyn nhw o'r blaen. Roedd trefnwyr yr ŵyl wedi sicrhau y gallai'r di-Gymraeg gyfrannu at y digwyddiadau naill ai trwy gynnig llety i gystadleuwyr, codi arian, arddangos posteri, neu fynychu un o'r nifer helaeth o gyngherddau. Roedd llawer o bobl ddi-Gymraeg yr ardal wedi llwyddo nid yn unig i hawlio perchnogaeth ar ddiwylliant eu gwlad ond hefyd i hawlio perchnogaeth ar iaith na chawson nhw'r cyfle i'w dysgu ac iaith nad oedd gobaith ganddynt i'w hynganu.

'Eisteddfod Merthyr,' 1987.

Wedi 'Eisteddfod Merthyr' roedd cefnogaeth i'r Gymraeg ar ei huchaf yn yr ardal. Yn ddiweddar bu trafod mawr am golledion ariannol eisteddfodau sy'n ymweld â chymoedd diwydiannol de-ddwyrain Cymru. Mae llawer o'r trafodaethau hyn yn anwybyddu effeithiau amhrisiadwy cynnal digwyddiadau o'r fath yn y cymoedd.

I rai, dyma'r tro cyntaf iddyn nhw gael ymwybyddiaeth Gymreig go iawn. I eraill mae'n fodd i godi pontydd rhwng gwahanol ddiwylliannau Cymru, yn enwedig o gofio fod cenedlaethau o Gymry wedi mynnu galw Cymry di-Gymraeg yn Saeson. Yn sicr roedd '87 wedi gwella sawl briw, ac roedd yr ŵyl wedi adeiladu ar sylfaen llwyddiant ysgolion Cymraeg yr ardal.

Sgil-effaith mwyaf gweladwy 'Eisteddfod Merthyr' oedd datblygu Canolfan Gymraeg Merthyr Tudful. Wedi ei modelu ar ddatblygiadau tebyg, megis Canolfan Iaith Clwyd yn Ninbych, agorwyd y ganolfan yn y naw degau cynnar er mwyn adeiladu ar lwyddiant yr Eisteddfod a chynnig ffocws ar gyfer gweithgareddau Cymraeg yr ardal. Mawr oedd cyffro'r agoriad swyddogol, er taw'r gweinidog Torïaidd, Syr Wyn Roberts, oedd yn tynnu'r cortyn yn nhref Keir Hardie. Roedd gan bawb wahanol syniadau ar sut i ddatblygu'r ganolfan, ac fe'm gwahoddwyd i fod yn aelod o bwyllgor rheoli'r sefydliad, yn aelod 'ifanc' di-glem.

Roedd y blynyddoedd dilynol yn llawn llwyddiannau amlwg ac anawsterau lu i'r ganolfan. Roedd sawl gweithgaredd Cymraeg wedi bod yn chwilio am gartre cyn ei dyfodiad. Roedd penderfyniad y cyngor lleol i ddymchwel adeiladau cymdeithasol, megis Canolfan Celfyddydau Capel Bethesda, wedi golygu fod sawl mudiad yn ddigartref. Roedd y Ganolfan Gymraeg felly'n cynnig to i wersi Cymraeg, i ysgol feithrin, ac i Ferched y Wawr. Un o ddatblygiadau newydd cyntaf y ganolfan oedd creu siop lyfrau Cymraeg. Yn ogystal â chwrdd ag anghenion y gymuned Gymraeg, gan gynnwys rhieni di-Gymraeg oedd yn chwilio am ddeunydd addas i'w plant, a dysgwyr a oedd eisiau gwerslyfrau a ffuglen addas, roedd y siop wedi gosod y ganolfan ar sylfaen ariannol cadarnach. Hyd heddiw mae'r siop yn mynd o nerth i nerth yn sgil ymroddiad sawl unigolyn.

Yn ogystal â llwyddiannau niferus roedd yna broblemau. Nid y lleiaf o'r rhain oedd natur a gofynion hen adeilad a oedd wedi ei greu ar gyfer pwrpasau gwahanol. Yn fwy nag ansawdd yr adeilad ei hun, problem fwyaf y ganolfan, a phroblem unrhyw wasanaeth Cymraeg sy'n anelu at drwch defnyddwyr yr iaith, yw'r rheidrwydd i geisio plesio defnyddwyr o bob oed, cefndir a chwaeth yr un pryd. Prin yw'r dysgwyr sengl yn eu tri degau sydd eisiau mynychu digwyddiad teuluol. Prin yw'r pensiynwyr sy'n barod i oddef cerddoriaeth swnllyd. Prinnach fyth yw'r siaradwyr Cymraeg yn eu hugeiniau cynnar sydd eisiau cymdeithasu mewn adeilad heb far masnachol. Dyma'r her sy'n wynebu unrhyw un sy'n ceisio gwasanaethu cymunedau Cymraeg. Mae'r cyfnod pan allech ystyried diwylliant Cymraeg fel rhywbeth unffurf, syml, wedi hen ddiflannu. Bellach mae'n chwaeth, ein diddordebau, a'n gofynion yn hynod amrywiol. Mae'r diwylliant masnachol Saesneg yn gwasanaethu'r gwahaniaethau hyn gan amlaf trwy arbenigo a chanolbwyntio ar ddiddordebau unigol. Mae niferoedd y siaradwyr Cymraeg yn llai, ac o'u rhannu'n grwpiau ar hyd ffiniau chwaeth maen nhw'n llai fyth. Yn sicr fe allwch chi ddarparu gweithgareddau arbenigol wedi eu hanelu at y prif raniadau oed, ond gyda datblygiad newydd fel y ganolfan mae llwyddiant mewn un categori fel arfer yn dod ar draul categori arall.

Er gwaetha'r anawsterau amlwg *mae*'r ganolfan yn parhau i wneud gwaith pwysig, a rhaid ymfalchïo yn hynny. Ar y llaw arall does dim un corff na mudiad wedi gallu goresgyn problem fwya'r Gymraeg yn y de-ddwyrain, a dydy'r ganolfan a sawl sefydliad arall ddim yn edrych fel eu bod nhw ar fin cael hyd i ateb. Ar ôl gadael yr ysgol dydy llawer o ddisgyblion yr ysgolion Cymraeg byth yn defnyddio'r iaith eto. Dydy hynny ddim yn golygu fod y system addysg yn creu gelynion i'r iaith. Yn wir, dw i wedi clywed am lawer iawn o gyn-ddisgyblion nad ydynt yn siarad gair o Gymraeg ond sydd eto wedi penderfynu danfon eu plant i'r ysgolion Cymraeg.

Mae'r ffaith fy mod i'n byw fy mywyd bron yn llwyr trwy gyfrwng y Gymraeg yn eitha anarferol. Fe fynychais brifysgol Gymreig, ac rwy'n gweithio mewn maes sy'n gofyn am ddefnydd cyson o'r iaith. A hyd yn oed taswn i wedi astudio ym mhellafoedd Lloegr a gweithio mewn maes Seisnig, dw i'n dod o deulu Cymraeg. I'r mwyafrif o'm cyd-ddisgyblion yn ysgolion Rhyd-y-grug a Rhydfelen does braidd dim y tu fas i'r system addysg sy'n cynnig cyfle iddyn nhw ddefnyddio'r Gymraeg. Mae'r ysgolion yn ymdrechu i greu clybiau a gweithgareddau allgyrsiol er mwyn sicrhau fod disgyblion yn dod i arfer â chymdeithasu trwy gyfrwng y Gymraeg. Mae mudiadau fel yr Urdd a'r Mentrau Iaith yn ceisio torri'r cysylltiad negatif (ym meddyliau pobl ifanc) rhwng addysg ac iaith, gan gynnig gweithgareddau y tu fas i furiau'r ysgol. Yn anffodus mae'r holl

Merthyr Tudful. *(Simmons Aerofilms)*

weithgarwch yma'n ddibynnol ar y gallu i gyrraedd pobl ifanc trwy'r sefydliadau addysgol. Dydy'r cysylltiad addysgol ddim yn cael ei dorri mewn gwirionedd, ac unwaith mae'r cywion wedi hedfan dros y nyth does braidd dim rhwydweithiau Cymraeg eu hiaith y gallan nhw ymuno â nhw. Tra bo'r Gymraeg yn gymharol ddiogel y tu fewn i furiau'r ysgolion, tu fas mae'r iaith mewn peryg o gael ei boddi.

Yr ychydig droeon y gwn i amdanyn nhw pan mae un o gyn-ddisgyblion addysg cyfrwng Cymraeg wedi ailafael yn yr iaith ychydig flynyddoedd ar ôl gadael yr ysgol, yw pan mae swydd yn codi sy'n gofyn am allu i ddefnyddio'r Gymraeg. Byddai sinig yn dweud fod yr unigolyn yn cael ei demtio'n ariannol i ailddarganfod ei

Gymreictod – mae geiriau fel 'Cymraeg yn hanfodol' mewn hysbyseb swydd yn gallu achosi troëdigaeth ieithyddol. Yn achos ambell berson efallai fod hynny'n wir. Ond i mi, yn y mwyafrif o'r achosion hyn, wrth ddechrau yn y swydd mae'r unigolyn yn gweld defnydd ymarferol i'r iaith am y tro cyntaf ers gadael yr ysgol. Tan i rywun weld defnydd sylfaenol i'r Gymraeg (ac nid o reidrwydd mewn swydd) bydd gallu talu biliau ffôn neu sgwennu sieciau trwy gyfrwng yr iaith, er mor bwysig yw'r hawliau hyn, ddim yn cael fawr o effaith arnynt. I lawer o gyn-ddisgyblion yr ysgolion Cymraeg, unig gyfraniad y system fydd creu ymwybyddiaeth lawnach o Gymreictod iddyn nhw. Tan fod defnyddio'r iaith yn weithred ymarferol i'r unigolion hyn, ni fydd yr ysgolion yn llwyddo i'w harfogi i fyw bywyd trwy gyfrwng y Gymraeg.

Beth yw'r ateb i'r broblem hon? Yn sicr mae swyddi sy'n gofyn am fwy o ddefnydd o'r Gymraeg na 'bore da / good morning' o gymorth mawr. Mae dyfodiad y Ddeddf Iaith wedi annog cymaint o gyflogwyr i drefnu gwersi iaith i'w staff, fel does bosib nad oes modd cyflogi mwy o siaradwyr Cymraeg fydd yn defnyddio'u sgiliau ieithyddol craidd? Mae rhwydweithiau'n hynod bwysig hefyd, boed hwy'n rhwydweithiau cymdeithasol neu broffesiynol. Fe welwn sut mae pobl Caerdydd yn gallu cynnal diwylliant Cymraeg mewn dinas gymharol Seisnig am eu bod nhw'n creu rhwydweithiau. Clywn byth a beunydd am y *cliques* cyfryngol, ond mae llawer mwy na hynny o fathau o siaradwyr yn byw rhan fwya'u bywyd trwy gyfrwng yr iaith yn y brifddinas. Yr hyn sydd fwyaf cyffredin rhwng y grwpiau hyn yw'r ffaith taw pobl broffesiynol ydynt gan amlaf. Mae gan economeg felly rôl bwysig i'w chwarae wrth ddatblygu a chynnal defnydd o unrhyw iaith, yn enwedig iaith leiafrifol.

Yn ystod y cyfnod a amlinellais eisoes (o ddiwedd y saith degau hyd heddiw) mae stori wahanol iawn i'w hadrodd am Gwm Taf. Mae hanes economaidd diweddar yr ardal yn gwrthgyferbynnu'n llwyr â llewyrch y Gymraeg yno. Ces i fy ngeni ddwy flynedd cyn i Thatcher gyrraedd Stryd Downing. Ddegawd ar ôl iddi hi gyflawni'r gamp honno fe gaeodd y pwll glo ym mhentref cyfagos Merthyr Vale. Mae siarad am byllau glo yn cau yn dipyn o ystrydeb erbyn hyn wrth i ni drafod cymoedd y de, ond prin yw'r drafodaeth agored ar sgil-effeithiau hir dymor digwyddiadau o'r fath. Roedd Aber-fan yn bentref tawel a diogel pan oeddwn i yn yr ysgol gynradd. Erbyn i mi droi'n ddeunaw roedd rhywun wedi torri mewn i'r car o flaen y tŷ hanner dwsin o weithiau; roedd lladrata o dai wedi cynyddu'n aruthrol, ac roedd yr heddlu wedi penderfynu creu 'zero tolerance zone' o amgylch y pentref. Ddegawd ynghynt byddai pobl wedi chwerthin yn anghrediniol o glywed y fath beth.

Wrth drafod problemau economaidd a chymdeithasol yr ardal, y ffigwr sy'n peri'r braw mwyaf yw nifer y marwolaethau o achos heroin. Rhywbeth o fyd y ffilmiau oedd y cyffur brown pan oeddwn i'n tyfu i fyny. O ran cyffuriau, y peth gwaetha fyddai rhywun yn clywed amdano ynghanol yr wyth degau oedd bechgyn yn arogli glud yn y parc lleol. Yn sydyn iawn roedd sawl bachgen yr un oed â mi yn eu beddau, a hynny mewn pentref o ychydig filoedd o bobl yn unig. Dyw'r merched ddim yn dianc rhag y problemau cymdeithasol chwaith, gan fod cyfraddau beichiogrwydd yr arddegau yn frawychus o uchel. Yr un yw'r darlun ar hyd ac ar led y cwm, ac mewn nifer fawr o'r cymoedd eraill hefyd.

Beth sydd a wnelo hyn oll â'r Gymraeg? Cwestiwn syml a ofynnwyd yn ddiweddar gan AC Merthyr, Huw Lewis. Pam ydyn ni'n treulio cymaint o amser yn trafod yr agenda Cymraeg a'r agenda diwylliannol pan mae anghenion economaidd cymunedau'r de-ddwyrain mor ddyrys? Yr hyn mae dadleuon Mr Lewis a'i debyg yn anwybyddu yw'r berthynas glòs sydd rhwng ffactorau diwylliannol ac economaidd. Mae'r mudiadau Cymraeg wedi nodi fod angen addasu'r ffactorau economaidd yn yr ardaloedd cynhenid Gymraeg er mwyn i'r iaith fedru ffynnu yno. Yn y de-ddwyrain fe allwn ni harneisio newidiadau ieithyddol y byd addysg er mwyn datblygu'r sefyllfa economaidd. Mae economi a diwylliant yr un mor ddibynnol ar ei gilydd yn y de ôl-ddiwydiannol ag yn y gogledd a'r gorllewin gwledig.

Fel y nodais eisoes, mae llond bws o blant Aber-fan yn mynd i Ryd-y-grug bob bore. Mae bysaid arall o blant a phobl ifanc yn teithio i Ryd-y-waun. Tua chant o blant. Mae gan bob un o'r plant hyn sgìl ychwanegol: maen nhw'n ddwyieithog. A chan fod safonau academaidd cyffredinol y system Gymraeg yn uwch na'r cyffredin, mae gan nifer o'r plant hyn gymwysterau da. Beth sy'n digwydd i siaradwyr Cymraeg Aber-fan a Chwm Taf ar ôl iddyn nhw adael yr ysgol, ac ar ôl iddyn nhw dderbyn addysg bellach ac uwch?

Yn fy achos i mae cymuned fy magwraeth wedi fy ngholli. Rydw i a llawer tebyg i mi yn cael fy nhynnu ar hyd *axis* yr A470 tuag at Gaerdydd. Rydym naill ai'n symud i'r ddinas, yn symud yn agosach ati (yn fy achos i), neu'n treulio'r rhan fwyaf o'n hamser gwaith a hamdden yno. Er nad yw fy nghartre newydd ond saith milltir i ffwrdd, prin yw'r cyfraniad y galla i ei wneud yn Aber-fan. Mae eraill, gan amlaf y mwyaf llwyddiannus yn academaidd, yn symud yn bell i ffwrdd gan golli eu hiaith yn y broses.

Er y gallwch chi ddisgrifio Cwm Taf fel ardal ddiwydiannol Seisnigaidd, dydy ei phroblemau ddim mor wahanol â hynny i rai yr ardaloedd traddodiadol Gymraeg ar ochr wledig Cymru. Mae'r bobl ifanc yn gadael (mae'r Cyfrifiad diweddara yn dangos fod allfudo o Ferthyr yn uwch nag yn unrhyw ardal arall). Mae busnesau lleol yn mynd i'r wal, a phobl o wledydd eraill sy'n eu hailagor. A'r elfen fwyaf eironig yw fod mewnlifiad wedi cyrraedd. Na, dydw i ddim yn gor-ddweud. Mae prisiau tai yn Aber-fan ac mewn pentrefi tebyg mor isel, fel bod nifer fawr o bobl o Loegr yn symud yma, ac mae cynghorau Seisnig yn gweld yr ardal fel opsiwn pan maent yn ail-leoli pobl. Wrth gwrs, dydy hyn ddim yn gymaint o broblem i ardal ac iddi hanes mor gosmopolitaidd â Merthyr. Rwyf i fy hun yn dod o gefndir Gwyddelig, Seisnig a Chymreig, ond mae'r ffactorau economaidd

Aber-fan.

sy'n achosi'r mewnlifiad diweddara yn gwbl wahanol. Fe gyfrannodd mewnlifiad y Chwyldro Diwydiannol at lewyrch a bwrlwm diwylliant unigryw. Mae'r mewnlifiad diweddara yn symtom o anawsterau economaidd enbyd yr ardal.

Mae'n siwtio gwleidyddion o bob math i osod problemau Cymru mewn bocsys cyfleus, ac i hybu drwgdybiaeth rhwng gwahanol ardaloedd. Gan fod daearyddiaeth y wlad yn ein gwahanu, mae'n rhaid trin ein problemau mewn gwahanol ffyrdd. Ac wrth gwrs, wrth drin problemau'r naill garfan mae'r garfan arall yn sicr o ddioddef. Gwlad a thre, gogledd a de: rydym ni i gyd yn elynion. Does bosib fod unrhyw debygrwydd rhwng problemau pentref fel Aber-fan a phentre ym Mhen Llŷn? Dydy'r ffaith fod gennych chi grwpiau o bobl ifanc yn y pentrefi hyn sy'n methu aros yn eu cymunedau eu hunain wedi iddyn nhw dderbyn addysg ddim yn debyg o gwbl! Dydy'r ffaith fod cynllunwyr economaidd ddim yn gweld dwyieithrwydd nifer fawr o'r bobl hyn fel sgìl ychwanegol ddim yn wendid! O wrando ar drafodaethau gwleidyddol yng Nghymru prin y byddech chi'n meddwl ein bod ni i gyd yn byw yn yr un wlad.

Bellach mae Aber-fan a degau o rannau eraill o'r cwm yn ceisio creu cynlluniau datblygu Amcan Un a chynlluniau i adfywio'r economi. Mae yna arwyddion ar hyd a lled y pentref yn sôn am wahanol ddigwyddiadau. Eisoes mae'r Cyngor wedi cael gwared ar sawl adeilad a stryd hynafol ac wedi ceisio adfywio'r farchnad dai. Yng nghanol bwrlwm y gweithgareddau a'r cynllunio does neb yn siarad am yr iaith Gymraeg. Dydy'r nifer sylweddol o blant oedran meithrin, cynradd, a chyfun sy'n derbyn eu haddysg trwy gyfrwng y Gymraeg ddim yn cael eu hystyried yn adnodd o unrhyw fath. Does neb yn gweld yr iaith Gymraeg fel rhywbeth a all fod o fudd economaidd, yn rhywbeth i'w harneisio er mwyn cadw pobl ifanc yn eu cynefinoedd. Efallai fod y ddadl ieithyddol fel y mae hi heddiw yn profi na allwn ni yng Nghymru feddwl mewn ffordd greadigol a diwylliannol wrth i ni wynebu her problemau economaidd ein gwlad.

Wrth i mi edrych 'nôl dros fy magwraeth yn Aber-fan ac yng Nghwm Taf, dw i'n sylweddoli pa mor lwcus oeddwn i o gael profiadau mor arbennig. Roedd y fagwraeth Gymraeg a gefais i yn wahanol iawn i'r un gafodd fy nhad-cu, ac roedd hi'n fagwraeth unigryw o'i chymharu â magwraeth fy nghyd-ddisgyblion a ddaeth o gartrefi di-Gymraeg. Roeddwn i hefyd yn ddigon lwcus i allu gweld y Gymraeg yn tyfu ac yn magu hyder ar hyd ac ar led y cwm wrth i mi dyfu, profiad hollol wahanol i un fy nhad-cu. Eto i gyd fe fu'n rhaid i mi brofi effeithiau negatif diweithdra anferthol ar y gymuned, a gweld hyder y bobl leol yn prysur ddiflannu. Tan yn ddiweddar doeddwn i erioed wedi gweld cysylltiad rhwng y ddwy sefyllfa. Yn sicr mi fydd y Gymraeg yn parhau i dyfu yn y cwm. Ar yr un pryd bydd rhai o'r cynlluniau economaidd yn dod â gwelliannau. Serch hynny, teimlaf yn sicr y byddai'r Gymraeg a'r economi ym Merthyr ar eu hennill petaent yn dod ynghyd.

Fy Magwraeth ym Mhontypridd

EIRY MILES

Symudodd fy rhieni a'm chwiorydd o Wrecsam i Bontypridd yn 1976, pan gafodd fy nhad swydd gydag Undeb Cenedlaethol Athrawon Cymru yng Nghaerdydd. Roedd Elen yn saith mlwydd oed a Branwen yn bedair. Fe'm ganed i, babi'r teulu, ym mis Rhagfyr 1978.

Roedd fy rhieni yn adnabod llawer o bobl ym Mhontypridd eisoes trwy weithgareddau Cymdeithas yr Iaith, a bu chwaer fy nhad, Gill, yn byw yn Nhon-teg am rai blynyddoedd. Roedd cyfeillion i'm rhieni yn byw ym maestref Graig-wen, a chan eu bod yn fodlon iawn eu byd yno, penderfynodd Mam a Dad symud i'r un stryd â hwy ar gopa'r bryn, sy'n edrych dros gae rygbi Sardis.

Ysgol Feithrin Graig-wen, Mai 1981.

Y mae Graig-wen yn gartref i nifer helaeth o athrawon Cymraeg eu hiaith a phobl broffesiynol eraill o orllewin a gogledd Cymru, gan fod y tai'n rhatach yno nag yng Nghaerdydd, a'r strydoedd yn dawel ac yn ddiogel i blant chwarae ynddynt. Felly, trwy gyfrwng y Gymraeg y byddwn yn chwarae gyda fy ffrindiau bach gan amlaf – ffaith a syfrdanai lawer o gyfeillion fy rhieni, a Phontypridd yn ardal mor Seisnig ei hiaith.

Wedi troi'n ddwyflwydd oed, awn i'r ysgol feithrin Gymraeg a gynhelid yn Church House, capel Saesneg sy'n is i lawr y rhiw. Brithgofion yn unig sydd gennyf o'r cyfnod hwnnw. Cofiaf gwympo ar y llawr pren caled dro ar ôl tro, mynd i'r parc bach gyda Rebecca ar y ffordd adref a pharti pen-blwydd Gwen yn bedair oed. Cofiaf aros gartref i wrando ar record 'Cwm Rhyd y Rhosyn' un diwrnod, gan ei bod yn rhy stormus i gerdded i'r ysgol feithrin a theimlo siom ofnadwy gan na fyddwn yn cael chwarae gyda fy ffrindiau y diwrnod hwnnw. Ond dyna i gyd. Llawer mwy eglur yw fy atgofion am yr ysgol gynradd, Ysgol Pont Siôn Norton.

Ysgol Gymraeg hynaf y cylch yw Pont Siôn Norton – fe'i hagorwyd yn 1951. Uned Gymraeg mewn ysgol Saesneg ydoedd yn wreiddiol, a phymtheg o ddisgyblion yn unig ynddi. Ond erbyn diwedd fy nghyfnod i yn yr ysgol, roedd dros dri chant o blant yn yr ysgol Gymraeg, a rhyw hanner dwsin yn yr ysgol Saesneg. Cafodd y disgyblion Saesneg eu hiaith eu gwthio allan erbyn i mi adael, ac agorwyd Ysgol Evan James yn 1985 – ysgol Gymraeg arall i blant Pontypridd.

Roedd gennym athrawon arbennig ym Mhont Siôn Norton – athrawon a'n disgyblai'n gadarn, ond a oedd yn gadael i ni ddatblygu ein talentau. Cefais ryddid i ddarlunio tylwyth teg o bob math, ac i ysgrifennu straeon dychmygus. Roedd Mrs Todd, y brifathrawes, brodor o Ystalyfera yn wreiddiol, yn arwres i ni'r merched. Gwnâi ei hewinedd coch hirion sŵn rat-tat-tat ar allweddau'r piano, a gwisgai *stilettos* pigfain uchel ar bob achlysur, boed law neu hindda. Roedd ganddi ddawn arbennig i adrodd straeon hefyd, a byddai bob amser yn garedig ac yn amyneddgar iawn. Wrth chwarae ysgol, byddai pawb eisiau chwarae rhan Mrs Todd (a rhai o'r bechgyn weithiau hefyd!)

Roedd yr athrawon yn annog pawb i siarad Cymraeg bob amser, ac fel y cofiaf i roedd pawb yn ufuddhau i'r gorchymyn hwnnw gan amlaf (neu o fewn clyw'r athrawon, beth bynnag). Weithiau, er mwyn talu'r pwyth yn ôl am rywbeth, byddai rhai plant yn mynd at athro gan wylofain fod rhywun yn "siarad Saesneg ar y iard"!, ond câi'r plentyn hwnnw ei ddwrdio am gario clecs yn amlach na pheidio. Mwynhâi'r rhan fwyaf o'm cyfoedion ganu'r caneuon Cymraeg a ddysgem yn yr ysgol. Cofiaf deithio adref ar y bws sawl tro, a phawb yn bloeddio canu 'Titw Tomos Las', a merched mawr Safon Pedwar yn ein harwain. Wrth gymryd rhan mewn eisteddfodau (ac o gael y pleser o guro ein gelynion pennaf, Ysgol Heol y Celyn) daeth sawl plentyn i fwynhau siarad y Gymraeg. Ond iaith yr ysgol yn unig oedd y Gymraeg i lawer, a byddai sawl plentyn yn methu deall pam fy mod yn siarad Cymraeg gartref. Mewn partïon pen-blwydd neu ddisgos, byddai sawl un yn gofyn i mi, 'What are you speaking Welsh for? We're not in school now.'

Yn yr ysgol gynradd deuthum yn ymwybodol o gyfnod cynnar fod gennyf dafodiaith wahanol i'r plant eraill, yn ogystal â mamiaith wahanol. Cofiaf geisio dweud 'nawr' yn hytrach na 'rŵan', 'amser llaeth' yn hytrach nag 'amser llefrith' a chwarae 'cwato' yn hytrach na 'chuddio'. Nid oedd fy acen ddeheuol cystal ag un Elin, a oedd yn byw gyferbyn â mi. Roedd hi'n swnio fel pawb arall, er bod ei rhieni yn hanu o Fôn. Efallai mai fy chwiorydd oedd i'w beio am fy anallu i i swnio fel hwntw naturiol. Cofiaf un ohonynt yn fy nwrdio, gan ddweud wrthyf am beidio â cheisio bod fel pawb arall, a'm rhieni'n chwerthin wrth fy nghlywed yn defnyddio ymadroddion fel 'sai'n gwybod' wrth siarad â ffrindiau ysgol. Afraid dweud bod y gwahaniaethau hyn hyd yn oed yn anos i'm chwiorydd eu hwynebu; roedd yr ysgol yn newid byd llwyr iddynt. Roedd y plant eraill eisoes wedi dod i adnabod ei gilydd yn dda, ac yn chwarae gêmau gwahanol mewn tafodiaith ddieithr, neu yn y Saesneg.

Ar ôl cyrraedd adref o'r ysgol, byddwn i a'm cyfoedion yn chwarae yn y stryd ac yn y goedwig fechan y tu ôl i'n tai pan oeddem ychydig yn hŷn. Roeddem yn ffrindiau â phlant o'r ysgol Saesneg, Coed-y-Lan, tan i'r tynnu coes diniwed rhwng yr 'Englishies' a'r 'Welshies' droi'n chwerw un diwrnod. Cawsom ein dychryn hefyd gan straeon un o'r 'Englishies' am y 'gluies' – pobl ifanc a oedd yn anadlu glud yn y goedwig. Felly, arhosai plant Pont Siôn Norton (neu 'Punch - Your-Nose-In' fel y gelwid ni gan rai) gyda'i gilydd gan amlaf.

Weithiau, awn i ac Elin i chwarae yn nhŷ Gwen yn Heol Tyfica a oedd yn bellach i lawr rhiw Graig-wen; byddai hynny'n bleser o'r mwyaf. Roedd yn glamp o dŷ mawr (yn enwedig i blantos bach) a gallem dreulio oriau yn chwarae cuddio yn ei holl gilfachau. Yno, hefyd, y cynhelid ymarferion Aelwyd yr Urdd, Graig-wen, dan arweiniad Meinir Heulyn, mam Gwen. Ond, er ein brwdfrydedd, ni chawsom erioed lwyfan yn y 'Genedlaethol'.

Weithiau, awn y tu hwnt i ffiniau Graig-wen, i dŷ ffrind yn Ynys-y-bŵl, ac roedd gen i gariad bach yn y Trallwn pan oeddwn yn chwe blwydd oed. Cofiaf sawl parti pen-blwydd gwych, hefyd, yn y 'ranch' yn Graig-wen (lle y cefais lygad ddu un tro ar ôl i gêm reslo rhyngdda

Enillwyr Eisteddfod Sir yr Urdd, 1988.
Eiry, Gwen Heulyn, Sara a Geraint Wyn (blaen).

i ac Elin fynd o chwith), mewn neuaddau pentref o amgylch Ynys-y-bŵl, ac yng nghlwb rygbi Cilfynydd.

Bob dydd Sul, âi llawer o blant Graig-wen i gapel Sardis yn y dref – rhyw bymtheg ohonom i gyd. Yno, roedd yr addolwyr yn gymysgedd o fewnfudwyr fel Mam a'i chyfeillion, a phobl leol megis Berwyn Lewis a fyddai'n cyhoeddi rhifau'r emynau ac yn ein hysbysu am 'oedfa'r prynhawn am dri o'r gloch'. (Trist oedd sylweddoli mai iaith y capel yn unig oedd y Gymraeg i rai o'r brodorion hynny; byddai sawl pâr yn troi i'r Saesneg ar ôl cerdded allan trwy glwydi'r capel). Ond er fy mod yn hoffi canu, rhaid cyfaddef nad oeddwn yn mwynhau'r gwasanaeth cymaint â hynny – llawer gwell fyddai gennyf fod gartref yn gwylio Jeifin Jenkins ar y teledu, neu'n darllen un o lyfrau T. Llew Jones. Cofiaf syllu ar fy wats goch a glas yn symud mor syrffedus o araf nes i mi feddwl yn siŵr ei bod wedi torri. Ond, caem hwyl yn yr Ysgol Sul, a chyfle i dynnu lluniau o Noa a'i arch, ac roeddwn yn fwy parod i fynd i'r capel yn rheolaidd wrth i'r Nadolig agosáu. Gwyddwn mai dim ond plant da fyddai'n cael anrheg gan Siôn Corn. Mwynheais sawl trip Ysgol Sul hefyd, yn enwedig yr wythnos o wyliau a gawsom yn Nhrefeca (fy arhosiad cyntaf oddi cartref yn wyth mlwydd oed) gyda phlant o gapeli Cymraeg eraill yr ardal, a chaem farbeciws gwych yn yr haf.

Adnewyddwyd capel Sardis a chafwyd festri newydd iddo, lle y cynhelir ysgol feithrin Gymraeg ffyniannus. Ond daeth yr Ysgol Sul i ben yn haf 2002, gan mai dau blentyn yn unig a oedd yn ei mynychu. Mae hen ffyddloniaid y capel hefyd yn prysur ymadael.

Roeddwn yn eiddigeddus o fy ffrind, Jemma, a gâi'r *My Little Ponies* a'r *Barbies* diweddaraf gan ei thad o Saudi Arabia. Treuliai ei gwyliau haf yn haul crasboeth y dwyrain yn hytrach na Llydaw. Ond o gymharu â nifer o blant yn fy nosbarth, cefais fagwraeth foethus iawn. Y tu allan i fyd diogel a dibryder Graig-wen, roedd nifer o'm cyfoedion yn byw mewn tlodi enbyd. Caeodd pyllau glo Ynys-y-bŵl ar ôl streic fawr 1984–5, ac roedd Oes Aur diwydiannau de Cymru wedi hen ddirwyn i ben. Felly, roedd dechrau'r wyth degau yn gyfnod go lwm i sawl teulu yn fy ardal, a'r ffigurau diweithdra'n codi'n uwch o hyd. Cofiaf y byddai mẁg *Coal Not Dole* ar y bwrdd brecwast bob bore, ac esboniwyd imi fod y glowyr yn ddewr a'u bod yn brwydro dros rywbeth cyfiawn, ond roeddwn yn rhy ifanc i amgyffred difrifoldeb y sefyllfa. Cofiaf ofyn i Mam pam fod rhai merched yn fy nosbarth yn gwisgo gwisg haf yr ysgol a *jelly shoes* ganol gaeaf, a pham na allwn i gael cinio am ddim fel cymaint o blant eraill yn y dosbarth. I mi, a fu'n ffodus i fwyta bwydydd blasus ac ecsotig erioed, roedd awch y plant hynny wrth fwyta'r stwnsh a fwriwyd ar ein platiau gan y gawres Mrs Mountjoy yn rhyfedd iawn. Teimlaf bang o gywilydd wrth feddwl am hyn; mae'n siŵr i mi ymddangos yn snobyddlyd iawn ar brydiau.Yn anffodus, yn ôl fy mam (a fu'n athrawes yn Ysgol Pont Siôn Norton o 1990 hyd 2002), y mae llawer o blant yr ysgol yn dioddef tlodi hyd yn oed yn waeth heddiw, a gafael cyffuriau ar fywydau nifer o rieni.

Fel ym mhob ysgol arall, wrth gwrs, roedd gwrthdaro rhyngom ni'r plant ar brydiau, a thipyn o elyniaeth rhwng y 'Glyncis' (plant Glyn-coch) a'r 'Bwlis' (plant Ynys-y-bŵl). Weithiau, gwelid ymladd go ffyrnig ar yr iard. Bu llawer o gecru cas rhwng y merched yn fy nosbarth, ac roedd gorfod gwisgo sbectol a rhoi *brace* ar fy nannedd yn ystod fy mlynyddoedd olaf yn yr ysgol gynradd yn dolc i fy hunanhyder hefyd. Ond o feddwl am y pwysau sydd ar blant heddiw i gael y teganau diweddaraf a mwyaf ffasiynol, a'r trais cynyddol mewn ysgolion cynradd, teimlaf i mi gael dyddiau dedwydd iawn yn fy ysgol gynradd. Cofiaf deimlo'n gyffrous wrth gerdded i ddal y bws gydag Elin a Rebecca bob bore.

Yn ystod haf 2001, dathlwyd hanner canmlwyddiant Ysgol Pont Siôn Norton. Cafwyd parti i'r plant yn yr ysgol, ac aduniad i'r cyn-ddisgyblion yng Nghanolfan Hamdden y Ddraenen Wen. Daeth cymysgedd o bobl i'r aduniad. Roedd rhai yno yn iau na fi, ac eraill yn nesu at hanner cant. Daeth rhai yng nghwmni wyrion ac wyresau a oedd hefyd yn gyn-ddisgyblion. Uchafbwynt y noson i lawer oedd gweld eu cyn-athrawon, a chynifer ohonynt fel petaent wedi eu rhewi mewn amser, a'u hwynebau'n union fel y cofiem hwy. Daeth araith Mrs Todd â dagrau o hiraeth a dagrau o chwerthin i sawl pâr o lygaid. Yna, i gyfeiliant disgo a charaoci, dathlwyd pen-blwydd ysgol sy'n dal i fod yn agos iawn at galonnau ei chyn-ddisgyblion.

Heb os, roedd awyrgylch yr ysgol uwchradd yn llawer mwy Seisnigaidd na Phont Siôn Norton. Roedd rhai o'm cyfoedion wedi bod i unedau Cymraeg bychain mewn ysgolion Saesneg, ac felly'n siarad Saesneg yn eofn heb deimlo unrhyw euogrwydd. Roedd Rhydfelen hefyd yn ysgol fawr, ac ni chlywai'r athrawon bob gair a ddywedem – roedd hi'n ddigon rhwydd felly i siarad yr iaith waharddedig. Roeddwn i ac Elin yn y lleiafrif gan ein bod bob amser yn siarad Cymraeg. Cwestiynwyd fy styfnigrwydd pan fyddwn yn ateb cwestiynau Saesneg yn Gymraeg, ac fe'm cyhuddwyd o fod yn 'swot' ambell dro oherwydd hynny. Ond teimlwn yn chwithig ac yn drwsgwl wrth siarad Saesneg ac anodd oedd esbonio'r ddyletswydd a deimlwn a'm hawydd i beidio siomi fy rhieni. Serch hynny, cafodd rhai 'droëdigaeth' ar ôl dechrau yn Rhydfelen – daethant i fwynhau siarad Cymraeg ar ôl cymryd rhan mewn eisteddfod neu ddrama gerdd.

Ym mis Ionawr, 1995, bu farw fy ffrind, Gwen Heulyn, yn frawychus o annisgwyl. Cafodd ei marwolaeth effaith ddirdynnol ar yr ysgol, oherwydd teimlai pawb eu bod yn ei hadnabod. Roedd hi'n ferch hoffus a thalentog a oedd yn aml yn ymddangos ar lwyfan yr ysgol mewn rhyw berfformiad neu'i gilydd. Roedd pawb yn gweld ei heisiau. Felly,

Cast *Chicago.*

aethpwyd ati i sefydlu cwmni drama ieuenctid er cof amdani – prosiect yr oedd hi wedi dechrau ei drefnu rai misoedd cyn ei marwolaeth – a pherfformiwyd y sioe *Chicago* y mis Gorffennaf canlynol.

Daeth Cwmni Drama Gwen â phobl ifanc o ysgolion cyfun Cymraeg y cylch at ei gilydd, ac roedd hynny'n beth hynod o iach, gan y byddem yn cystadlu yn erbyn ein gilydd yn go elyniaethus ar brydiau. Sylweddolasom nad oedd plant Llanhari, Cwm Rhymni a'r Cymer mor ofnadwy â hynny wedi'r cyfan! Cawsom lawer o hwyl yng nghwmni ein gilydd, a thyfodd cyfeillgarwch dwfn rhwng aelodau'r Cwmni. Lleddfodd hyn y loes o golli Gwen ryw ychydig. Yn anffodus daeth y Cwmni i ben yn ddiweddar, yn ogystal â Chwmni Gwen Bach a ffurfiwyd i blant iau. Ymddengys na pharhaodd y brwdfrydedd cychwynnol ar ôl i'r aelodau gwreiddiol adael. Ond mae gen i atgofion melys iawn o'r sioe *Chicago*, ac mae llawer o'r bobl a gwrddais trwy'r Cwmni yn ffrindiau i mi o hyd.

Bu sîn roc Gymraeg fyrlymus y naw degau cynnar yn hwb mawr i Gymreictod yr ardal, yn ogystal â'r 'pethe'. Roedd llawer o bobl, fel fi, wrth eu boddau â bandiau roc Cymraeg, a threfnwyd 'gigs' Cymraeg yn rheolaidd gan Fenter Taf Elái ac unigolion brwd mewn canolfannau hamdden ac yng Nghlwb y Bont. Bûm i fy hun yn aelod o fand tra aflwyddiannus (gwridaf wrth feddwl am y peth), a ffurfiwyd bandiau gan rai nad oedd erioed wedi siarad gair o Gymraeg â'i gilydd o'r blaen. Dechreusom ddilyn bandiau lleol megis 'Enaid Coll,' yn ogystal â bandiau mwy fel 'Hanner Pei'. Saesneg oedd iaith Kurt Cobain ac arwyr eraill glaslanciau'r cyfnod, ond sylweddolwyd y gellid cael 'gigs' ac ymddangosiad ar S4C trwy ganu'n Gymraeg. Nid yw hynny o angenrheidrwydd yn wir bellach.

Ar ôl cwblhau fy Lefel A, cefais haf hyfryd gyda'm ffrindiau ym Mhontypridd cyn mynd i'r brifysgol, a mwynheais weithio ar gynllun chwarae llwyddiannus Menter Taf Elái. Ond teimlwn fy mod yn barod i adael Pontypridd. Roeddwn yn dechrau syrffedu, oherwydd ychydig iawn sydd i'w wneud ym Mhontypridd mewn gwirionedd. Roedd golwg ddigalon a di-raen ar y siopau gweigion, ac roedd gwthio trwy'r torfeydd a'r coetsys a ymlusgai dros y pafin cul ar ddydd Sadwrn yn fwrn. Gallai Parc Ynysangharad fod yn fendigedig ar ddiwrnod braf, ond anaml iawn y mae'r tywydd yn braf ym Mhontypridd. Roedd llewyrch y tafarnau a oedd mor ddeniadol a

Pontypridd. *(Patricia Aithie)*

chyffrous i ni pan oeddem yn yfwyr anghyfreithlon wedi pylu. Ar nos Sadwrn roedd yn anochel y byddai toiledau 'Angharad's' yn gorlifo dros bobman, ac y byddai ymladdfa giaidd ym mhen ucha'r dref erbyn diwedd y noson. Daeth yr amser i adael Pontypridd i fynd i'r brifysgol.

Er fy mod wedi colli cysylltiad â llawer o'm cyfoedion o'r ysgol, rwyf yn sicr o weld llawer ohonynt yn y Market Tavern bob noswyl Nadolig. Yno, cynhelir aduniad anffurfiol i gyn-ddisgyblion Rhydfelen bob blwyddyn. Mae Clwb y Bont hefyd yn gyrchfan i lawer o siaradwyr Cymraeg yr ardal a benderfynodd aros yn eu milltir sgwâr. Erbyn hyn, rwy'n hapus i fynd yn ôl i Bontypridd bob rhyw fis neu ddau, ac rwy'n credu y gallwn fyw yno, ar ôl gweld tipyn mwy ar y byd. Rywsut, ymddengys afon Taf yn lanach, a bwa'r bont yn fwy gosgeiddig bob tro y dychwelaf, ac mae hen griw Pont Siôn Norton yn dal i weld ei gilydd. Nid ydym yn cwrdd yn aml, ond mae cwlwm annatod rhyngom.

TYSTION

RHIANYDD JONES

Rhianydd Jones yw ysgrifenyddes Ysgol Gymraeg Pont Siôn Norton. Roedd ei thad yn un o ddisgyblion cyntaf yr ysgol honno. Anfonodd ei blant i'r un ysgol, ac mae Bethan, merch fach Rhianydd, yn ddisgybl ym Mlwyddyn 4.

'Pan oedd dathliadau hanner canmlwyddiant Pont Siôn Norton yn 2001, daeth cwmni teledu i siarad gyda fi a 'nheulu, gan fod tair cenhedlaeth o'r teulu wedi bod yn yr ysgol. Roedd fy nhad-cu, Trefor Jones, yn siarad Cymraeg, ac roedd e'n un o'r rhai oedd yn ymgyrchu dros agor yr ysgol 'ma yn y lle cynta, ac mae gen i lwyth o'i lythyrau fe o hyd. Roedd e mor browd pan ddes i i'r ysgol 'ma hefyd.

Yn Ysgol Pont Siôn Norton.

'Mae Bethan yn hapus iawn ym Mhont Siôn Norton. Gwnes i ei hanfon hi yma i'r ysgol, er ein bod ni'n pasio dwy ysgol Gymraeg arall ar y ffordd yma. O'n i'n moyn iddi hi ddod i Bontypridd i'r ysgol, ac i fan hyn yn arbennig. Dw i wedi gofyn iddi hi sawl gwaith a yw hi eisiau mynd i ysgol agosach at gartre, ond mae hi'n bendant – ers iddi hi fod yn bump oed – ei bod hi am ddod fan hyn achos mae hi'n dwlu ar y lle. A Rhydfelen hefyd. Mae hi'n ysu i fynd yno.

'Mae pawb yn hoff o Bont Siôn Norton. Pan fydd athrawon eraill yn dod fan hyn i gyflenwi, maen nhw'n sôn am ba mor hapus yw'r ysgol. Sa i'n siŵr pam, achos mae'r adeiladau'n ofnadwy yn un peth. Mae'r neuadd yn ofnadwy a does dim lle i'r plant chwarae, ond dw i ddim yn meddwl ei fod e'n effeithio arnyn nhw. Ry' ni newydd gael arolwg ac roedd e'n dda iawn – mae pawb yn tynnu gyda'i gilydd yma.

'Dydy'r hen athrawon ddim yn gallu cadw draw – dyn nhw ddim cweit yn gallu dweud 'hwyl fawr'. Mae'n rhaid bod rhywbeth yn yr ysgol i'w cadw nhw 'ma. Dywedodd Mrs Todd ei bod hi'n bendant yn mynd ar ddiwedd yr haf, a rhoddodd y plant fwnshed o flodau iddi hi – ond mae hi 'nôl nawr! Mae hi'n gwneud clwb canu yn yr ysgol ers mis Medi.

'Fy atgof cliriaf o'r ysgol gynradd yw'r canu. O'n i'n canu lot mewn eisteddfodau, a dw i'n cofio bod ar y bws gyda Mrs Todd a theithio dros y lle i gyd. Fyddwn i byth wedi cael profiadau fel 'na mewn ysgol Saesneg. Dw i wedi bod mor lwcus. Hefyd, dw i'n cofio canu yn y dre o dan y goeden Nadolig, ac fe nathon ni lot o raglenni teledu hefyd. Mae'r un peth yn wir heddi – mae plant mewn ysgolion Cymraeg yn cael lot o brofiade arbennig. Mae cerddoriaeth yn dal i fod yn bwysig ym Mhont Siôn Norton. Mae'r plant yn ffaelu aros nawr i ddechrau paratoi ar gyfer yr eisteddfod, ac mae'r ysgol ar ganol gwneud CD gydag eitemau gan athrawon a chyn-ddisgyblion.

'Pan gyrhaeddais i Rydfelen, o'n i'n meddwl 'mod i am fynd i ffwrdd i Lunden a fydden i byth yn dod 'nôl, ond dyw hynny ddim 'di gweithio mas… Es i i'r coleg yn Essex – doedd 'da fi ddim bwriad o gwbl i ddod adre – ac es i byth 'nôl i'r coleg – es i i Gaerdydd i weithio mewn banc. Bues i yno am ddeng mlynedd. Sylweddolais i wedyn 'mod i eisiau defnyddio'r Gymraeg yn fy mywyd bob dydd, achos roedd pawb yn dod ata i os oedden nhw eisiau trafod pethau yn Gymraeg, ac o'n i'n lico 'ny. Felly des i i wneud gwaith gweinyddol ac i ofalu am gyllid yr ysgol 'ma.

'Mae 'na lot o 'nheulu i yn siarad Cymraeg, ac o'n i'n gwybod y byddai cyfle i fi ddefnyddio'r iaith bob amser. Wrth gwrs, mae'n anoddach i bobl eraill, ond mae agweddau pobl yn newid, yn enwedig pan maen nhw'n cael plant. Dyw hi ddim yn deg i ddweud fod pobl byth yn siarad Cymraeg ar ôl gadael yr ysgol, ac anaml iawn fydd pobl sydd wedi bod i ysgol Gymraeg yn anfon eu plant i ysgol Saesneg.

'Mae 'na lot fawr o gyn-ddisgyblion Pont Siôn Norton sy'n dod â'u plant nhw i'r ysgol nawr, ac maen nhw'n dal i siarad Cymraeg. Fyddan nhw byth yn siarad Saesneg gyda fi. Ac mae llawer o rieni yn cyfathrebu'n ysgrifenedig trwy gyfrwng y Gymraeg, hyd yn oed os nad ydyn nhw'n hyderus iawn wrth siarad yr iaith erbyn hyn. Mae hyn yn od i fi, achos ro'n i'n eitha gwahanol yn yr ysgol gan fod fy nhad yn siarad Cymraeg. Nawr, mae lot lot o blant sydd ag o leia un rhiant sy'n siarad Cymraeg.

'Falle yn yr ysgol nad yw eu plant nhw'n sylweddoli gwerth yr iaith. Rwy'n adnabod lot o bobl oedd byth yn siarad Cymraeg yn yr ysgol, sy'n dysgu Cymraeg mewn ysgolion Cymraeg nawr. Mae pobl yn sylweddoli fod lot mwy o gyfle i chi gael swyddi nawr os dych chi'n siarad Cymraeg.'

CRAIG DUGGAN

Mae Craig Duggan (31 oed) yn ddarlledwr newyddion ar S4C. Magwyd ef a'i frawd, Brett, ar aelwyd ddi-Gymraeg yng Ngraig-wen, Pontypridd.

'Saesneg oedd iaith yr aelwyd, ond roedd fy rhieni i'n benderfynol o fy anfon i a Brett i ysgol Gymraeg. Roedden nhw'n teimlo y bydden ni'n cael gwell addysg yno, ond yn fwy na hynny, roedden nhw eisiau i ni gael rhywbeth na chawson nhw mohono. Roedd Mam wedi bod lawr yng Nghaerdydd yn protestio, achos dim ond unedau Cymraeg mewn ysgolion Saesneg oedd llawer o'r ysgolion Cymraeg – fel Pont Siôn Norton pan o'n i yno. Buodd hi a mamau eraill di-Gymraeg yn gweiddi "Units Out!" y tu fas i Neuadd y Sir yng Nghaerdydd.

'Ond, doedd siarad Cymraeg ddim yn beth naturiol i'w wneud yn yr ysgol. Roedd athrawon eisiau i chi wneud, felly roedden ni i gyd yn gwrthryfela. Dw i ddim yn siŵr os yw'r syniad o orfodaeth yn beth da, achos wnes i ddim teimlo fy mod i am ddefnyddio'r Gymraeg yn fy mywyd tan i mi fynd i'r chweched dosbarth. Newidiodd pethau'n sydyn wedyn, achos roedden ni i fod i annog y plant iau i siarad Cymraeg, ac o'n i'n brif swyddog. Felly aeddfedodd fy agwedd tuag at yr iaith. Bellach, do'n i ddim jyst yn siarad Cymraeg achos bod athrawon o gwmpas. Gwnes i ddechrau sylweddoli beth oedd gwerth yr iaith, ac fe benderfynais i fynd i'r coleg yn Aberystwyth er mwyn gwneud popeth trwy gyfrwng y Gymraeg.

'Mae'n mynd yn haws i fyw bywyd trwy gyfrwng y Gymraeg ym Mhontypridd. Dw i'n mynd i Glwb y Bont i gymdeithasu, a dw i'n nabod y bobl sy'n siarad Cymraeg yn y banciau a.y.b. Pobl sydd wedi bod trwy'r system addysg Gymraeg ydyn nhw, ac maen nhw'n gweld y fantais nawr o siarad Cymraeg.

'Yn sicr, fyddwn i ddim ble rydw i nawr pe bawn i heb gael addysg Gymraeg, o ran bywyd proffesiynol a bywyd teuluol. Es i i Aberystwyth i'r coleg er mwyn parhau i siarad Cymraeg, ac yno y cwrddais i â fy ngwraig, Ffion. A fuaswn i'n bendant heb gael y swydd 'ma pe na bawn i'n siarad Cymraeg. Dw i wedi mynd o fyw ar aelwyd uniaith Saesneg i fyw ar aelwyd uniaith Gymraeg, a dw i'n siarad mwy o Gymraeg na Saesneg yn fy mywyd bob dydd.

'Dw i ddim yn siŵr beth fydd dyfodol yr iaith ym Mhontypridd. Mae llawer o bobl broffesiynol o ardaloedd Cymraeg yn symud yma o hyd, gan ei fod mor agos ac eto'n ddigon pell o Gaerdydd. Yn anffodus, dw i'n credu mai nhw, ac nid diddordeb pobl leol yn yr iaith, sydd i gyfri'n bennaf am dwf y Gymraeg yn yr ardal dros y degawdau diwethaf. Rydw i yn y lleiafrif – nifer bach sy'n penderfynu parhau i siarad Cymraeg ar ôl bod trwy'r system addysg Gymraeg, a 'dyw hynny ddim yn beth iach. A bod yn onest, byddai'n deg disgwyl i'r Gymraeg fod yn llawer cryfach yma nag y mae hi. Wedi'r cyfan, ry' ni wedi mynd o gael un ysgol gynradd Gymraeg i gael llwyth ohonyn nhw o fewn yr hanner canrif ddiwethaf. Dydy'r twf mewn addysg ddim o bosib wedi arwain at gynnydd yn y bobl leol sy'n siarad Cymraeg. Ond efallai ei bod hi'n rhy gynnar i farnu.

'Dw i'n hoffi byw ym Mhontypridd. Ro'n i'n hapus i symud 'nôl yma ar ôl gorffen fy MA yn Aber – ro'n i wedi cael llond bol ar Aber a dweud y gwir. Ces i waith gyda'r BBC yn Llandaf, a chafodd Ffion waith yn y Cymer, felly roedd byw ym Mhontypridd yn ymarferol – roedd e yn y canol i ni'n dau, a do'n i ddim eisiau byw yng Nghaerdydd. Ond, dw i'n cadw meddwl agored, a phe bawn i'n symud i ffwrdd, baswn i'n symud yn bell o Bontypridd – i'r gorllewin falle, neu i'r canolbarth at deulu Ffion. Ond ry' ni'n hapus iawn 'da'r addysg mae Dafydd yn ei dderbyn yn Ysgol Evan James, ac mae babi arall ar y ffordd, felly ry' ni'n stŷc yma a dweud y gwir. Ond fe allwn i adael Pontypridd – does gan y lle ddim cymaint â hynny o afael arna i.'

A wyddoch chwi . . .?

HANNAH THOMAS

'A wyddoch chwi . . . fod yng Nghaerdydd . . . rhyw ysgol fach . . . Bryntaf yw hi . . .
Ac os ewch yno, cewch gwrdd â phlant sy'n dod o
Landaf, Rhiwbeina, Cyncoed a Gabalfa, Pen-y-lan, yr Heath a SBLOT!'

Dyna oedd un o hoff ganeuon disgyblion Ysgol Gymraeg Bryntaf, unig ysgol gynradd Gymraeg prifddinas Cymru am dros ddeng mlynedd ar hugain. Byddem yn ymfalchïo wrth ei chanu, gan deimlo ein bod ni'n perthyn i glwb arbennig iawn. Yn sicr, byddai pawb yn mwynhau gweiddi'n groch ar y Sblot! Fe ymunais i â Bryntaf ym

Sblot.

1975 pan symudodd fy nheulu i Gaerdydd ac ymgartrefu yn un o faestrefi'r ddinas, Llanisien. Mae fy mam yn hanu o Gwmafan a'm tad o Orseinon, ac roedd y teulu'n dychwelyd i Gymru wedi cyfnod yn byw ger Llundain.

I'r mwyafrif o'n cyd-Kerdiffians, ystyrid y Gymraeg yn rhywbeth dieithr yn perthyn i gefn gwlad bryd hynny, ac roedd statws a phroffil yr iaith yn isel yn y ddinas. Arwyddion uniaith Saesneg oedd y norm; nid oedd siopau'n derbyn sieciau Cymraeg heb brotest, ac anaml, ar y cyfan, y clywid y Gymraeg ar y stryd. Serch hynny, roedd cymuned Gymraeg fach, egnïol yn bodoli yng Nghaerdydd, gyda Bryntaf, ynghyd â'r capeli a'r ysgolion meithrin, wrth galon bywyd teuluol Cymraeg. Roedd yn bosib byw eich bywyd fwy neu lai drwy gyfrwng y Gymraeg o fewn y rhwydwaith clòs hwnnw. Ond, i ryw raddau, roedd y rhwydwaith yn un cudd ac rwy'n cofio teimlo fy mod i'n perthyn i gymdeithas ddirgel ar adegau – yn siarad iaith nad oedd neb arall yn ei deall ac yn byw bywyd ar wahân i weddill trigolion y ddinas.

Mae'n stori wahanol heddiw, ac i rywun a fagwyd ar aelwyd Gymraeg yng Nghaerdydd 'dyw twf yr iaith yn y brifddinas yn ystod y blynyddoedd diwethaf yn ddim llai na rhyfeddod. Mae'r Gymraeg wedi ennill tir ochr yn ochr â phrifiant Caerdydd. Dyma un o brif ganolfannau cyfryngol Prydain, a chyda dyfodiad y Cynulliad Cenedlaethol mae Caerdydd yn ganolfan wleidyddol, yn ogystal â gweinyddol, i Gymru. Mae'r ddinas wedi cynyddu o ran maint ac o ran dylanwad economaidd, ac mae wedi denu cwmnïau mawrion niferus i'w pharthau.

O'r ysgolion prin hynny fel Bryntaf, ac yn ddiweddarach Ysgol Gyfun Gymraeg Glantaf, i'r wyth ysgol gynradd a'r tair ysgol gyfun sydd heddiw yn gwasanaethu Caerdydd a'r cyffiniau, mae addysg Gymraeg yn y brifddinas wedi ffynnu yn wyneb anawsterau lu. Mae capeli ac eglwysi Cymraeg y ddinas yn parhau i ddenu cynulleidfaoedd parchus ac ym myd gwaith mae dwyieithrwydd yn elfen gynyddol o waith y sector cyhoeddus, ac i raddau llai, y sector preifat. Mae'r Gymraeg yn llawer mwy amlwg ledled y ddinas gydag arwyddion dwyieithog yn rhan naturiol o'r dirwedd ddinesig. Yr arwydd amlycaf, o bosib, o bresenoldeb y Gymraeg ym mywyd beunyddiol y ddinas, yw'r ffaith fod yr iaith i'w chlywed mor fynych

Yn Ysgol Bryntaf.

yma. Ugain mlynedd yn ôl, pe clywn i rywrai'n siarad Cymraeg ar y stryd, gan amlaf byddwn yn eu hadnabod gan mor fach oedd y 'pentref' Cymraeg. Heddiw, y gwrthwyneb sy'n wir, cymaint yw'r cynnydd yn niferoedd y Cymry Cymraeg. Lle bynnag yr ewch chi yn y ddinas byddwch yn dod ar draws rhywun sy'n medru'r Gymraeg.

Ceisiaf, yn yr ysgrif hon, roi blas o ddatblygiad y Gymraeg yng Nghaerdydd dros y tri degawd diwethaf. Ysgrifennaf o'm profiad fy hun, gan gofio fod gan bawb stori wahanol.

BRYNTAF 1975–1981

Yn ei hanterth, ar ddiwedd y 1970au, roedd Bryntaf ymhlith ysgolion cynradd mwyaf Ewrop. Mr Tom Evans oedd y prifathro penigamp oedd yn adnabod pob un o'r chwe chan disgybl. Sefydlwyd rhagflaenydd Bryntaf, Ysgol Parc Ninian, ysgol gynradd Gymraeg gyntaf Caerdydd, ym 1948, rhyw ddeng mlynedd ar ôl sefydlu pwyllgor arbennig i ystyried darpariaeth addysg Gymraeg yn y brifddinas. Ym 1952, wedi iddi adleoli i safle newydd yn Llandaf, rhoddwyd yr enw Ysgol Gymraeg Bryntaf iddi. Erbyn 1972 roedd yr ysgol wedi gorfod symud eto, o'i safle uwchlaw'r Taf i adeilad ar ystad dai Mynachdy yng Ngabalfa, sef hen ysgol uwchradd Viriamu Jones.

Yno, fe wynebodd athrawon, disgyblion a rhieni gryn wrthwynebiad. Yr oedd y bobl leol yn gwarafun colli eu hysgol hwy i ddisgyblion o'r tu allan i'r ardal ac roeddent yn uchel eu cloch a'u hanfodlonrwydd. Gwaeddent ar y plant a cheisient rwystro'r bysys a ddeuai i'w cludo i'r ysgol.

Er gwaethaf yr helynt, fe gynyddodd y galw am addysg Gymraeg ac yn ystod y 1970au bu trafod mawr ynghylch dyfodol yr ysgol. Gyda'r disgyblion yn gorlifo o'r safle ym Mynachdy, teimlid y dylid rhannu'r ysgol yn bedair newydd. Fodd bynnag, yn y pen draw, ym 1975, symudwyd yr ysgol am y trydydd tro yn ei hanes i hen Ysgol Uwchradd y Merched, Caerdydd yn y Rhodfa yng nghanol y ddinas. Bellach, roedd Bryntaf wedi ei lleoli mewn adeilad Fictoraidd enfawr, chwe llawr, heb faes chwarae.

Rwy'n cofio'r adeilad yn dda gan fod ynddo ddigon i danio'r dychymyg. Roedd campfa a dwy ffreutur ar y llawr isaf a rhaid oedd cerdded ar hyd coridorau hirion, tywyll i gyrraedd y tai bach anghynnes. Roedd yno loriau pren traddodiadol, nenfydau uchel, ffenestri mawrion ac ystafelloedd dosbarth niferus. O bryd i'w gilydd, o ganlyniad i'r lleithder yng nghrombil yr ysgol, byddai madarch enfawr yn ymddangos ar waliau'r neuadd lle cynhelid y gwasanaeth boreol – testun sbort i ni'r plant. Golygai'r ffaith nad oedd maes chwarae addas i'w gael fod disgyblion byth a beunydd yn syrthio ac yn cael niwed, ac yn ôl ac ymlaen i'r ysbyty cyfagos, y Cardiff Royal Infirmary, yr âi'r prifathro gyda'r disgyblion a anafwyd.

Roeddwn i wrth fy modd yn yr ysgol, ac mae gennyf lu o atgofion melys o'r cyfnod. Tripiau Nadolig i Theatr y Sherman i fwynhau'r pantomeim Cymraeg; y pasiant blynyddol – cynhyrchiad epig a phob disgybl, dan arweiniad yr athrylithgar Mr Islwyn Morgan a'r staff ymroddedig, yn cymryd rhan yn yr ecstrafagansas mwyaf a welodd rhieni Caerdydd erioed; mabolgampau'r ysgol a gynhelid yn Stadiwm Maendy; disgos Nadolig ac ambell ymweliad arbennig gan sêr y cyfryngau, yn ogystal â hwyl arferol y gwersi a gofal y 'dinner ladies', yn enwedig Mrs Clee, bob amser egwyl.

Roedd uned arloesol hefyd wedi ei sefydlu ym Mryntaf i ddarparu addysg Gymraeg i blant ag anghenion arbennig. Cyn hyn roedd wedi bod yn anodd i'r plant hynny dderbyn eu haddysg drwy gyfrwng eu mamiaith, ond diolch i Mr Tom Evans a'r rhieni sicrhawyd yr hawl honno iddynt.

Gyda chymorth athrawon hwyliog a brwdfrydig cwblhawyd sawl prosiect diddorol. Byddem hefyd yn dysgu am chwedlau lleol – cawsom hanes yr arglwydd canoloesol o Senghennydd, Ifor Bach, a Rawlings White, y Cristion a ferthyrwyd yng Nghaerdydd yn ystod oes Mari Waedlyd. Roedd cyfle i brynu llyfrau Cymraeg yn y ffair lyfrau flynyddol, tra, o ran y teledu, yn ogystal â *Blue Peter* a *Hong Kong Phoey*, roedd rhaglenni Cymraeg megis *Teliffant*, *Miri Mawr* ac, yn ddiweddarach, *Yr Awr Fawr*, ymhlith ein ffefrynnau. Byddem hefyd yn mwynhau darllen cylchgronau'r Urdd, *Deryn* a *Cymru'r Plant*.

Roedd plant o bob cefndir ac o bob rhan o'r ddinas yn mynychu'r ysgol – dyna pam fod y gân 'A wyddoch chi?' mor boblogaidd – ac felly roedd naws eithaf cosmopolitaidd iddi. Roedd canran uchel o'r plant yn dod o gartrefi lle'r oedd o leiaf un rhiant yn medru'r Gymraeg, ond roedd nifer o'r disgyblion yn hanu o aelwydydd cwbl ddi-Gymraeg. Ffrwyth ymgyrchu unigolion ymroddedig a brwd a fyddai'n llythrennol yn curo ar ddrysau a gwerthu'r syniad o addysg Gymraeg i rieni di-Gymraeg oeddynt hwy. Chwaraeodd y Mudiad Ysgolion Meithrin ran hollbwysig hefyd, gan roi cyfle i blant oed meithrin godi'r iaith yn ogystal â chyflyru agwedd rhieni di-Gymraeg.

Byddai'r rhan fwyaf ohonom yn teithio i'r ysgol ar y bws, ac fel cydnabyddiaeth o gyfraniad y bws i addysg Gymraeg y brifddinas fe ddewiswyd cymeriad 'Byrti Bws' fel mascot Eisteddfod Genedlaethol yr Urdd ym 1984. Diolch byth am y bws! Roedd hi'n daith 30–40 munud o Lanisien, ar hyd Fidlas Road, heibio Parc y Rhath, trwy Cathays ac ymlaen i'r Rhodfa. Bws 8 oedd fy mws i, ac roedd system gymhleth ond effeithiol ddiwedd y dydd i sicrhau bod pob plentyn yn mynd adref ar y bws cywir. Roedd yn gymuned glòs ac yn ysgol hapus. Serch ein bod ni'n ifanc, roeddem yn ymfalchïo yn yr ysgol, ac yn ymwybodol o'r ymgyrchu a'r brwydro i'w sefydlu a'i chynnal.

Beth am y Gymraeg? Cymraeg oedd iaith y dosbarth a'r iard, y rhan fynychaf. Gan fod ein hathrawon a'n rhieni yn hanu o bob cwr o Gymru, roedd yr ysgol yn lobsgóws o wahanol acenion. Wedi dweud hynny, roedd y rhan fwyaf o'r disgyblion o'r de – roedd acen ogleddol yn anarferol ac yn destun cryn sylw. Doedd fawr o le i dafodiaith; Cymraeg safonol y de oedd iaith yr ysgol, a dwi'n cofio Mam yn cael cerydd gan fy mrawd am ddefnyddio geiriau fel 'taffys' a 'lico' yn hytrach na 'losin' a 'hoffi'!

Ym 1981, a'r ffrwd wedi tyfu'n llif, ac ymgyrchu cyson rhieni, athrawon ac eraill o'r diwedd yn llwyddo i argyhoeddi'r awdurdodau, penderfynwyd rhannu'r ysgol yn bedair newydd: Ysgol-y-Wern yn Llanisien, Coed-y-Gof yn Nhrelái, Ysgol Melin Gruffudd yn yr Eglwys Newydd (a agorodd ym 1979) ac Ysgol Bro Eirwg yn Llanrhymni (parhaodd yr hen Fryntaf yn y Rhodfa am flwyddyn arall).

Mae diwrnod olaf Bryntaf yn aros yn y cof. Daeth cyn-ddisgyblion yn ôl i ddweud ffarwél, a thynnwyd llun yn yr iard o'r holl ysgol, yn ddisgyblion a staff. Roedd perfformiad y pasiant olaf hefyd yn achlysur chwerw-felys. Roedd tristwch wrth weld diwedd cyfnod, ond roedd llawenydd a chyffro wrth weld addysg Gymraeg yn y brifddinas yn dechrau pennod newydd – a hynod o lwyddiannus – yn ei hanes:

> Ni wna Bryntaf un pasiant eto,
> Nawr daw ein hysgol ni i ben.
> Yn y dyfodol, fe fydd pedair ysgol,
> Mawr lwyddiant iddyn nhw, hir oes fo iddyn nhw
> Nos da i bawb, mae'n bryd i dynnu'r llen.

YSGOL-Y-WERN 1981–1982

Ym mis Medi 1981 daeth newid ar fyd. Yn lle teithio i'r dref bob dydd ar y bws, fe agorodd ysgol newydd ei drysau, ddau gam a naid o'r tŷ. I ddechrau, roedd yn chwith bod mewn ysgol gyda chyn lleied o ddisgyblion – 100 o blant a phedwar dosbarth yn unig. Roedd yr adeilad yn gwbl wahanol hefyd – dyma ysgol newydd, gyffrous gydag adnoddau a chyfleusterau modern a meysydd chwarae eang. Roeddem yn rhannu safle gydag ysgol Saesneg ei chyfrwng, Ysgol Gynradd Cefn Onn. Ar y cychwyn, roedd yna ychydig o ddrwgdybiaeth a lletchwithdod o'r naill du, ond buan yr ymgynefinodd pawb â'r drefn newydd. Ein prifathrawes ardderchog oedd Mrs Glesni Whettleton.

Roedd y disgyblion, ar y cyfan, yn byw'n lleol, ac am y tro cyntaf cefais y profiad o fod yn aelod o ysgol glyd, bentrefol. O'r cychwyn cyntaf fe ffynnodd yr ysgol ac roeddwn wrth fy modd yno. Yr oedd Bryntaf wedi darparu seiliau cadarn ar gyfer yr ysgolion newydd, o ran niferoedd ac o ran y Gymraeg.

CAPEL: Eglwys y Crwys

Roedd y capeli, yn naturiol, yn rhan annatod o fywyd Cymraeg y ddinas. Y tu allan i'r ysgol, yn ogystal â pherthnasau a ffrindiau, Eglwys y Crwys oedd un o brif gonglfeini cymdeithasol y teulu. Dechreuodd achos Methodistaidd y Crwys ym 1884 fel cangen o'r fam eglwys, Pembroke Terrace. Ym 1900 symudodd i gapel newydd sbon, adeilad trawiadol ar Heol y Crwys, yn ardal Cathays. Dros y ganrif ddilynol, fe gyfrannodd y Crwys – yn ogystal â chapeli ac eglwysi Cymraeg eraill y ddinas, yn eu plith, Pembroke Terrace, y Tabernacl (Bedyddwyr), Ebeneser (Annibynwyr), Salem (Methodistiaid), Minny Street (Annibynwyr), ac Eglwys Dewi Sant (Yr Eglwys yng Nghymru) – at gynnal a datblygu diwylliant Cymraeg Caerdydd.

Y Parch. Cynwil Williams oedd gweinidog y capel. Fe ymunodd â'r Crwys ym 1975 fel olynydd i'r Parch. D Lodwig Jones, gan gyflwyno syniadau newydd a chyffrous i'r aelodau. Arferem fynd i'r cwrdd a'r Ysgol Sul bob dydd Sul. Yn y bore, roedd dweud adnod yn rhan o'r fargen, ond byddem yn diflannu i'r festri i'n dosbarthiadau yn ystod y bregeth. Miss Eiry Humphries oedd arolygwraig abl yr Ysgol Sul a hi fyddai'n goruchwylio'r gwasanaethau tymhorol arbennig. Ym 1979, i'n diléit, fe gychwynnodd Mrs Lona Roberts glwb ieuenctid, 'Clwb Trwro', ar gyfer plant rhwng saith a deuddeg oed. Roedd Lona'n wych. Byddem yn ymgasglu yn y festri bob nos Fercher i fwynhau gwahanol weithgareddau, a byddai ei brwdfrydedd heintus yn sicrhau ein bod ni'n cael hwyl a sbri yn ogystal â dysgu gwers arbennig.

Roedd tripiau Ysgol Sul yr haf i Borthcawl neu Fro Gŵyr, teithiau preswyl i Goleg Trefeca a phartïon Nadolig ymhlith uchafbwyntiau eraill y flwyddyn. Byddai'r Cylch Cymorth, Dosbarth y Chwiorydd, Y Gymdeithas Ddrama, a'r Gymdeithas yn darparu amserlen lawn ar gyfer yr oedolion. Yn sicr, roedd yna ddigon o weithgareddau i blesio pob cenhedlaeth.

I gynulleidfa a oedd ar wasgar drwy'r ddinas, roedd y capel yn ganolfan gymunedol a chymdeithasol yn ogystal ag addoldy. I rywun ifanc yn tyfu lan yn y ddinas, heb wreiddiau yng Nghaerdydd, roedd yn rhoi teimlad o berthyn, rhywbeth pwysig mewn dinas fawr. Yng nghanol yr 1980au fe symudodd y Crwys i safle newydd ar Heol Richmond, i hen adeilad y Christian Scientists. Yma, cafwyd offer, adnoddau a chyfleusterau modern a hwylusodd fwy fyth o weithgareddau. Fe ymddeolodd Mr Williams yn 2001, ac roedd yr adeilad dan ei sang ar gyfer gwasanaeth ffarwél arbennig. Bellach mae'r Crwys yn parhau i ffynnu dan arweiniad gweinidog newydd, y Parch. Glyn Tudwal Jones.

GLANTAF 1982–1989

Agorwyd Ysgol Gyfun Gymraeg Glantaf i gant o ddisgyblion dan oruchwyliaeth prifathro profiadol, Mr Malcolm Thomas, yn Ystum Taf ym 1978. Sefydlwyd yr ysgol, unwaith eto, nid heb ryw gymaint o anghydfod, gan fod y trigolion lleol yn gwrthwynebu'r cynllun. Cyn sefydlu Glantaf, roedd yn rhaid i ddisgyblion oedran addysg uwchradd deithio yn gyntaf i Ysgol Gyfun Rhydfelen, a sefydlwyd ym 1962, ac yna i Lanhari, a sefydlwyd ym 1974. Glantaf oedd unig ysgol gyfun y sir, ac felly yn ogystal â phlant y ddinas, deuai plant Bro Morgannwg – y Barri, Penarth, Dinas Powys, a'r Bont-faen iddi. Y tu allan i'r ystafell ddosbarth roedd iaith yr ysgol yn gymysgedd o Gymraeg a Saesneg, ond cofiaf i'r Gymraeg gael ei siarad gan nifer dda o'r disgyblion, gan fod twf y cyfryngau a'r sîn roc yng Nghaerdydd yn rhoi apêl atyniadol iddi.

Roeddwn yn hapus iawn yng Nglantaf. Roedd newydd-deb ac amrywiaeth yr amserlen yn wahanol ac yn gyffrous, ac roedd digon o gyfle i fwynhau gweithgareddau allgyrsiol megis drama, cerddoriaeth, a chwaraeon. Dan gyfarwyddyd pennaeth yr adran gerdd, Mr Alun Guy, byddai disgyblion yn cael y cyfle i gymryd rhan mewn digwyddiadau di-rif – o berfformio mewn cyngherddau a chynyrchiadau i ymddangos ar raglenni teledu a radio, a chystadlu mewn eisteddfodau.

Yn Ysgol Glantaf, 1985.

Roedd yr eisteddfod flynyddol yn achlysur pwysig yng nghalendr yr ysgol. Am nifer o flynyddoedd, gan nad oedd digon o le yn yr ysgol, byddai'r eisteddfod yn cael ei chynnal yn Neuadd Dewi Sant. Byddai'r Neuadd yn fôr o las, coch, gwyrdd a melyn, lliwiau'r llysoedd, Teilo, Illtud, Dyfrig a Dewi, a byddai pob disgybl yn gweiddi nerth ei ben dros ei lys.

Fe fu cynnal eisteddfodau'r Urdd a'r 'Genedlaethol' yn ardal Caerdydd yn fodd i ennyn diddordeb yn y Gymraeg hefyd, nid yn unig yn yr ysgol ond yn y gymuned ehangach. Daeth y 'Genedlaethol' i Gaerdydd ym 1978, i Gasnewydd ym 1988, ac i Gwm Rhymni ym 1990, ac ymwelodd Eisteddfod Genedlaethol yr Urdd â Chaerdydd ym 1984. Mawr oedd mwynhad disgyblion ysgolion Cymraeg y ddinas wrth gymryd rhan yn y cystadlu a'r dathliadau, yn aml ar y cyd gydag ysgolion cyfun Cymraeg y cymoedd. At hynny roedd yr awdurdod lleol hefyd yn cynnig amrywiaeth o weithgareddau i bobl ifanc ac roedd nifer o ddisgyblion Glantaf yn aelodau brwd o Theatr a Chôr Ieuenctid De Morgannwg. Roedd Canolfan yr Urdd ar Heol Conway yn weithgar, ac 'Aelwyd' pentref Rhiwbeina dan arweiniad Mr Gwilym Roberts yn boblogaidd, a chan fod copïau o bapur bro Caerdydd a'r cylch, *Y Dinesydd*, yn cael eu ddosbarthu'n rheolaidd drwy'r ysgol, gwyddem, diolch i'r llinyn cyswllt hollbwysig hwnnw, am 'bopeth Cymraeg' oedd yn digwydd o'n cwmpas.

Y CYFRYNGAU

A Radio Cymru eisoes yn bod, ar ddechrau fy ngyrfa ysgol yng Nglantaf lansiwyd S4C. Roedd yr ymgyrchu ar gyfer sianel deledu Gymraeg wedi dwysáu ar ddiwedd y 1970au gyda Chymdeithas yr Iaith Gymraeg yn flaenllaw iawn. Yn ogystal â gweithredu uniongyrchol y to iau – dringo mastiau a meddiannu stiwdios teledu ac yn y blaen – fe ymunodd y genhedlaeth hŷn yn yr ymgyrch trwy wrthod talu trwyddedau teledu.

Er mawr lawenydd, yn Etholiad Cyffredinol 1979 rhestrwyd sefydlu sianel Gymraeg yn bolisi ym maniffestos yr holl bleidiau. Fodd bynnag, pan etholwyd y Ceidwadwyr, cyhoeddasant o fewn wythnosau eu bod am gefnu ar yr ymrwymiad. O'r diwedd, yn dilyn bygythiad enwog Gwynfor Evans i ymprydio oni fyddai'r Llywodraeth yn cadw at ei gair, gwnaeth Mrs Thatcher ei thro pedol enwog, ac ym 1980 sefydlodd Deddf Ddarlledu newydd S4C, ac yng ngweddill Prydain, Channel 4.

Ar nos Lun, 1Tachwedd 1982, fe ddarlledodd S4C am y tro cyntaf, a'n tasg ni yn y wers Gymraeg y diwrnod canlynol oedd ysgrifennu am yr achlysur hanesyddol. Dwi'n cofio mai pennod gyntaf *SuperTed* oedd uchafbwynt y noson i mi! Fe sbardunodd sefydlu'r sianel ddiwydiant darlledu ffyniannus ledled Cymru. O ran Caerdydd, cyfrannodd y sianel at fwrlwm cyfryngol heb ei ail. Yn ogystal â'r cynhyrchwyr annibynnol, y cwmnïau adnoddau, sain, ac ôl-gynhyrchu, yma roedd y ganolfan BBC fwyaf y tu allan i Lundain, gyda HTV yn cwblhau'r drindod o ddarlledwyr. Crëwyd cyfleoedd i ddefnyddio'r Gymraeg mewn cyd-destun newydd, ac fe lwyddodd y byd darlledu, fel diwydiant deinamig a deniadol, i ddenu pobl ifanc greadigol a oedd yn awyddus i weithio trwy gyfrwng y Gymraeg. Roedd cyfle arbennig i ddisgyblion Glantaf chwarae rhan uniongyrchol yn yr ystod o raglenni newydd a gynhyrchid, tra bod gweithio yn y cyfryngau Cymraeg bellach yn ddewis posib o ran gyrfa yn y dyfodol.

CYMREIGIO CAERDYDD

Yn ystod y 1970au a'r 1980au roedd newidiadau eraill ar droed yn y ddinas, gyda changen Caerdydd o Gymdeithas yr Iaith yn weithgar yn ystod y cyfnod hwn. Roedd protestio a gorymdeithio yn rhan amlwg o fywyd beunyddiol Caerdydd. Byddai sloganau'n addurno ffenestri a waliau siopau'r dref yn gyson, ac adroddiadau dirifedi yn y papurau lleol, y *Western Mail* a'r *South Wales Echo*, yn rhoi'r hanes diweddaraf. Roedd amryw o drigolion di-Gymraeg Caerdydd yn gwrthwynebu'r ymgyrchu, ac yn ystod y blynyddoedd hynny roedd yna rwyg rhwng trigolion Cymraeg a di-Gymraeg y ddinas. Menter 'arbrofol' oedd addysg Gymraeg o hyd, ac roedd ymwybyddiaeth a dealltwriaeth o'r Gymraeg yn wan. Nid oedd fawr o gydymdeimlad tuag at yr ymgyrchu, na'r achos yn gyffredinol.

Ochr yn ochr â phrotestiadau'r 'penboethiaid' ifainc, fe ddechreuodd ymdrechion dosbarth proffesiynol Cymraeg Caerdydd – dosbarth addysgiedig, huawdl ac ymroddgar – ddwyn ffrwyth. Fe fynnodd y dosbarth hwnnw hawliau a gwasanaethau trwy gyfrwng y Gymraeg, a llwyddodd cyfuniad o'r elfennau hynny, o weithredu uniongyrchol Cymdeithas yr Iaith a lobïo'r dosbarth canol, i ddod â'r iaith i frig yr agenda. Penllanw'r datblygiad hwn oedd deddfwriaeth newydd a atgyfnerthodd statws cyfreithiol a gweinyddol y Gymraeg, gan gyfrannu at Gymreigio Caerdydd. Cryfhawyd statws yr iaith gan y Ddeddf Iaith a arweiniodd at sefydlu Bwrdd yr Iaith Gymraeg ym 1993. Rhaid oedd i gyrff cyhoeddus, ac i raddau llai, gwmnïau preifat, lunio a chydymffurfio â chynllun iaith, gyda'r canlyniad fod yr iaith yn llawer mwy gweladwy a chyfarwydd i gannoedd o filoedd o drigolion Caerdydd. O gyhoeddiadau'r Cyngor Sir i filiau trydan a nwy, i arwyddion siopau Tesco, daeth y Gymraeg yn iaith gyhoeddus amlycach ac nid yw ysgrifennu siec Gymraeg bellach yn destun rhyfeddod ac amheuaeth.

CERDDORIAETH

Daeth berw a chyffro sîn roc Gymraeg Caerdydd i'r brig yn ystod y 1980au hefyd, a bu sefydlu Clwb Ifor Bach ym 1982 yn ddatblygiad allweddol o ran rhoi cyfle i fandiau berfformio'n fyw ac i Gymry Cymraeg gymdeithasu o dan yr un to. Sefydlwyd y 'Clwb' yn hen adeilad y Lleng Brydeinig yn Womanby St, ac mae'n rhyfedd meddwl mai enwau gwreiddiol ei wahanol ystafelloedd oedd 'Winston Churchill Room' a 'Queen Elizabeth II Room'! Cynhelid 'gigs' yn Undeb Prifysgol Caerdydd i godi arian i Gymdeithas yr Iaith, a daeth nifer o fandiau dinesig newydd i'r amlwg, gan gynnwys U-Thant, Hanner Pei a'r Crumblowers. Roedd rhaglenni teledu S4C, fel *Fideo Naw* a *Heno Heno*, a rhaglenni radio megis *Cadw Cwmni* Red Dragon FM, yn rhoi llwyfan a chyhoeddusrwydd ychwanegol i'r bandiau hynny. Ar un adeg yn yr ysgol roedd fel petai pob wan jac am gychwyn band!

Yn ogystal â Chlwb Ifor Bach, roedd nifer o dafarndai Cymraeg eu naws yn y ddinas. Roedd y New Ely, y Conway a'r Halfway, yn hanesyddol, yn dafarndai 'cyfryngol', tra bod tafarndai fel y Claude yn y Rhath yn ganolfan i fyfyrwyr Cymraeg. Yn y dref, roedd yr Horse and Groom a'r Philharmonic ymhlith hoff gyrchfannau disgyblion chweched-dosbarth Glantaf. Roedd canol y dref bryd hynny dipyn yn wahanol i heddiw, a'r dewis o ran tafarndai a chlybiau yn fwy cyfyng. Mae Clwb Ifor Bach erbyn heddiw wedi datblygu'n lleoliad poblogaidd ar gyfer gwahanol ddigwyddiadau a pherfformiadau ac mae'n cael ei logi gan hyrwyddwyr bob noson o'r wythnos. Mae nos Sadwrn yn parhau'n atyniad i'r Cymry Cymraeg, tra bod tafarndai megis y City Arms a Callaghans, ac yn fwy diweddar y Cayo Arms a'r Mochyn Du, hefyd yn boblogaidd.

PRIFYSGOL 1989–1992, 1993–1994

Ym 1989 fe es i i Brifysgol Abertawe i astudio'r Gymraeg a'r Saesneg. Yn wahanol i nifer o golegau prifysgol eraill Cymru, roedd proffil y Gymraeg yn eithaf isel yn Abertawe a chanran gymharol fechan o fyfyrwyr Cymraeg eu hiaith a astudiai yno. Roedd arwyddion dwyieithog, yn enwedig yn Undeb y Myfyrwyr, yn brin ac anaml y cynhelid 'gigs' Cymraeg. Roedd cymuned Gymraeg y coleg yn fychan ac o ran y gymuned ehangach ac er bod Abertawe'n fwy traddodiadol Gymreig na Chaerdydd, nid oedd y Gymraeg yn amlwg iawn ar hyd a lled y ddinas. Roedd Adran Gymraeg y brifysgol, fodd bynnag, yn un frwd a chyfeillgar ac yn fwrlwm o drafod a herio. Deffrowyd ymwybyddiaeth a diddordeb yn hanes Cymru, ac yn yr ail flwyddyn fe'm hysbrydolwyd i a thri ffrind i sefydlu cymdeithas ddrama Gymraeg. Llwyfannwyd dau gynhyrchiad bythgofiadwy (i ni, o leiaf!), drama John Gwilym Jones, *Y Tad a'r Mab*, a phantomeim *Twm Siôn Cati*.

Wedi i mi raddio a theithio a gweithio am ryw flwyddyn, fe osodais fy mryd ar ddilyn gyrfa ym myd cysylltiadau cyhoeddus ac fe ymunais i ag Ysgol Newyddiaduraeth Prifysgol Caerdydd i ddilyn cwrs blwyddyn yn y maes. Roedd gan benaethiaid yr Ysgol agwedd flaengar, galonogol tuag at Gymru a'r Gymraeg. Yn y cyfweliadau pwysleisiwyd fod Cymru'n genedl unigryw, ar wahân i Loegr, a bod y sîn cyfryngol, gwleidyddol a diwylliannol yn dra gwahanol yma. Manteisid ar gysylltiadau clòs â'r prif ddarlledwyr yng Nghaerdydd, ac ar y cwrs yn trin Gweinyddiaeth Gyhoeddus astudid fformiwlâu Cymreig, gan gymryd Cyngor Caerdydd yn fodel. Deuai'r mwyafrif helaeth o'm cyd-fyfyrwyr o Loegr. Ar y cyfan roeddent yn anghyfarwydd â Chymru, Caerdydd a'r Gymraeg, ond fe ymddiddorent yn yr iaith gan barchu'r diwylliant a'r drefn wahanol. Rwy'n cofio cael fy nghythruddo yn ystod y cyfnod hwn gan ambell erthygl wrth-Gymraeg a Chymreig yn y wasg Brydeinig. Bu'n destun cryn drafodaeth yn yr Ysgol, a synnai'n tiwtoriaid at anwybodaeth newyddiadurwyr honedig eangfrydig ac addysgedig. Gyda'r rhan fwyaf o fyfyrwyr yr Ysgol yn dewis dilyn gyrfa yn Llundain, mae'n dda o beth eu bod nhw wedi profi diwylliant gwlad arall ac felly'n llai tebygol, o bosib, o arddel yr un rhagfarnau.

GWEITHIO

A'r Gymraeg, yn fy nhyb i, wedi ennill ei phlwyf, tipyn o agoriad llygad oedd dechrau gweithio yng Nghaerdydd yng nghanol y 1990au a sylweddoli, er gwaethaf ei thwf, nad oedd fawr o ystyriaeth iddi yn y byd masnachol, dinesig. Ychydig o gysylltiadau oedd rhwng y byd Cymraeg a'r gymuned fusnes. Nid oedd unrhyw ddrwgdeimlad tuag at y Gymraeg, ond fe'i hystyrid yn rhywbeth ecsentrig, lletchwith ar y cyfan. Hyd yn oed yn ninas gosmopolitaidd Caerdydd roedd hi'n anodd i rai ddirnad y cysyniad o fagwraeth ac addysg mewn iaith wahanol i'r Saesneg.

Pan ddechreuais weithio i gwmni cysylltiadau cyhoeddus yn y ddinas, nid oedd goblygiadau'r Ddeddf Iaith eto wedi dod i rym. Ond wrth i'r ddeddf afael, ac i'r sector cyhoeddus fabwysiadu cynlluniau iaith, roedd yn rhaid i'r sector preifat ymateb hefyd. Daeth darparu gwasanaeth dwyieithog yn fwy o flaenoriaeth, ac i'w weld yn rhinwedd. Yn ogystal â chwrdd â gofynion y ddeddf newydd, roedd y gallu i gyfathrebu â chynulleidfa ehangach drwy'r cyfryngau Cymraeg hefyd yn fantais i gleientiaid. Daeth cyhoeddi deunydd dwyieithog, boed yn arddangosfeydd, arwyddion, pamffledi, neu'n adroddiadau blynyddol, yn gyffredin, a'r arfer o dargedu cynulleidfa benodol, yn ei hiaith ei hun, yn dderbyniol ac atyniadol.

Rhyw bedair blynedd yn ôl fe ddechreuodd bragdy S A Brain ddefnyddio hysbysebion Cymraeg ar gyfer eu cwrw – 'Cwrw Traddodiadol o Gymru'. Roedd 'Brains', fel nifer o gwmnïau eraill, wedi sylweddoli bod y Gymraeg yn 'USP' – 'unique selling point' – i Gymru ac i gynnyrch Cymreig. Mae eisoes yn hysbys fel y mae gwerthiant nwyddau wedi cynyddu ochr yn ochr â'r defnydd o sloganau Cymraeg ar becynnau, tra bod archfarchnadoedd a siopau eraill yn defnyddio arwyddion a phecynnu dwyieithog fel rhan o'u brandio. Mae S4C hefyd wedi gweld cynnydd yn nifer yr hysbysebion Cymraeg sy'n ymddangos ar y sgrîn. Pan lansiwyd y sianel, naw cwmni oedd yn defnyddio'r Gymraeg yn eu hysbysebion; yn 2002 fe ddefnyddiodd 40 cwmni y Gymraeg mewn 130 o ymgyrchoedd.

Wrth i'r cenedlaethau cyntaf o blant gwblhau eu haddysg trwy gyfrwng y Gymraeg, daeth mwy o bobl i'r fei a feddai ar sgiliau dwyieithog. Mae'r cydblethu hynny – cyflogeidion cymwys i ymgymryd â gwaith dwyieithog – wedi golygu bod gwerth economaidd y Gymraeg wedi cynyddu dros y deng mlynedd diwethaf. Er nad yw'r sefyllfa'n berffaith o bell ffordd – mae gwallau iaith o hyd yn ymddangos mewn deunydd Cymraeg cyhoeddus – mae yna ystyriaeth a chreadigrwydd wrth ymdrin â materion dwyieithog o leiaf.

CLOI

Mae'r cyfleoedd newydd o ran swyddi a'r ffaith fod modd mwynhau bywyd dinesig trwy gyfrwng y Gymraeg, wedi golygu bod atyniad Caerdydd i Gymry ifanc o bob cwr o'r wlad wedi cryfhau. Mae yna rai ardaloedd o Gaerdydd, yn bennaf Treganna, Pontcanna, a Glanrafon – ardaloedd mwyaf Seisnigaidd y ddinas yn draddodiadol – lle mae'r Gymraeg yn hyglyw ar y strydoedd, wrth i Gymry Cymraeg eu poblogi. Ochr yn ochr â'r Cymry Cymraeg 'alltud' sy'n ymgartrefu yn y brifddinas, mae yna gynnydd yn y Cymry di-Gymraeg sy'n dysgu'r iaith ac sy'n dewis anfon eu plant i ysgolion Cymraeg. Bu cynnydd yn y cyfleoedd i oedolion ddysgu Cymraeg mewn dosbarthiadau nos, a dosbarthiadau yn ystod y dydd. Yng Nghaerdydd y dechreuodd y cyrsiau Wlpan dwys a oedd i weddnewid llawer agwedd ar ddysgu ail-iaith ac a arweiniodd yn y pen draw at sefydlu Canolfan Dysgu Cymraeg i Oedolion Prifysgol Caerdydd.

Y peth mwyaf sydd wedi newid yw agweddau tuag at y Gymraeg. Mae Cymry di-Gymraeg Caerdydd yn fwy positif tuag at yr iaith ac yn ymwybodol o'r cyfleoedd a ddaw yn sgil dysgu'r Gymraeg, tra bod y Cymry Cymraeg yn fwy hyderus. Mae twf yr ysgolion Cymraeg a alluogodd blant o aelwydydd Cymraeg i dderbyn eu haddysg trwy gyfrwng eu mamiaith, ac a ddenodd blant o deuluoedd di-Gymraeg, wedi helpu i 'normaleiddio' yr iaith. Mae'r cyfryngau Cymraeg wedi creu llwyfannau newydd ar gyfer ei defnyddio tra bod deddfwriaeth wedi cryfhau ei statws a hawliau'r Cymry Cymraeg. Ar ben hynny, mae'r ffaith fod y Gymraeg bellach yn iaith ddinesig wedi helpu cyfrannu at ddelwedd fodern o Gymreictod.

Mae'r profiad o fagwraeth Gymraeg, o fewn cyd-destun dinesig, gwasgaredig, wedi arwain at gael y gorau o ddau fyd: ymdeimlad o berthyn i gymuned Gymraeg gyda phrifddinas fawr, fywiog yn gefndir. Er nad yw fy ngwreiddiau'n ddwfn yn Llanisien, lle cefais fy magu, gan i mi fynychu ysgolion a chapel y tu allan i'r ardal, mae'r profiad hwnnw'n nodwedd o fywyd dinesig yn gyffredinol, efallai. Ceir ym mhob dinas gylchoedd o bobl sy'n rhannu'r un diddordebau neu gefndir, p'un ai yn ôl iaith, diwylliant neu grefydd, ac sy'n dewis cymysgu gyda'i gilydd. Ond, rwyf yn teimlo bod fy ngwreiddiau, ar y cyfan, yng Nghaerdydd. Rwy'n teimlo'n rhan o gymuned Gymraeg Caerdydd, yn ogystal â chymuned ehangach y brifddinas, erbyn hyn.

Wedi gorfod ymladd am gydnabyddiaeth, a brwydro yn erbyn anwybodaeth a difaterwch, y gobaith yw bod y Gymraeg bellach wedi bwrw gwreiddiau cadarn ym mhrifddinas Cymru.

Caerdydd –
Ddoe a Heddiw.
(Nick Jenkins)